Albert en Annelies

Het verhaal van hun liefde

Colofon

ISBN: 978 90 8954 445 2
1e druk 2012
© 2012 Roel Beenen

Exemplaren zijn te bestellen via de boekhandel
of rechtstreeks bij de uitgeverij:
Uitgeverij Elikser
Ossekop 4
8911 LE Leeuwarden
Telefoon: 058-2894857
www.elikser.nl

Vormgeving omslag en binnenwerk: Evelien Veenstra

hoogte omdat hij niet anders gewend was. Soms dacht hij aan zijn moeder. Hoe mooi het was, zo veilig en vertrouwd. Maar het was al zo lang geleden, alsof die tijd nooit echt had bestaan. Soms vroeg hij zich af waarom zijn vader hem niet steunde. Waarom deed hij met de anderen mee? Nee, zei Albert dan bij zichzelf, een hekel heeft Durk van Zanden niet aan mij. Zo erg is het nou ook weer niet. Zo erg mag het niet zijn.

Zou Feitse nu weer met weerzinwekkende details komen? Zo erg dat zijn vader hem tot de orde moest roepen? Terwijl Albert zijn boterhammen met moeite naar binnen werkte omdat hij al met Annelies had gegeten, zag hij hoe zijn vader bedenkelijk ging kijken. Zelfs zijn stiefmoeder, die Albert in zijn hart voor een goor wijf hield, kreeg een bedenkelijke rimpel tussen haar harde ogen.

'Nou is het mooi geweest Feitse,' zei zijn vader, 'er zit nog altijd *een kind* bij.'

Albert hield zijn gezicht in de plooi. Hij probeerde ernstig en gekwetst te kijken en toen ze allemaal weer zo stom begonnen te grinniken, dacht hij aan Annelies en dat hij iets had meegemaakt waar ze niet aan konden tippen. Misschien zijn vader, vroeger met zijn moeder. Maar verder niemand hier aan tafel.

'Albert bestudeert de bloemetjes en de bijtjes in het bos aan de overkant van de vaart,' sneerde Feitse. 'Over een paar jaar, als je een grote kerel bent, moet je maar eens met mij meegaan.' Ze lachten allemaal. Feitse had nog meer willen zeggen. Maar hij hoorde zijn vader kuchen.

Albert glimlachte als een boer die kiespijn heeft en hij zei zo kalm als mogelijk was onder de gegeven omstandigheden: 'Als ik zo oud ben als jij nu Feitse, dan kom ik jou vragen hoe het zit met de liefde en zo. Afgesproken?'

Albert had veel scherper kunnen antwoorden, maar hij

wilde van tafel. Hij had schoon genoeg van het onnozele geklets van zijn oudste broer. Maar ondertussen kon hij wel zingen. Nog nooit was hij zo gelukkig geweest en tegelijkertijd probeerde hij met alle macht triest te kijken alsof ze hem met opzet op zijn tenen hadden getrapt.

'Is dat zo Albert,' vroeg Feitse, 'gaat het bij de bijtjes zoals bij de mensen? Jij moet het weten want jij bent hier de professor in huis.'

Albert glimlachte gemaakt gekwetst. 'Dan moet ik eerst aan jou vragen hoe het bij de mensen gaat, Feitse. Want ik ben een kind en daarom kan ik het nog niet weten.' Bij elk woord dacht hij aan Annelies en hoe knap ze was ondanks haar handicaps en hij dacht aan de liefde die zo sterk was en zo mooi dat alles op de wereld ernaast verbleekte. Dat dacht hij en nog veel meer terwijl hij die ene zin met een gemaakt droevige trek op zijn gezicht zei: want ik ben een kind en daarom kan ik het nog niet weten.

'Het is mooi geweest,' zei z'n vader terwijl hij opstond, want hij wist dat Albert met woorden gevaarlijke steken uit kon delen als ze hem te na kwamen. Iets waarschuwde hem. Vandaag was er iets bijzonders met Albert. Alsof hij gegroeid was.

'Het is mooi geweest, straks maken jullie nog ruzie,' zei hij vermanend en hij ging bij het raam zitten met z'n pijp en de dikke vrijdagse krant.

Albert was blij dat hij van tafel kon. Het gedoe met zijn halfgare familie had hem al veel te lang geduurd. Maar tegelijkertijd realiseerde hij zich dat hij zich volkomen op zijn gemak voelde. Ze hadden hem geen pijn meer kunnen doen. Hij voelde zich niet meer het verschoppelingetje van de familie. Hij voelde zich onkwetsbaar. En hij wist precies waarom.

Het was halfacht en de warme zomeravond was nog lang.

Albert en Annelies

Het verhaal van hun liefde

Roel Beenen

1

Als kind speelde Albert het liefst op het plankier aan de brede trekvaart. Zijn broers en zijn vader maakten daar de melkbussen schoon. Al vanaf zijn zevende liet hij er, zittend op zijn knieën, bootjes varen die hij van oude klompen maakte. De kunst was het roer zo vast te zetten dat de bootjes in een grote boog over de vaart voeren om weer precies bij het plankier terug te keren. Het was een spannende bezigheid, want het liep niet altijd goed af. Soms leden de bootjes schipbreuk midden op de brede trekvaart, waar bij een strakke wind de golven wel twintig centimeter hoog werden. Een andere keer kwamen de bootjes aan de overkant in het riet vast te zitten en dan waren ze meestal ook verloren. Als de wind draaide, soms pas na weken, dreven ze weleens terug. Dan kon hij ze aan hun kant uit het water vissen.

In de vaart was het water minstens drie meter diep, maar vlak naast het plankier kon je staan. Dat had Albert al ontdekt toen hij tien jaar was en in het water was gevallen omdat hij een bootje probeerde te grijpen dat wegvoer voordat hij het roer had vastgezet.

Toen zijn moeder nog leefde, had hij nooit zo dicht bij het water mogen spelen. Nog geen vijf was hij, toen zij er plotseling niet meer was. Hij dacht zo weinig mogelijk aan die verschrikkelijke dag en aan al die andere dagen die erop volgden. Maar nooit was de gedachte aan zijn moeder helemaal weg. Ze was altijd ergens op de achtergrond aanwezig. En dat was een grote troost want hij wist zeker dat alleen zij van hem had gehouden. In de eerste dagen en weken na het overlijden van zijn moeder was zijn vader aardig voor hem geweest. Maar dat veranderde zodra die andere vrouw bij hen kwam wonen, die heks zoals hij haar noemde. Nog geen week nadat ze met hem was getrouwd, zei zijn vader terwijl hij op het plankier speelde: 'Pas maar op, als je verzuipt is het je eigen schuld.'

Hij zei het met een barse, onverschillige klank in zijn stem. Er was maar één gevolgtrekking mogelijk: zijn vader moest hem niet. Hij vergiste zich niet en hij wist ook donders goed waarom zijn vader zo gevoelloos was, alsof hij er niet bij hoorde. Het kwam door dat wijf met haar staalblauwe, harde ogen en haar hoge scherpe stem, dat mens dat zelf geen kinderen had. Maar waarom zij nauwelijks wat tegen hem zei, alleen het hoogstnodige, begreep hij niet. Want hij deed zijn uiterste best haar niets in de weg te leggen. Hij maakte zijn eigen bed op en hij liet zijn spullen niet door de kamer slingeren. En toch zei ze nooit iets aardigs tegen hem. Hij kon zich niet herinneren dat ze hem ooit, al was het maar in het voorbijgaan, over zijn haren had gestreeld. Zijn twee oudere broers hadden een reden om hem niet te mogen. Want die waren nog altijd jaloers, omdat zijn moeder van hem, de jongste, extra veel had gehouden. Zijn oudste broer liet zijn afgunst op een misselijke manier merken. Dan zei hij bijvoorbeeld tegen hem: 'Als je zo nodig moet verzuipen Albert, doe het dan als de wind deze kant op waait. Dan hoeven we niet een boot te lenen om je lijk aan de overkant van de vaart te gaan zoeken.'

En dan lachte hij op een wijze die geen enkel misverstand liet bestaan.

Zittend op het plankier, naast de melkbussen, kon hij de uitgestrekte landerijen zien die aan de overzijde van het water lagen. De oude trekvaart was tachtig meter breed. Maar die tachtig meter waren voldoende om van de landerijen aan de overkant een geheimzinnige, onbekende landstreek te maken. Hij was er nog nooit geweest, omdat je vijfentwintig kilometer om moest fietsen om er te komen. Schuin tegenover hun erf, dat direct aan de vaart grensde, lag aan de overzijde in die bijna eindeloze groene vlakte een bos van vele hectares. Hemelsbreed was het maar driehonderd meter. Je kon de vogels er in het voorjaar zien nestelen en je zou er gemakkelijk in vijf minuten naartoe kunnen lopen als de vaart er niet was. Als ze een bootje hadden gehad was hij er allang geweest. Want aan de overkant van het water begon de vrijheid. Zo voelde Albert het. Soms droomde hij dat hij over het water kon vliegen, gewoon door zijn armen te bewegen alsof het vleugels waren. Een andere keer meende hij de stem van zijn moeder te horen. Dan vertelde ze hem een verhaaltje voor het slapen gaan. Over de feeën die aan de overkant van de vaart in kleine huisjes woonden. Elke keer als hij de boerderijen in de verte als kleine rode vlekken zag, dacht hij aan die verhaaltjes waarvan hij zo had genoten. Eens had hij tussen waken en dromen gemeend dat zijn moeder aan de overkant van de vaart stond en hem wenkte en riep. Maar toen hij opstond en door het dakraam naar buiten keek in de richting van de vaart en naar het beloofde land daarachter, was er slechts een grauwe mist van kleine druppeltjes die nauwelijks hoorbaar als nutteloze tranen op het dakraam tikten.

Hij had zijn vader eens gevraagd of ze een bootje konden kopen. Al was het maar een oud ding, dat gaf niet, hij kon het zelf wel opknappen en verven. Maar zijn vader had hem smalend uitgelachen en zijn stiefmoeder zei snibbig zonder hem aan te kijken dat ze geen geld uitgaven voor de paar jaar dat hij nog bij hen woonde. Ze waren wel wijzer, ze konden hun geld beter gebruiken. En daarom dacht hij steeds vaker aan een vlot. Dat kon hij zelf maken. In het kleine smalle slootje dat op de grote vaart uitkwam, maakte hij die herfst een vlot van de houten onderdelen van een wagen die enkele dagen in het water lagen te weken. Hij kon, staande op dat vlot, wel bomen maar dan ging hij slechts langzaam vooruit omdat het vlot te diep lag. Het schuurde door de modder. De oude wagen was van eikenhout en eikenhout was veel te zwaar om er een bruikbaar vlot van te maken. In de vaart waar het water dieper was, zou hij misschien beter met het vlot kunnen varen, maar dat durfde hij niet. Want stel je voor dat hij eraf viel en hij moest er trouwens ook niet aan denken wat zijn vader zou zeggen als de planken van de oude wagen weg zouden drijven. Eigenlijk zou hij moeten leren zwemmen. Maar ze hadden geen geld, zei zijn vader, om zwemlessen te betalen en bovendien had niemand hier op het platteland ooit leren zwemmen. Zijn vader niet en zijn grootvader ook niet. Waarom moest hij, snotjongen die hij was, dan wel leren zwemmen? Wat verbeeldde hij zich wel?

In het voorjaar toen de bomen in blad stonden, vertelde de meester op school over de wet van Archimedes. Je kon precies uitrekenen hoeveel drijfkracht een plank had die in het water dreef. Het gold voor alles wat je in het water gooide. De opwaartse kracht, de drijfkracht was even groot als het gewicht van het water dat in het voorwerp zou kunnen. Als je een vaatje waar twee liter water in kon, onder water hield dan werd het vaatje met een kracht van twee kilo omhoog gedrukt.' De opwaartse druk is gelijk aan het gewicht van de verplaatste vloeistof,' zo hoorde je het officieel te zeggen volgens de meester. Albert dacht, toen de meester het over vaatjes had, onmiddellijk aan de garage in het dorp waar zijn vader weleens iets liet repareren. Daar lag achter op het erf een stapel vaatjes waar motorolie in had gezeten. Na schooltijd fietste hij er direct naartoe. 'Je mag ze allemaal hebben,' zei de baas van de garage, 'als ze opgehaald worden, moet ik ervoor betalen en jij neemt ze zo mee.' En hij hielp Albert zelfs met het zoeken naar een oude zak waar flink wat vaatjes in konden. Na een week had Albert meer dan honderd vaatjes netjes opgestapeld in de oude schuur waar zijn vader en broers de tractor en de melkmachine repareerden.

'Als ik last van die rommel heb, dan moet je ze weer terugbrengen, als je dat maar weet,' dreigde zijn vader.

Van oude latten maakte Albert drie langwerpige kisten waar de vaatjes in konden. Keurig in rijen zodat ze niet konden verschuiven. Hij had het van tevoren uitgerekend, hij had zelfs een werktekening gemaakt. De drie drijvers verbond hij met stevig latwerk waar hij op kon staan en ook aan de onderzijde maakte hij verbindingen waaraan hij planken schroefde die als kiel dienstdeden. Zijn jongste broer hielp hem in ruil voor het poetsen van diens fiets.

Drie weken later was er een licht maar stevig vlot ontstaan, met een roer en toen het eindelijk in het slootje lag en hij er voor het eerst op ging staan, was hij verbaasd over de stabiliteit en de drijfkracht. Hij kon zelfs aan de rand staan. Dat is ook logisch, zei hij bij zichzelf, want in elke drijver zitten veertig vaatjes zodat de rand van het vlot pas zinkt als er tachtig kilo op drukt. Ik ben hoogstens veertig kilo. 'Reken maar uit,' mompelde hij in zichzelf, 'elk vaatje heeft een inhoud van twee liter.' Albert was opgetogen, het vlot was zoals hij het zich had voorgesteld. Eigenlijk nog beter.

Nu zou hij over de vaart naar de overkant kunnen varen. Naar het beloofde land waar hij eens in een droom zijn moeder had zien staan die naar hem zwaaide. Toen hij bij de uitgang van het slootje kwam, durfde hij plotseling niet verder te gaan. Het was alsof hij weer de stem van zijn moeder hoorde. Pas op Albert, in het midden van de vaart is het water heel diep, mijn jongen! Hij kreeg tranen in zijn ogen. Mijn moeder past nog altijd op me, dacht hij bij zichzelf, zij zal mij nooit in de steek laten. Hij dwong zichzelf aan iets anders te gaan denken, want hij wilde niet dat Sies, zijn broer, die van een afstand naar de proefvaart stond te kijken, zag dat hij als een klein kind huilde. En wat had hij tegen zijn broer moeten zeggen? Dat hij huilde omdat hij zijn moeder miste? Hij beet nog liever zijn tong af.

'Bind dit aan het vlot vast,' riep zijn broer en hij gooide Albert een oude reddingsboei toe die al jaren in de schuur aan de muur hing. 'Als je in het water valt, kun je je daaraan vastgrijpen.'

Toen zijn broer terug was gelopen naar de boerderij en hij weer alleen was, overlegde hij hoe hij zonder gevaar naar de overkant van de vaart zou kunnen varen. Hij zou onmogelijk kunnen bomen met de lange bonenstaak. In het midden van de vaart was het water veel te diep. Als hij zich liet drijven zou hij naar de overkant van de vaart worden geblazen, want er stond een flinke wind. Dat zou hij wel durven, want het vlot was sterk genoeg. Maar hoe zou hij weer terug kunnen komen? Zou hij, liggend op zijn buik en roeiend met zijn handen, vooruit kunnen komen? Hij sloot die mogelijkheid onmiddellijk uit, want daarvoor was het vlot te breed. Dat ik daar niet eerder op ben gekomen, flitste het plotseling door zijn hoofd. Natuurlijk, ik moet een lang touw hebben, dan kan ik me terugtrekken. Ik kan gewoon op het vlot blijven zitten, ik hoef niet eens te staan. Dat is ook veiliger. En hij dacht een ogenblik aan zijn moeder. Hij knoopte de waslijn los, hij zocht stukken stevig paktouw en nadat hij alles aan elkaar had geknoopt en de lijn uitlegde op het pad dat even-wijdig aan de vaart liep, meende hij zeker te weten dat het lang genoeg was. Het grote ogenblik was aangebroken. Hij duwde zich, midden op het vlot zittend, met de bonenstaak af. Langzaam gleed hij uit het slootje, hij liet voorzichtig het touw vieren en toen voelde hij de wind. Zonder problemen dreef hij naar het midden van de vaart. Daar knoopte hij het touw vast aan het vlot. Het was niet lang genoeg. De golfjes klotsten onder het vlot door, want het vlot lag hoog op het water. Er zaten honderdtwintig olievaatjes in de drie drijvers. Er zou dus tweehonderdveertig kilo op het vlot kunnen, dan pas zou het zinken. Hijzelf woog ongeveer veertig kilo, het vlot hoogstens dertig. Reken maar uit, het vlot stak dus maar een paar centimeter in het water. Albert voelde zich de koning te rijk. Hij was de kapitein op een zeewaardig vlot waarmee je zelfs, als het moest, vracht zou kunnen vervoeren! Vanaf zijn veilige plaatsje midden op het vlot bekeek hij nog eens het houten raamwerk. Het was sterk en degelijk. De belangrijkste verbindingen had hij geschroefd, nadat hij het hout netjes had voorgeboord zoals het hoorde. Er kon echt niets gebeuren en in gedachten zag hij zijn moeder goedkeurend knikken. Had zij het goed gevonden dat hij over de vaart helemaal naar de overkant ging varen? Terwijl de tranen in zijn ogen prikten, kwam het hem voor dat zijn moeder hem zelfs aanmoedigde. Waarom? Wilde zij dat hij weg ging varen, weg bij zijn vader en zijn stiefmoeder die hij haatte? En zijn broers die nog altijd jaloers op hem waren? Wat een dwaze gedachte, want hij werd pas over enkele weken dertien. Hij begreep donders goed dat hij nog afhankelijk was van die mensen, die eigenlijk zijn familie niet waren. Want zo voelde hij het. Ze waren het niet waard familie genoemd te worden en hij wist zeker dat hij ze later, als hij echt het huis uit was, nooit zou missen. Geen moment. Zijn moeder was zijn familie, maar zijn vader en zijn broers waren dat niet. En die heks zeker niet. Langzaam knoopte hij het touw los en zonder moeite voer hij terug naar het slootje waar de thuishaven van zijn vlot was.

'S Avonds in bed bedacht hij dat hij een zeil nodig had. Dan zou hij pas vrij zijn om overal naartoe te kunnen varen.

De volgende dag, na schooltijd, fietste hij naar de groente-kwekerij van Van Andel. Hij kende ze wel want de oude Van Andel was een volle neef van zijn moeder.

'Omdat jij het bent,' zei Jan van Andel en hij gaf Albert een stevige bamboestok van wel drie meter. 'Je moet je broer vragen of hij de voet van een oude vlaggenstok op je vlot wil schroeven. Kijk zo,' en hij maakte een schets op een stuk karton. 'Hier neem maar mee,' en hij drukte Albert een oude vlaggenstokstandaard in z'n hand. Precies wat hij nodig had. 'En wees voorzichtig. Want je moeder was altijd bang voor die diepe vaart naast jullie boerderij, weet je dat wel?'

Toen Albert op z'n fiets wilde stappen, pakte Van Andel z'n stuur vast. 'Heb je al een zeil en weet je hoe je een zeil moet maken Albert?'

'Ik heb eigenlijk nog geen idee,' antwoordde Albert en hij veegde even snel met de mouw van z'n jasje langs zijn ogen, want hij wilde niet laten merken dat hij heel gauw ging huilen als zijn moeder ter sprake kwam.

'Kom overmorgen uit school hier naartoe, dan zal ik een zeil voor je vlot maken,' en Van Andel nam de bamboestok en legde die terug in de werkplaats van de kwekerij. 'En vraag je broer de standaard van de vlaggenstok op twintig centimeter van de voorkant van het vlot vast te schroeven.'

2

En zo kreeg Albert een veilig zeilvaartuig. De mast paste prima in de vlaggenstokhouder. Jan van Andel had van een nieuw dekkleed een zeil gemaakt dat je kon laten zakken, precies zoals bij een echte zeilboot, via een katrolletje boven in de mast. Zittend op het vlot kon je de giek met het zeil over je hoofd heen laten draaien zodat je zelfs kon laveren.

Op een zaterdagmorgen voer Albert voor het eerst uit. Het was precies om tien uur toen zijn vader en broers aan de koffie zaten in de grote woonkeuken van waaruit je de vaart niet kon zien. Want hij wilde niet dat ze hem zouden uitlachen als het in het begin wat onhandig zou gaan en bovendien verdienden ze het niet om aanwezig te zijn bij de eerste proefvaart.

Het ging direct goed, want hij had in gedachten alle handelingen wel tien keer geoefend. Hij wist precies wat hij moest doen als de wind in het zuiden zat en hoe hij overstag moest gaan. Voorzichtig duwde hij met de bonenstaak het vlot naar het midden van het slootje en daarna gleed het vlot langzaam en statig het brede diepe water van de vaart op. De zachte voorjaarswind bolde het zeil en hij voelde hoe hij ineens vaart kreeg, het vlot reageerde onmiddellijk op het roer en door de driedubbele kiel kon hij zelfs schuin tegen de wind invaren. Albert keek opgewonden naar de oever die sneller voorbijgleed dan hij voor mogelijk had gehouden. Hij schatte dat hij met een matige wind even snel voer als iemand die over het pad langs de vaart liep. Hij voer waarschijnlijk wel vijf tot zes kilometer per uur. Voorzichtig stuurde hij het vlot naar het midden van de trekvaart. De golven die toch zeker tien centimeter hoog waren, gleden moeiteloos onder het vlot door. Hij voelde aan alles dat het vlot veilig was.

Het was prachtig voorjaarsweer, de zon stond al hoog aan de hemel en de matige zuidenwind was warm. Een betere dag voor de eerste vaart van het vlot had Albert zich niet kunnen wensen. Hij liet het vlot naar de kant varen en weer terug naar het midden en toen naar de overkant. Het ging prima. Het vlot voer prachtig aan de wind. Voordat hij er erg in had, was hij al bij het bos dat hij nu voor het eerst in zijn leven van dichtbij zag. Hij liet het zeil vieren om vaart te minderen zodat hij alle details van het bos in zich op kon nemen. Sommige bomen waren omgewaaid en daar kon hij verder in het bos kijken. Het was een oerbos waar alles gegroeid was zoals de natuur het wilde zonder toedoen van mensen. Alsof ik een ontdekkingsreiziger ben, dacht hij verrukt. Alsof ik de eerste mens ben die daar straks voet aan land zal zetten. Er waren niet alleen hoge bomen, maar ook struiken en open plekken. Hij was vast van plan het hele bos te gaan verkennen. 'Waarom nu niet,' dacht hij, 'het kan nog best voor het middageten.' Voorbij een kleine inham zag hij een brede sloot die door het prachtigste bos liep dat hij ooit gezien had. 'Zo dichtbij,' mompelde hij verbaasd, 'en ik heb het nooit geweten.' Maar eerst wilde hij verder varen, tot voorbij de grote bocht die hij zo vaak vanuit de verte had gezien. En dan moest daar, verderop, de nieuwe weg liggen met de platte brug die eens en voor altijd van de oude trekvaart een dood stuk water had gemaakt waar geen zeilboot of plezierjacht ooit meer zou komen.

Albert voer de drie kilometer tot aan de brug alsof het niets was. Terug zeilde hij met de wind schuin in de rug. Als hij naar de golfjes keek die onder het vlot door rolden, meende hij dat hij langzaam voortdreef, maar als hij naar de oever keek, dan voer hij wel degelijk met een flinke snelheid en voor hij er erg in had, was hij alweer bij de brede sloot, die door het bos liep en verder, naar het oosten, minstens drie kilometer door de weilanden, tot je bij de boerderijen kwam die je als kleine roze vlekjes in de verte kon zien. Het vlot reageerde onmiddellijk op het roer en met een sierlijke boog voer Albert het onbekende tegemoet. Eerst was er nog wat wind, maar toen de sloot een bocht maakte, was het plotseling windstil en langzaam dreef hij naar de oever. Hij legde aan onder een grote boom die met zijn takken tot over het midden van de sloot was gegroeid. Hij bond het vlot stevig vast aan een dikke boomwortel en stapte voor het eerst aan land in het bos dat hij zijn hele leven had gezien, maar waar hij nog nooit was geweest. Toen hij terugkeek vanwaar hij gekomen was, kon hij de trekvaart niet meer zien, noch het pad dat langs de vaart liep. Niemand zou hem hier kunnen zien. Hij was volkomen alleen. Want het bos grensde aan uitgestrekte weilanden. De boeren die in de verte woonden, wilden niet dat wandelaars op hun land kwamen. Ze hadden overal bordjes met verboden toegang neergezet. Ze wilden niet dat je het gras plattrapte, omdat ze het dan niet goed konden maaien.

Hij luisterde enkele ogenblikken ingespannen. Nee, alleen de wind ruiste door de toppen van de bomen. In de verte hoorde hij eenden kwaken en van heel ver, nauwelijks hoorbaar, het blaffen van een hond. Maar hier in het dichte struikgewas, langs de oever van de vaart, was het doodstil. Hier was hij de eerste mens, hier was hij Robinson Crusoe.

Voorzichtig de takken wegduwend, liep hij het bos in. Twintig meter verder was het struikgewas zo dicht dat hij om moest lopen naar een open plek waar één grote boom stond. Zo nu en dan bleef hij staan om te luisteren. Hij hoorde alleen de wind en het bonzen van zijn hart. Hij zette zijn voeten voorzichtig neer in het dorre gras zó dat hij niet op droge takken trapte. Het bos werd nog dichter en toen hij om zich heen keek, wist hij niet meer uit welke richting hij was gekomen. Straks verdwaal ik nog in het bos dat ik mijn hele leven al heb gezien. Hij lachte in zichzelf, zich bewust van een vreemde, onbekende opwinding. Op zijn tenen, alsof iemand hem had kunnen horen, liep hij naar een plek waar hij aan de stand van de zon de richting bepaalde. Lettend op het licht en de schaduwen, liep hij rechtstreeks terug naar de sloot. Hij was gerust, hij zou niet verdwalen. Tussen het lichtgroene gebladerte glinsterde het water van de sloot als zilver in het zonlicht. Rechts van hem, honderd meter terug in de richting van de trekvaart, moest het vlot liggen. Hij duwde enkele takken opzij, daar was het zeil dat traag op een zucht wind heen en weer bewoog. Hij keek op zijn horloge, het was nog maar elf uur, hij had nog tijd genoeg. Met zijn rug tegen een boom ging hij in het warme gras zitten. Hij genoot, want het was de eerste keer dat hij zich bewust was van de onberoerde natuur om hem heen, en hoe mooi het was. De zon prikte in zijn ogen, grote libellen zoemden als kleine helikopters voorbij en een kikker sprong verschrikt in het water toen Albert zijn benen strekte. Hij ging op zijn buik in het lange gras liggen met zijn hoofd boven de sloot, terwijl hij zich aan een tak vasthield. Een verdroogd blad van een paardenbloem dreef op het water. Een spinnetje liet zich aan een draad precies op het blad zakken en, door een warme luchtstroom die door het gebladerte ritselde, voer het spinnetje weg, in de richting van de grote vaart, de wijde wereld in.

Vlak bij de oever was het water zo helder dat hij de bodem kon zien. Het was een mooie gele, zandige bodem en dat had hij nog nooit eerder gezien, omdat in de sloten bij hun boerderij overal stinkende blauwe modder lag. In een opwelling trok hij al zijn kleren uit en terwijl hij zich aan een stevige tak vasthield, liet hij zich voorzichtig in het water zakken. Het was een nieuwe en vreemde gewaarwording, want hij was buiten nog nooit helemaal uitgekleed geweest. Dat deed je niet. Je blote lijf was sowieso iets geks omdat je nooit bloot was, behalve 's zaterdags als hij zich op zijn slaapkamertje onder het schuine dak met een washandje bij een teiltje waste. Maar hier was hij in een vreemd bos. Hij liep langzaam naar het midden van de sloot waar het dieper was. Het koele water kwam tot zijn borst en ineens moest hij diep inademen. Hij rilde, het was een ongewoon en raar gevoel om zo in het water te staan. Het was ook opwindend, helemaal alleen en niemand die het wist. Hij hield zich aan de tak vast, bang om te vallen en kopje-onder te gaan. Maar omdat hij vaste grond onder de voeten had, maakte hij zich toch geen zorgen en de oever was vlakbij. Hij liep enkele passen terug en daar liet hij zich tot aan zijn kin in het water zakken en toen ging hij met een gevoel van bravoure enkele tellen kopje-onder, want dat moest je toch kunnen als je wilde leren zwemmen. Hij maakte enkele bewegingen zoals hij dat wedstrijdzwemmers op de televisie had zien doen. Maar hij kreeg steeds water in zijn neus en het leek wel alsof hij steeds diep in moest ademen ook al wilde hij het niet. Albert begreep dat het een kwestie van wennen was. En daarom hield hij vol. Als anderen het konden, dan zou hij het ook moeten kunnen. Hij ging zelfs op zijn rug in het water liggen, maar dat was te veel van het goede. Hij proestte en snakte naar adem toen zijn hoofd per ongeluk onder water kwam. Pas in de schaduw van de grote eik kreeg hij zijn ademhaling weer onder controle. Maar wat was het heerlijk en spannend met de koele wind overal op je lichaam. Het was een gevoel dat hij nog niet kende. Het was iets wat niemand deed. Want hij had er nog nooit van gehoord dat mensen zomaar naakt buiten, zonder zwembroek probeerden te zwemmen. Alleen mensen die niet goed bij hun hoofd waren deden het. Naakt had te maken met naaktlopers en met rare mensen die vies deden. Maar hier was hij alleen en daarom kon hij het gevoel iets heel onbehoorlijks en verkeerds te doen, gemakkelijk de baas. Voordat hij zich ging aankleden, holde hij door het struikgewas om de bladeren en de twijgen van de struiken tegen zijn blote lichaam te voelen. Ook dat was opwindend, omdat hij het nooit eerder gevoeld had, en tegelijk was het gek en dwaas. Plotseling bleef hij staan. Hoorde hij iets? Een gevoel van hevige schaamte overviel hem van het ene op het andere moment. Stel je voor dat iemand hem hier zonder kleren zag. Wat zou hij dan moeten zeggen? Hij luisterde scherp en keek in alle richtingen. Er was niemand. Toch liep hij snel terug en pas nadat hij weer aangekleed was, kwam z'n zelfvertrouwen terug. Als je zonder kleren zwemt, dan zou je altijd kunnen zeggen dat je je zwembroek vergeten had, dacht hij. Dat is niet erg gek, omdat je immers dacht dat je hier helemaal alleen was. Maar zomaar naakt door het bos hollen, dat is wel gek omdat het geen zin heeft. Dat doen alleen mensen uit een krankzinnigengesticht.

Om twintig minuten over twaalf stuurde hij het vlot het kleine slootje in. Om halfeen aten ze, hij was precies op tijd. Niemand kon hem een verwijt maken.

'Je kunt aardig met dat vlot overweg,' zei z'n vader, die hem gezien had terwijl hij langs de boerderij zeilde. 'Het valt me niet tegen. Hoe kom je eigenlijk aan dat zeil?'

'Dat heeft Jan van Andel gemaakt, de neef van mijn,...'

'Ja, dat weet ik wel,' onderbrak zijn vader hem. 'Na het eten moet je ons maar eens laten zien of je ook kunt laveren.'

'O, dat is goed, hoor,' antwoordde hij zo luchtig, dat ze hem allemaal verbaasd aankeken.

Een halfuur later stonden ze op de dijk langs de vaart, zijn vader, zijn stiefmoeder en zijn twee broers. De wind was aangewakkerd maar Albert gaf een volmaakte show. Het water borrelde krachtig en hoorbaar achter het vlot toen hij bijna recht tegen de wind in dwars over de vaart stoof, van links naar rechts en weer terug. Op het moment dat hij wegvoer in de richting van het bos, applaudisseerden ze, maar hij deed alsof hij het niet hoorde. Hij keek niet één keer om. De strakke wind blies hem over de golven die zo hoog waren dat ze over de voorkant van het vlot sloegen en minder dan tien minuten later ging hij overstag om de sloot naar zijn bos in te varen.

3

Hij voelde zijn hart van opwinding en trots kloppen, bij het binnenvaren van zijn geheime bos. Maar toen hij aan wilde leggen bij de grote boom die met zijn dikke takken over de sloot heen groeide, schrok hij. Er lag al een bootje. Een rank roeibootje, gloednieuw en prachtig lichtblauw geschilderd met witte biezen langs de boorden.

'Jammer,' mompelde hij teleurgesteld in zichzelf. Nu viel zijn voornemen het hele bos te verkennen in duigen. Zou hij terug naar huis gaan? Hij kon de volgende ochtend terugvaren en al die andere dagen, wanneer hij maar wilde, want het was immers vakantie? Terwijl hij met de bonenstaak het vlot voorzichtig keerde om niet tegen de roeiboot te stoten, kwam het vlot als vanzelf dicht bij de oever, een paar meter vóór de roeiboot. Waarom niet, dacht hij, waarom zou ik niet aanleggen? Als ik het bos verken, zijn die mensen van het bootje waarschijnlijk alweer weg en dan heb ik alsnog het rijk alleen. Hij stapte aan land en keek terloops in het roeibootje. Er lag een rood jasje op de roeibank en op de voorplecht stonden schoenen met lage hakken. Alleen maar een meid, zei hij bij zichzelf. Vervolgens bedacht hij dat er best een jongen of een man bij zou kunnen zijn. Waarom zou die iets in de boot hebben moeten achterlaten? Er konden zelfs wel meer mensen in het bootje hebben gezeten, want er was plaats voor vier volwassenen. Hij werd nieuwsgierig en hij besloot zonder geluid te maken op verkenning uit te gaan. Op zijn tenen sloop hij langs de sloot in de richting waar hij iets meende te horen. Was daar iemand in het water? 'Straks is daar iemand die precies zoals ik wil leren zwemmen zonder dat iemand anders het ziet, zei hij zacht bij zichzelf. Toen hij bij de grote eik was gekomen, dezelfde eik waar hij nog maar en paar uur eerder met zijn rug tegenaan had gezeten, zag hij door het gebladerte inderdaad iemand in het water. Het was een meisje en ze zwom op haar rug. Hij boog zich voorover en deed voorzichtig de bladeren uiteen om beter te kunnen kijken. Wat hij toen zag, deed het bloed in zijn aderen stollen. Een ogenblik kon hij zich niet bewegen. Als verlamd leunde hij tegen de boom, de ogen gefixeerd op het verschrikkelijke gezicht van het meisje. Het was afschuwelijk mismaakt. Hij zag het gezicht maar een of twee seconden, toen maakte het meisje een paar bewegingen met haar benen en langzaam dreef ze op haar rug naar het midden van de sloot waar hij haar niet meer kon zien. Zijn hart ging als een wilde te keer, het bonsde in zijn oren. Snel en geruisloos liep hij langs de sloot terug naar het vlot. Ondertussen schoten allerlei gedachten als bliksemschichten door zijn hoofd. Wie was zij? Had ze een ongeluk gehad en was alleen haar gezicht mismaakt? Ging ze daarom hier alleen zwemmen omdat ze niet wilde dat iemand haar zag? Hij was opgelucht toen hij weer bij het vlot was, want hij wilde onder geen beding de verdenking op zich laden dat hij haar stilletjes had bespied. Zwom ze bloot zoals hij? Hij wist het niet. Hij dacht aan haar gezicht. De rechterkant was volmaakt in orde, maar de linker gezichtshelft leek wel een levend doodshoofd. Hoe kan een mens zoiets hebben, dacht hij bij zichzelf. Hij haalde een paar maal diep adem. Hij greep een tak vast om op het vlot te kunnen stappen, maar iets hield hem tegen. Hij ging in het gras zitten en boog zich voorover om zijn schoenveter vast te maken. Iets in hem zei te blijven wachten tot het meisje terug zou komen. Als hij nu weg zou gaan, zou hij het gevoel hebben te vluchten. Hij wilde zich niet verontschuldigen, want dan zou hij laten merken dat hij haar al gezien had. Nee, er was nog iets. Wat hij niet goed onder woorden kon brengen. 'Misschien wil ik haar wel troosten,' dacht hij. Omdat ik me schuldig voel, omdat ik er helemaal gezond en normaal uitzie. En hij dacht aan het verhaal van een soldaat die zich schuldig voelde omdat hij als enige van een heel regiment een aanval had overleefd.

Albert ging met zijn rug tegen een boom zitten en wachtte. Hij hoorde hoe ze in het water speelde, hij meende te horen dat ze uit de sloot op de wal klom. Daarna werd het een lange tijd stil. Hij hoorde een tak kraken en even later was er het zachte geluid van voeten in droge bladeren. Ze kwam dichterbij. Albert boog zich voorover en friemelde aan zijn schoenveters. Toen ze vlakbij was, deed hij of hij vluchtig terzijde keek en hij zei zo gewoon mogelijk: 'Hallo.'

'Hallo,' zei ze zacht terug. Ze ging op enige afstand in het gras zitten.

'Ik heb even gewacht,' zei hij, 'omdat ik niet wist of de mensen die met het bootje waren gekomen wel langs mijn vlot terug naar de vaart konden varen.'

Hij keek haar van terzijde aan. Ze was zo gaan zitten dat hij alleen de rechterkant van haar gezicht en haar lichaam kon zien. Zo zag ze er volkomen normaal uit. Ze droeg een spijkerbroek en een bloesje zoals alle meisjes van een jaar of veertien die droegen. Ze had mooi donker golvend haar. Ze draaide nu haar gezicht zo ver naar hem toe, dat hij *het* net niet kon zien. Hij voelde een rilling over zijn rug lopen. Het was een nieuw, vreemd gevoel, hij kende het niet…..

'Ik denk dat ik er wel langs was gekomen, want ik kan met het roeibootje gemakkelijk door de waterplanten varen. Met jouw vlot lijkt me dat een stuk moeilijker,' antwoordde ze. Aan haar heldere stem meende hij te horen dat ze ouder was dan hij.

'Heb je het vlot helemaal zelf gemaakt?'

'Bijna. Mijn broer heeft me geholpen en het zeil heeft Van Andel gemaakt.'

'Van Andel van de groentekwekerij?'

'De oude Van Andel is een neef van mijn moeder.'

'Het is een mooi zeil,' zei ze, 'en een heel mooi vlot, dat zie je zo. Ik weet zeker dat je ermee kunt laveren.'

Ze keek hem bewonderend aan. Ze had een lichtbruine huid, en donkere, grijsgroene ogen.

'Ik zal het je straks wel laten zien,' zei hij trots.

Ze sloeg haar rechterarm om haar benen en legde haar kin op de knieën. Ze zuchtte nauwelijks hoorbaar. Albert voelde dat het ijs tussen hen gebroken was als je dat mocht zeggen op deze eerste warme dag van de zomer. Je kon nu wel een kleine pauze inlassen als het zo uit kwam zonder dat het onbeleefd was. Ze vroeg of hij helemaal in het dorp woonde.

'Nee, ik woon hier vlakbij, aan de overkant van de trekvaart. Als je deze sloot uitvaart, kun je onze boerderij direct aan je linkerhand zien.'

'Dan heb ik jullie boerderij mijn leven lang al gezien,' zei ze met een glimlach, 'want wij wonen daar,' en ze wees in de richting waar de drie boerderijen moesten staan die Albert óók zijn hele leven lang had gezien als 's winters het riet langs de vaart gemaaid was. Ineens waren ze buren die elkaars huis in de verte konden zien als een roze stipje, maar als ze elkaar wilden bezoeken, moesten ze wel bijna vijfentwintig kilometer omfietsen. Hoewel Albert nog geen dertien was en zij in zijn ogen bijna volwassen, konden ze ineens heel goed met elkaar praten. Het ging vanzelf. Albert vertelde over het vlot, de wet van Archimedes en de opwaartse kracht die gelijk was aan het gewicht van de verplaatste vloeistof. Ze glimlachte en prees hem omdat hij het allemaal zo goed wist. Maar Albert praatte niet over zijn moeder en dat ze er niet meer was, dat onderwerp vermeed hij zorgvuldig. Als ze ziet dat ik ga huilen zal ze me zeker niet voor vol aanzien, dacht hij.

Een windvlaag bracht een geur van parfum in zijn neus. Ze had iets deftigs, iets van een dame. Gebruikte ze al lippenstift? Of had ze van zichzelf zulke mooie lippen?

Daarna was het haar beurt om te vertellen. Over haar ouders, de boerderij en alles wat daarmee te maken had. Albert glimlachte omdat het bij zijn thuis, als het om de boerderij ging, precies eender was. Ze ging in de stad naar school, naar het gymnasium. Zij was enig kind, zei ze en hij was toch maar een boffer omdat hij twee broers had. Hij knikte maar wat en hij ging er niet op in, want hij schaamde zich voor zijn broers. Niet alleen omdat ze zich schandalig tegenover hem gedroegen, maar ook vanwege hun onbeschofte taal. Hij had eigenlijk nooit goed begrepen waarom ze broers van hem waren. Ondertussen vertelde ze honderduit en hij luisterde met groot plezier naar haar. Want ze had een zachte en tegelijk volle stem. Een beetje donker zoals haar prachtige, springerige haren. Ze heeft een echte meisjesstem, dacht hij. Ik wou dat ze mijn vriendin was, want ik zou haar helemaal vertrouwen. Aan iets anders dacht Albert niet.

'Kijk,' zei hij, terwijl hij opstond en naar het vlot liep, 'ik heb het vlot gemaakt van honderd twintig lege oliekannetjes. Het vlot zinkt pas als je er meer dan tweehonderdveertig kilo op zet.' Ze bleef in het gras zitten en toen hij zich omdraaide zag hij haar helemaal in een flits en haarscherp. De linkerzijde van haar hoofd was verschrikkelijk mismaakt. Het was nog veel erger dan een halfuur geleden waarbij hij haar van een afstand had gezien en hij moest er zichzelf toe dwingen haar niet aan te staren. Hij schrok erg van haar en het volgende ogenblik moest hij moeite doen om te blijven staan en niet snel weg te lopen.

'Heb je dat altijd gehad, ook dat met je arm?' Het was eruit voordat hij er erg in had en hij zweeg verschrikt omdat hij zich op hetzelfde moment realiseerde dat ze nu niet meer met hem zou willen praten. Waarom had hij het er ineens uitgeflapt? Dat alles, de vraag en zijn gedachte erna, vond plaats in één seconde, hoogstens. Hij hoorde haar zacht snikken. En opnieuw vervloekte hij zichzelf dat hij zo stom was geweest om zoiets te zeggen, zonder er eerst over na te denken. Hij had haar natuurlijk verschrikkelijk pijn gedaan. Voorzichtig, alsof hij haar niet nog meer wilde kwetsen, ging hij naast haar zitten.

'Sorry,' zei hij zacht, 'wat ontzettend stom van mij.'

Ze zei niets maar met haar hoofd op haar knieën en met haar ogen gesloten, stak ze haar gezonde arm voorzichtig naar hem uit en ze raakte zijn hand aan. Heel kort, als een laatste groet.

'We hadden toch wel vrienden kunnen zijn,' fluisterde hij nauwelijks hoorbaar en met een vreemde trilling in zijn stem. Maar zij hoorde het. Ze keek hem kort aan. Minutenlang zaten ze zwijgend naast elkaar in de warme zon. Alleen de wind ruiste door de toppen van de bomen.

'Ik ben bijna dertien en jij bent wel vijftien.'

'Veertien.'

'Dan kun je geen vrienden zijn, dan is het verschil veel te groot,' zei hij alsof hij het op de een of andere manier weer goed probeerde te maken.

'Dat is het helemaal niet,' zei ze. 'De mensen willen wel aardig tegen me zijn, maar ik ben zo mismaakt dat ze er bang van worden. Ik ben afstotend, begrijp je. Ik heb heus wel gezien dat je je dood schrok toen je mijn gezicht en mijn arm zag.'

'Jammer,' zei hij en hij voelde dat zijn tong vreemd droog was waardoor zijn stem een heel andere klank kreeg. Maar ook dat hoorde ze.

'We zouden gewoon vrienden kunnen zijn,' zei hij, 'jammer,' en ze hoorde de teleurstelling in zijn stem.

'Waarom zou je een vriend van me willen zijn?' vroeg ze en hij hoorde dat haar stem weer bijna was zoals eerder.

'Omdat ik dan iemand zou hebben met wie ik zou kunnen praten.'

'Praten?'

'Ja, iemand die ik echt zou vertrouwen, zoals ik mijn moeder echt vertrouwde.'

'Maar ik ben je moeder toch niet?'

Albert begon te huilen. Hij deed precies dat wat hij ten koste van alles had willen vermijden. Nu liet hij zien dat hij nog maar dertien was, bijna nog een kind, een huilebalk, een watje. Ze raakte opnieuw zijn hand aan. Na een tijd, toen hij zichzelf weer onder controle had, vertelde hij haar alles, van zijn moeder, zijn broers en zijn vader en van Eabeltsje, zijn stiefmoeder, die lelijke heks. Ze luisterde geduldig. En als hij niet meer verder durfde omdat hij dacht dat hij haar verveelde, streelde ze even zijn hand. Nadat hij alles verteld had wat hij belangrijk vond, wachtte hij tot zij ging vertellen.

'Ik ben zo geboren,' zei ze.

Hij begreep het onmiddellijk want hij kwam immers van een boerderij en dan wist je alles, gewoon vanzelf, hoe dieren en mensen geboren werden. Dat had hij al zo vaak gezien.

'Iets heeft in de knel gezeten, nog in de baarmoeder.'

Ze keek hem van terzijde aan en zag dat hij met interesse luisterde. Daarom ging ze verder. Ze was enig kind, want nadat ze geboren was, wilden haar ouders niet nog een kind, omdat ze bang waren weer een mismaakt kind te krijgen.

Haar ouders voelden zich schuldig, zei ze. En daarom voelde zij zich op haar beurt weer schuldig.

'Ik ben eigenlijk de oorzaak van alles. Ook dat mijn moeder alles, letterlijk alles voor me wil doen. Omdat ik niet normaal ben. Daar ben ik ziek van geworden.'

'Hoe bedoel je dat, hoe ben je ziek geworden?' vroeg hij.

'Psychisch ziek,' antwoordde ze, 'weet je wat dat betekent?'

'Jawel,' zei hij, 'dat betekent dat je in je ziel problemen hebt, dat je ervan in de war raakt en dat je bijvoorbeeld niet goed meer kunt slapen.'

'Je bent helemaal niet dertien,' zei ze en ze glimlachte zo naar hem met haar goede oog dat hij er van moest blozen, maar toch schaamde hij zich niet voor haar. En dat was iets wat hij nog nooit eerder had meegemaakt. In elk geval niet bij iemand die hij nog maar zo kort kende. En zeker niet bij een meisje.

'Ik weet zulke dingen omdat ik veel lees.'

Toen ze alleen maar naar hem keek en zo gauw niet wist wat ze moest zeggen, vroeg hij: 'Zal ik je vertellen wat je hebt?'

'Jij mag het zeggen,' ze aarzelde enkele seconden en knikte. Ze keek hem recht aan. 'Jij mag het zeggen, omdat ik je vertrouw.'

Voorzichtig, zijn woorden met zorg kiezend, om haar niet te kwetsen, zei hij: 'Je moeder kan jou niet loslaten en dat moet, want mensen kunnen alleen volwassen worden als ze onafhankelijk van hun moeder op eigen benen kunnen staan. Jij wilt eigenlijk je moeder haar zin geven en altijd het kleine meisje blijven, maar tegelijk weet je dat het niet kan en dat zorgt voor grote spanning. Daar komt jouw schaamtegevoel bij en je gebrek aan zelfvertrouwen dat je hebt om je mismaakte gezicht en je arm, nou dan kan ik me wel voorstellen dat je onder behandeling van een psychiater bent.'

Hij zag hoe de pupil van haar goede oog groot werd van verbazing.

'Ik ben nou ook weer niet zo'n onnozel jongetje, al ben ik de kleinste van de klas,' zei hij terwijl hij haar even vluchtig aankeek. 'Eigenlijk ben je maar een jaar ouder dan ik.'

Ze glimlachte en hij zag hoe ze zich ontspande.

Ze vroeg hoe hij dat allemaal kon weten. Ook dat ze onder behandeling van een psychiater was. Was er iemand die over haar geroddeld had? 'Nee,' zei ze onmiddellijk, meer tegen zichzelf dan tegen hem, 'dat kan niet.' Want ze hadden bij haar thuis afgesproken dat ze er met niemand over zouden praten. Omdat haar ouders zich schaamden dat hun dochter een psychiater nodig had. En haar moeder had een verschrikkelijk schuldgevoel, zei ze. Omdat ze een kind met een ernstige afwijking op de wereld had gezet en dan voedde ze dat kind ook nog verkeerd op. Ook al was het met de beste bedoelingen.

Ze ging achteroverliggen met haar goede arm onder haar hoofd. Op een meter afstand ging hij op zijn zij naast haar liggen. Ze kenden elkaar nog geen halfuur en toch was er al iets heel merkwaardigs gebeurd. Iets wat alleen bij sommige mensen gebeurt. Dat wist hij en tegelijk wist hij dat het hoogstens een klein begin kon zijn, meer niet, omdat hij nog maar zo'n jochie was. Nieuwsgierig had hij alles onder handbereik over de puberteit gelezen en hij wist natuurlijk dat zijn broers verzot waren op seks. Maar hij kon die geilheid, zoals ze het noemden, nog niet begrijpen, omdat hij nog geen echte seksuele gevoelens had. Hij wist er verstandelijk alles van. Hij wist dat hij ver voor liep en tegelijk lichamelijk niet echt achteraan kwam. Alleen maar een beetje. Hij wist heel goed dat het binnen de norm viel. Maar nu zat het hem lelijk dwars. Nu was hij graag twintig of dertig centimeter langer geweest en wat zou hij graag een zware stem hebben gehad. Hij begon erover tegen Annelies, want zo heette ze: 'Ik vertel je het omdat jij al veertien bent. Jij bent eigenlijk al volwassen.'

'Waarom zeg je dat?' vroeg ze.

'Omdat ik merk dat je mij wel aardig vindt en ik zou niet willen dat je teleurgesteld bent. Eigenlijk had hier iemand van minstens zestien jaar tegenover je moeten zitten.'

'Je hebt tact, weet je dat wel? ' Ze zuchtte alsof ze zich opgelucht voelde en dat was ze ook.

'Ben je dan niet teleurgesteld Annelies?' vroeg hij voorzichtig.

'Natuurlijk niet Albert.' Ze sprak zijn naam met zoveel warmte uit dat de rillingen hem over de rug liepen. 'Voor mij zijn andere dingen belangrijk,' ging ze aarzelend verder. Ik ben al blij als mensen niet van schrik weglopen als ze mij zien. Als ze alleen maar met me willen praten, zoals,...' Ze kon de zin niet afmaken. Hij hoorde haar zacht snikken. Hij ging vlak naast haar zitten en als vanzelf gleed zijn hand naar haar hoofd en voorzichtig streelde hij haar donkere krullen en de zachte huid van haar hals. Ze tastte in zijn richting en toen ze zijn hand vond drukte ze die tegen haar lippen.

'Ik zou niet graag willen dat je mij alleen maar als een onnozel jongetje ziet.' Hij zocht een ogenblik naar woorden. 'Want jij bent de eerste echte vriendin in mijn leven. Ik bedoel dat dit de eerste echte vriendschap in mijn leven is, begrijp je?'

Ze glimlachte. 'Dat is voor mij precies zo. Je weet niet half hoe, ...nu zocht zij naar woorden, 'hoe aardig ik je vind.' Tranen liepen langs haar neusvleugel en druppelden één voor één in het gras als glanzende, doorzichtige parels waarin het zonlicht in duizend kleuren uiteenspatte. Ineens ging ze rechtop zitten alsof ze geschrokken was. 'Het is toch echt, hè Albert? Kunnen we echt vrienden zijn? Jij en ik? Waarom vind jij me toch aardig Albert? Probeer het te zeggen, ik moet het weten......' Albert zag de angst in haar ogen. Ze haalde gehaast adem alsof een groot ongeluk zijn klauwen naar haar uitstak.

'Ik denk dat ik het wel weet,' zei hij, 'eens moest er iemand komen om de echte Annelies te ontdekken, het meisje dat veel meer is dan een mismaakt gezicht en een mismaakte arm.'

Hij zei het rechtstreeks, eigenlijk zonder erover na te denken en hij begreep intuïtief dat ze dat wilde horen. Dat hij het echt meende.

'Je moet je niet vergissen, Albert, ik ben verschrikkelijk om te zien.'

'Dat weet ik ook wel, je kunt en mag niet doen alsof de misvormingen van je gezicht en je arm niet bestaan. Maar als jij nu eens veel meer blijkt te zijn dan die misvormingen? Dat kan toch?'

'Denk je echt dat het zo is?' vroeg ze fluisterend met twijfel in haar stem.

Albert knikte, hij was er meer dan zeker van, zei hij. En toen ze met opzet zo ging zitten dat hij haar hele gezicht kon zien, veranderde de blik in zijn ogen niet. Ze ging bijna geloven dat haar mismaaktheid er niet altijd toe deed, zei ze en hij hoorde de hoop in haar stem. Ze zwegen lange tijd. Ineens was er zoveel om over na te denken. Tenslotte zei ze langzaam, terwijl ze elk woord met grote ernst uitsprak: 'Nooit was er iemand zoals jij, Albert.'

En nadat ze haar tranen gedroogd had: 'Zomaar opeens ben jij er.'

Ze praatten honderd uit, de tijd vloog voorbij en een uur later was hun vriendschap gegroeid tot iets waarvoor mensen alleen maar oude en versleten woorden hebben en wat zijzelf nog niet eens wisten. Ze zei: 'Ik denk dat je wel kunt raden waarom ik hier alleen in dit verlaten bos ben. Al een paar weken. Kun je het raden?'

'Ik ben geen helderziende,' antwoordde hij, 'en daarom zal ik hardop denken. Goed?'

'Toe maar,' moedigde zij hem aan, terwijl ze in kleermakerszit tegenover hem ging zitten zodat hij alles van haar kon zien.

'Ik denk dat die psychiater het volgende advies aan je ouders en aan jou heeft gegeven: Annelies is een slimme meid die niet voor niets op het gymnasium in de stad zit. Ze zou eigenlijk een tijdje bij haar moeder weg moeten, maar dat heeft enkele grote bezwaren. En daarom zou ik jullie willen aanraden om Annelies alleen de natuur in te laten trekken. Hier in de omgeving, kan dat zonder problemen omdat het een ontoegankelijk gebied is. Annelies moet haar eigen kracht leren ontdekken, zodat ze haar zelfvertrouwen terug kan vinden. Dat moet ze zelf doen, dat kan een ander niet voor haar doen. Ook ik niet.'

Ze knikte. 'Mijn psychiater is een vrouw en ze gebruikt nogal deftige taal, maar eigenlijk heeft ze precies hetzelfde gezegd.' Ze keek Albert met grote bewondering aan. 'Je zou psychiater moeten worden.'

'Wie weet. Maar het betekent wel dat ik eigenlijk niet pas in de raad van jouw psychiater. Ik zou hier eigenlijk niet moeten zijn. Want nu ben je niet alleen om jezelf terug te vinden.'

'Die psychiater is wel goed, hoor,' zei ze, 'maar je moet toch zelf doen wat je hart je ingeeft. Dat zegt ze ook letterlijk. Maar als je iemand lie…,'ze verbeterde zichzelf onmiddellijk, 'als iemand je aardig vindt, dan verandert toch alles?'

Hij had duidelijk gehoord dat ze lief had willen zeggen en sinds het overlijden van zijn moeder, meer dan acht jaar geleden, was er niemand geweest die dat tegen hem had gezegd. Niemand. Hij voelde de tranen in zijn ogen. En daarom liet hij haar het vlot zien en hij vertelde haar hoe hij het gemaakt had, hoe hij de gaten voor de schroeven had voorgeboord en waarom er drie kielplanken waren. Ze vond het prachtig en ze wilde beslist met het vlot leren zeilen.

'Als je moe bent van het roeien zal ik je trekken met mijn vlot,' beloofde hij, maar daar ging ze niet op door. Ze dacht aan iets anders, ze was bezorgd.

'Je kunt er wel afvallen,' zei ze, 'want je zit erop en niet erin zoals bij een roeiboot.'

'Daarom ben ik ook heel voorzichtig, want ik kan niet zwemmen.'

Ze keek hem verschrikt aan. 'Dan kun je wel verdrinken want de vaart is diep. In het midden kun je niet staan.'

Ze vond dat hij onmiddellijk moest leren zwemmen. Zij had het zichzelf geleerd, vertelde ze. In één week, verderop in het slootje. Ze lachte toen ze hoorde dat hij 's morgens al wat geprobeerd had. Precies op dezelfde plek waar het water zo helder was omdat de bodem er van zand was. Bij haar was het ook zo geweest, als het water tot aan je borst kwam, dan moest je ineens als uit een reflex heel diep inademen. Maar daar had ze nu geen last meer van. Ze was aan het water gewend. Maar ze zou nooit aan haar ouders vertellen dat ze zichzelf had leren zwemmen. Want dan had ze moeten vertellen dat ze al haar kleren had uitgetrokken en zoiets vertelde je niet aan je ouders. Ze lachte.

'Het is het incesttaboe,' zei Albert en terwijl ze naar het zwemplekje liepen, pakte ze even zijn hand vast en ze zei dat hij werkelijk alles al wist, 'je hebt het verstand van een volwassene,' zei ze. 'O, ja, natuurlijk,' antwoordde hij, 'dat weet ik al lang. Ik ben precies het tegenovergestelde van mijn broers. Ze zijn zeventien en negentien, het zijn bomen van kerels, maar ze weten niets. Ze lezen geen boek, niets, alleen maar seksblaadjes.' Annelies grinnikte en ze kneep even in zijn hand.

Albert had zich het eerst uitgekleed. In zijn onderbroekje liet hij zich voorzichtig in het lauwe water zakken terwijl hij zich aan een grote tak vasthield. Een paar kikkers sprongen verschrikt weg, maar de schrijvertjes gingen alleen maar een paar meter verderop over het water lopen als schaatsers op het ijs. Toen het water tot aan zijn kin kwam, ademde hij diep in. Het ging al beter. Hij merkte dat hij aan het water gewend raakte. Annelies hield zich aan dezelfde tak vast. Ze had een broekje met bijpassende bh aan.

'Je bent een echte dame,' zei hij. 'Je gebruikt parfum en je hebt modieuze onderkleren aan. Heel mooi,' en ze hoorde iets in zijn stem wat niemand anders kon horen. 'Eigenlijk kan ik alleen maar op mijn rug zwemmen,' zei ze, 'omdat ik maar één arm heb.' Albert had het allang gezien, het was verschrikkelijk. Haar linkerarm was maar half zo lang als haar goede arm en de huid was roze. Hij durfde nauwelijks te kijken. 'Wat erg voor je.' Ze begon te huilen, terwijl ze naast hem in het water stond.

'Sorry,' zei hij, 'sorry, sorry, hoe kon ik zo dom zijn om dat tegen je te zeggen.'

Ze snikte met haar hand voor haar gezicht en ze schudde haar hoofd. 'Nee, dat is het niet, Albert, zeg nooit weer sorry. Het is heel anders.' Ze legde haar hand op zijn schouder alsof ze op hem leunde en ze huilde terwijl ze diep in- en uitademde. Na een tijd fluisterde ze bijna onhoorbaar en nog altijd met een verstikte stem, 'het is heel anders Albert. Je hebt het juist goed gezegd.'

Ze wachtte tot ze weer kon praten. 'Iedereen ziet het en

iedereen doet alsof ik niets heb en dan doen ze aardig tegen mij, maar ondertussen willen ze eigenlijk niets met mij te maken hebben. Ze vinden me afstotend. Dát is pas gemeen.'

Albert wist niet wat hij moest zeggen.

'Een echte vriend zegt het, die durft te zeggen dat het verschrikkelijk is,' ging ze zacht verder terwijl ze haar ogen met de rug van haar hand droogde. Hij legde zijn hoofd tegen haar schouder want ze was een halve kop groter dan hij. Met haar gezonde hand woelde ze door zijn haar.

'Jij bent mijn eerste vriend,' fluisterde ze in zijn oor. Ze had hem wel willen zoenen.

Ze bleven nog minuten lang roerloos staan en toen lachte ze terwijl ze haar hele gezicht naar hem toekeerde en hij lachte terug en ze gaf hem een speels duwtje. Ze stoeiden, het water spatte op zodat de schrijvertjes zich verschrikt verstopten in de waterplanten dicht bij de oever. Annelies was voorzichtig, want hij was nog niet echt aan het water gewend. Ze liet zich helemaal onder water zakken. Ze raakte zijn benen aan, maar ze duwde hem nog niet omver. Terwijl ze tegen de oever leunden om op adem te komen, zei ze: 'Ik zal je leren op je rug te drijven. Als je dan per ongeluk van het vlot valt, verdrink je niet meer.'

Terwijl hij achterover in het water ging liggen, hield ze zijn hoofd vast. Hij maakte zich zo lang mogelijk en voorzichtig liet ze zijn hoofd verder in het water zakken. Toen hij rustig in en uit ging ademen, voelde hij dat hij zonder haar hulp zou kunnen drijven. Maar ze hield haar hand voor de zekerheid onder zijn hoofd. Hij voelde haar vingers en de zachte holte van haar hand. Ze ging voorzichtig, zodat het water niet over zijn gezicht zou golven, naast hem liggen. 'Zo kun je urenlang in het water blijven liggen,' zei ze, 'je hoeft niets te doen.'

Ze opende en sloot voorzichtig haar benen en langzaam gleed ze naar het midden van de sloot.

'Probeer het maar, Albert. Maar voorzichtig anders komt het water over je gezicht.'

'Ik kan het al,' riep hij opgewonden terug en hij bewoog zijn armen zoals hij geroutineerde zwemmers had zien doen. Nog geen tien meter verder had hij het ritme al te pakken. Het ging fantastisch. Annelies was het eerst bij de aanlegplaats van de roeiboot en het vlot. Maar zij had dan ook al een hele week kunnen oefenen. Ze klommen op de oever omdat de bodem daar erg modderig was.

'Je moet wel heel sterk zijn, Annelies, want ik kon je niet inhalen terwijl jij alleen maar met je benen zwom.'

'Ik heb het geprobeerd met mijn ene arm, maar dat kan ik nog niet.'

'Kun je al op je buik zwemmen?'

'Dat had ik vanmiddag willen oefenen.'

'Maar hoe kun je eigenlijk roeien, Annelies? Met één arm kan dat toch niet?'

'Kom maar eens kijken,' zei ze terwijl ze op haar knieen ging zitten om het kleine elektromotortje met de minischroef te laten zien dat verscholen tussen het riet aan de achterkant van het bootje gemonteerd was. 'En hier,' ze tilde een plank op, 'zijn twee accu's.' Ze liet hem de schakelaar zien waarmee ze het motortje kon bedienen. 'En dit,' ze liet iets van geel en rood plastic zien, 'is het zwemvest dat mijn vader en moeder speciaal bij het bootje hebben gekocht. Want eigenlijk vonden ze de raad van de psychiater maar niks. Om mij alleen in een bootje de wijde wereld in te laten varen.'

Ze zwommen terug naar het zwemplekje bij de grote eik. Hij hielp Annelies toen ze voor het eerst op haar buik wilde zwemmen. Zijn hand ondersteunde haar buik net boven de rand van haar onderbroekje. Ze bewoog haar gezonde arm en ineens gleed ze naar voren.

'Je moet naast me staan, Albert en dan moet je je rechterarm om me heen slaan. Ja zo.'

Albert hield haar krachtige meisjeslichaam stevig vast. Maar al na een paar slagen met haar sterke arm moest hij haar loslaten en zwom ze op haar buik naar het midden van de sloot, tien, misschien wel twintig meter. Ze draaide kopje-onder om haar as op haar rug en weer terug en daarna zwom ze met een schoolslag alsof ze nooit anders had gedaan. Ze wist nu hoe het moest met één arm. Ook Albert kreeg het zwemmen aardig onder de knie en toen ze moe werden gingen ze op hun rug in de zon liggen. In het warme gras. Annelies legde een blad van de brede weegbree op zijn ogen. Hij hoorde hoe ze opstond, er klikte iets. Nu doet ze haar bh uit, dacht hij en nu haar broekje, want hij hoorde de stof over haar huid glijden. Er ritselde iets en hij wist dat ze haar natte onderkleren aan een tak te drogen hing. Ze knielde naast hem.

'Til even je kontje op, mijn lief jongetje,' zei ze zacht bij zijn oor en ze trok zijn natte onderbroekje uit. Hij hoorde hoe ze weer opstond. Nu hangt ze mijn onderbroekje naast háár onderbroekje, dat zág hij met gesloten ogen, en hij dacht met grote ontroering aan haar laatste drie woorden: 'mijn lief jongetje.'

Niets had hij liever willen horen dan dat.

Ze kwam weer op haar knieën naast hem zitten.

'Je vindt het niet gek hè, je schaamt je toch niet?'

'Natuurlijk niet, hoe zou ik me bij jou kunnen schamen Annelies? Dat kan toch nooit meer?'

'Nee,' zei ze, 'dat kan nooit meer.'

Ze liet haar wijsvinger over zijn lippen glijden en ineens boog ze zich voorover en ze zoende hem op zijn mond. Snel, alsof ze geschrokken was, ging ze weer naast hem liggen. Ze bleven heel lang zo liggen. Zonder iets te zeggen. Ze luisterden naar het ruisen van de wind in de boomtoppen en de verre geluiden van de boeren die aan het hooien waren.

Toen zei ze: 'Je bent een echt meisjesjongetje.'

'Een meisjesjongetje, wat is dat?'

'Een jongetje dat op meisjes valt.'

'O, dat is wel zeker,' antwoordde hij en hij legde zijn voorhoofd zomaar tegen het hare. 'Dit zou ik nooit bij een jongetje durven,' en hij zoende vluchtig haar mond. Hij voelde hoe hij een kleur kreeg, omdat hij het zomaar deed. En misschien werd hij ook wel zo warm omdat hij één kort ogenblik haar blote buik had gezien en het donkere kroeshaar.

'We blijven vrienden, hè Albert?' fluisterde ze in zijn oor.

'Altijd, ik beloof het jou.'

Met haar hand in zijn haar en zijn hand op haar kleine roze arm vielen ze in slaap. Ze werden wakker omdat het kil werd. Ze lagen in de schaduw van de grote eik. Het was halfzes. Ze aten de boterhammen die Annelies' moeder gesmeerd had en daarna moest ze terug naar huis. Ze was al bij de bocht toen Albert zijn vlot het brede water van de trekvaart opstuurde. Ze zwaaide tot ze hem niet meer kon zien.

4

Onder het eten vertelde Feitse, Alberts oudste broer, over de vorige avond toen hij met zijn vrienden op stap was geweest. Albert had hem al vaak over die ruige en wilde braspartijen horen praten.

Eens was er een jongen doodgetrapt. Zomaar, omdat hij iets onnozels had gezegd wat bij een paar half bezopen branieschoppers verkeerd was gevallen. Feitse praatte graag over zulke dingen en dan keek hij Albert uitdagend aan, want hij wist dat Albert ervan walgde. Feitse had ronduit een hekel aan Albert, de lieveling van zijn overleden moeder. En daarom kruidde hij zijn verhalen met pikante details en hij schilderde de dronkenmanstochten met woorden die echt niet konden. Soms zei z'n vader dat hij zich moest inhouden, omdat er *een kind* bij was en dan keken ze naar *hem*. Ze grinnikten en ze lachten hem in zijn gezicht uit. De laatste tijd trok Albert er zich zo weinig mogelijk van aan. Hij probeerde er boven te staan. Hij moest wel. Want Albert was voor zijn leeftijd klein, eerder tenger, terwijl zijn broers groot en sterk waren. Ze konden Albert, bij wijze van spreken, met één hand alle hoeken van de kamer laten zien. Albert was daarentegen slimmer, hij kon zijn broers gemakkelijk met woorden de baas. Zij pareerden dat door Albert op een kinderachtige manier belachelijk te maken. *Ons kleine kind* noemden ze hem. Aebeltsje, zijn stiefmoeder, noemde hem '*het kleine kind*, niet eens *ons* kleine kind. Sprong zijn vader dan niet voor hem in de bres? Nee, zijn vader lachte even hard mee, Albert stond alleen. Albert wist dat tot op zekere

Albert besloot voor de derde keer die dag uit te varen. Eerst was hij van plan in de richting van het dorp te varen om Van Andel te bedanken voor het prachtige zeil. Maar eenmaal midden op de vaart, bedacht hij dat het vijf kilometer naar het dorp was en wie weet hadden ze bij Van Andel bezoek en dan zou hij ongelegen komen. Zo goed kende hij hen nou ook weer niet. Hij lachte in zichzelf toen hij zag dat het vlot bijna automatisch in de richting van het bos voer. Er was weinig wind, hij vorderde maar langzaam. Hij had tijd zat om na te denken. Hij was tot over zijn oren verliefd, dat was zeker. Het was verreweg het mooiste wat hij ooit in zijn leven had meegemaakt. Hoe kon dat? Waarom werd hij met de sterkste kracht die hij kende naar haar toegetrokken? Hij realiseerde zich dat ze mismaakt was. Als hij haar gezicht en haar arm in gedachten voor zich zag, was er nog altijd schrik en afkeer. En toch was zij de eerste in zijn leven van wie hij hield met een onbekende intensiteit. Het was iets geheimzinnigs, iets wat hij niet kon verklaren. En hij ontdekte dat je met je verstand maar heel weinig kon begrijpen.

Hij legde aan onder de grote boom waarbij hij zorgvuldig de plaats vermeed waar zij aangelegd had, want hij wilde de waterplanten zien die door haar bootje aan de kant waren geschoven en toen hij op de plek kwam waar ze gezwommen hadden, legde hij zijn hand in de afdruk die haar lichaam in het lange gras had achtergelaten. Hij streelde de tak waaraan haar ondergoed had gehangen. Hij doopte zijn hand in het water waarin zij gezwommen had. Terug naar de aanlegplaats liep hij in haar voetstappen, hij ademde haar adem en de voorjaarsgeur van haar parfum. Midden op het stille, zwarte water van de trekvaart had hij geen gedachten meer. Zijn hoofd was vol van Annelies.

Pas toen het gouden licht van de ondergaande zon overging in het zachte duister van de zomernacht voer hij het kleine slootje in. Hij knoopte het zeil los, rolde het op en nam het mee naar de schuur waar hij het zorgvuldig verborg. Want het zeil was absoluut nodig om de volgende ochtend naar Annelies te varen.

's Nachts kon hij niet slapen. 'Het komt door de warmte van de zomernacht,' zei hij tegen zichzelf. Maar in zijn hart wist hij wel beter. Elk halfuur keek hij op de wekker en als het kon, had hij de wijzers gehypnotiseerd om ze sneller te laten bewegen, zo verlangde hij naar de morgen. Zo graag wilde hij haar terugzien. Om twaalf uur stond hij op. Hij kleedde zich aan en op zijn tenen om de anderen niet wakker te maken liep hij de trap af. Buiten wachtte hij enkele ogenblikken om zijn ogen aan het duister te laten wennen. Daarna liep hij naar het vlot en bond het met een extra touw vast aan een boompje omdat hij bang was dat het weg zou drijven en hij de volgende ochtend niet naar haar toe zou kunnen varen. Om twee uur ging hij op de stoel voor het dakraam staan om door het duister naar het zuiden te kijken waar ze woonde. Zou ze slapen en als ze wakker was zoals hij, waar zou ze dan aan denken? Zou ze aan hen beiden denken? Hij probeerde zich elke zin en elk woord van haar te herinneren. Wat had ze tegen hem gezegd? Ja, toen moest de vonk tussen hen beiden zijn overgesprongen, toen ze zei: *mijn lief jongetje.* Toen ze hem zomaar op zijn mond had gekust. Hij voelde weer de diepe ontroering, ze was weer bij hem, haar geur, haar vochtige lippen en haar vinger waarmee ze zijn lippen had gestreeld. De ontroering zocht een uitweg en ineens waren zijn ogen vol tranen, ze drupten op de vloer en hij zei bij zichzelf: dit zijn de mooiste en de echtste tranen die ooit over mijn wangen zullen rollen. *Mijn lief jongetje,* zei ze. *Mijn lief jongetje.* Hij herhaalde steeds weer die prachtige woorden en met elk woord dat hij zich van haar herinnerde, kwam zij dichter bij hem.

5

De volgende ochtend, om acht uur al, zeilde hij de vaart op. Het was mooi weer, de wind zat in de goede hoek en na een kwartier legde hij aan bij de grote eik in het bos. Liggend in het gras wachtte hij. Ze zou nu wel gauw komen. Maar toen ze er om negen uur nog niet was, ging hij onrustig heen en weer lopen. Een ogenblik overwoog hij haar tegemoet te zeilen, maar direct verwierp hij die gedachte, omdat hij op de terugweg moest laveren en dan zou zij op hem moeten wachten. Hij ging met zijn rug tegen de eik zitten. Waar zou ze nu zijn? Hij keek op zijn horloge, het was nog maar kwart over negen. Hij realiseerde zich hoe ver ze moest varen, en hij werd rustig en vol vertrouwen. Hij kon zich niet hebben vergist, ze was zijn vriendin en dat zou ze altijd blijven. Ze kon elk ogenblik om de bocht komen varen. Maar het werd warmer, de zon stond al hoog aan de hemel en hij had bijna niet geslapen. Zijn oogleden werden zwaar.

Het was al over twaalven toen hij wakker schrok. Annelies was er nog niet. Ze komt natuurlijk alleen 's middags, zei hij in zichzelf. Met een schok bedacht hij dat ze geen afspraak hadden gemaakt. Niet voor vandaag noch voor een andere dag. Want hij had het vanzelfsprekend gevonden dat ze terug zou komen omdat het vakantie was. Hij voelde een rilling over zijn rug, hij kreeg het ineens koud hoewel het een warme zomerse dag was. Hij was tot over zijn oren verliefd, maar was zij dat ook? Misschien had hij alles wat er gisteren was gebeurd wel verkeerd ingeschat. Waarom zou zo'n meisje van veertien jaar iets willen hebben, iets van echte liefde, met hem, zo'n klein onderdeurtje? Wat dacht hij wel wie hij was? De twijfel sloeg met een zware moker een diepe bres in zijn zelfvertrouwen. Waar was z'n innerlijke bravoure van de vorige avond gebleven toen hij zich onkwetsbaar tegenover Feitse voelde? Het bloed trok weg uit zijn gezicht en hij beefde over heel zijn lichaam bij de gedachte dat Annelies zeker was gekomen als zij even verliefd was als hij. Hij duwde het vlot van de oever en boomde langzaam in de richting van de trekvaart, maar ook daar zag hij haar niet. Hij voer een kilometer terug en verder tot voorbij de grote bocht, maar hoe hij ook tegen de zon in tuurde tot zijn ogen er pijn van deden, Annelies was er niet. Hij ging overstag en laverend kwam hij vrij snel bij het slootje, want er stond wel een gunstige wind.

'Je bent net op tijd voor het eten,' zei z'n vader. Ze zaten allemaal al aan tafel. Ze waren druk met elkaar in gesprek, hij kon zo aanschuiven zonder op te vallen. Z'n stiefmoeder zette het eten op tafel, een grote pan met dampende aardappelen, een even grote aluminium pan met bloemkool en natuurlijk was er veel jus dat stijf stond van het vet, want daar waren ze dol op, en altijd was er vlees. Veel vlees. Soms lekker gebakken biefstuk, maar meestal was er vettig glimmend varkensvlees, gelig en glibberig dat afschuwelijk rook. Hij zou het nooit hardop zeggen, maar het stonk. Hij kreeg het absoluut niet door z'n keel en dan zei Feitse altijd hetzelfde: 'Goed zo Albert, ik eet jouw portie wel op.' Feitse gebruikte altijd hetzelfde zinnetje. Feitse was iemand van vaste gewoontes. En daarom had hij meer dan genoeg aan dat ene zinnetje: 'Goed zo Albert, ik eet jouw portie wel op.' Feitse schepte ook altijd tweemaal op. En soms lepelde hij de laatste pap uit de pan nadat hij al twee borden van dat dikke spul achter de knopen had. Z'n stiefmoeder keek dan met bijzonder genoegen naar Feitse omdat hij haar kookkunst zoveel eer aan deed. Dan smakte ze met haar dikke lippen zonder dat ze het in gaten had en haar kleine varkensoogjes glommen van plezier.

Alberts broers zetten na het eten hun stoel tegen de deuren van de bedstee, ze wipten achterover, ze vouwden hun grote eeltige handen op hun volgegeten buik en met dikke, rode koppen van het vele eten luisterden ze met uitgestreken gezichten naar hun vader die een stuk uit de Bijbel voorlas. In de winter een heel hoofdstuk, maar 's zomers, als ze het druk hadden, een paar verzen die hij ook nog afraffelde. En dan liepen ze naar buiten waar ze zich uitrekten en dikke winden lieten.

Albert wist dat hij in een andere wereld leefde. Eigenlijk wist hij het al vanaf de tijd dat hij nog een kleuter was en zijn moeder nog leefde. Maar toch keek hij ook met een zeker genoegen naar zijn broers en zijn vader als ze na het eten met zichtbaar plezier weer aan het werk gingen. En eerlijk is eerlijk, eigenlijk kwam het zijn broers en vader wel goed uit dat hij niets van het boerenbedrijf moest hebben. Want ze konden met hun drieën het werk gemakkelijk aan. Ze hadden hem helemaal niet nodig en als hij over een jaar of wat ook mee had willen werken op de boerderij, hadden ze zelfs een probleem gehad.

Daaraan dacht Albert met alle kracht die in hem was en hij luisterde ingespannen naar de onzin die zijn broers eruit kraamden om maar niet aan Annelies te hoeven denken en aan de grote verwarring die hem als een veer zo gespannen maakte. Hij wist dat de tranen heel dichtbij waren. Maar hij wilde beslist niet in hun nabijheid huilen. Welke verklaring moest hij geven? Moest hij over Annelies vertellen? Misschien kenden zij de ouders van Annelies. Want boeren op het platteland zijn nieuwsgierig en ze wisten vast wel wie daar in de verte, aan de overzijde van de trekvaart boerde. Misschien wisten ze van Annelies' handicaps. Hij had er zich wel vaker over verwonderd dat zijn vader en stiefmoeder dingen wisten waarvan hij nooit had gedacht dat zij ze konden weten. Goed, het waren meestal onbeduidende details over mensen in de buurt die een welopgevoed mens niet hoorde te weten, volgens Albert. Maar toch. De roddel was nu eenmaal alom vertegenwoordigd. Daaraan hadden de ontelbare lezingen uit de Bijbel na het eten niets kunnen veranderen, noch de lange preken 's zondags in de kerk.

Bij de gortepap dacht hij eraan hoe ze zouden reageren als ze wisten dat hij wat met Annelies had en wat ze zouden zeggen als ze wisten van haar mismaakte gezicht en haar arm. Hij voelde nu al een vreemde en onbekende, maar ontembare en meedogenloze woede in hem groeien. Omdat het over haar ging.

Zo onopvallend als hij was aangeschoven, zo onopvallend maakte hij zich uit de voeten nadat zijn vader het amen had uitgesproken. Hij was al midden op de vaart toen hij zijn broers en zijn vader buiten hoorde lachen. Hij hoorde hun klompen op het beton van de gierkelder, de trekker sloeg aan. Ze hadden het druk, het was de tijd van het hooien en ze wilden profiteren van het gunstige zomerweer.

Op het vlot met de wind in de rug kwam zijn zelfvertrouwen terug. Nog enkele ogenblikken en dan was hij weer bij haar. Onwillekeurig begon hij te neuriën. Hij had wel willen zingen, maar stel je voor dat iemand hem hoorde. Jongens zongen niet. Hij zoog de frisse lucht diep in zijn longen en hij voelde hoe zijn hart bonsde en zijn huid gloeide. Vóór hem, tot aan de bocht was er alleen maar water en de zilveren schittering van het zonlicht op de golven. Ze was er natuurlijk al en ze wachtte op hem, zittend in het warme gras met haar kin op haar knieën. Maar toen hij de sloot invoer, zag hij al van ver dat de aanlegplaats leeg was. De waterplanten waren terug op hun oude plaats. Er was niets dat aan haar herinnerde, het was alsof ze er nooit geweest was. Haastig liep hij naar hun zwemplaats. De schrijvertjes schaatsten van de oever tot in het midden van de sloot alsof er nooit mensen hadden gezwommen. In het gras zocht hij tevergeefs de plaats waar zij in de warme zon had gelegen. Hij hield zijn adem in, hoorde hij het zachte gezoem van het elektromotortje dat haar bootje voortstuwde? Haastig liep hij terug naar de aanlegplaats. Ze was er niet.

Hij ging zitten, hij stond weer op, hij drentelde ongedurig heen en weer. Er groeide een nieuwe verontrustende gedachte in hem. Natuurlijk had Annelies het wel leuk gevonden. Natuurlijk was het een gezellige middag geweest. Samen hadden ze plezier gehad. Ze had hem *mijn lief jongetje* genoemd, maar dat deden meisje van die leeftijd wel meer. Waarschijnlijk deden alle meisjes dat als ze in gelijke omstandigheden waren als Annelies gisteren. Hij hield zichzelf een spiegel voor. Ik ben sinds het overlijden van mijn moeder veel aandacht tekort gekomen, dacht hij. Niet uitzonderlijk, want er zijn ontelbare jongens van mijn leeftijd die om wat voor reden iets soortgelijks meemaken. Maar het maakt hen wel kwetsbaar. Eén aardig woord van een meisje en jongens als ik gaan voor de bijl. We worden tot over onze oren verliefd en we menen dat we het grote geluk dat nooit meer voorbij zal gaan, in onze zak hebben. Maar het is klatergoud.

Tegen zessen voer hij terug. Er was een dof gevoel over hem gekomen. Het was zoals op die verschrikkelijke dag toen zijn moeder was overleden. Een aanhoudend en pijnlijk verdriet, waarvan hij wist dat het slechts na lange tijd zou slijten, maar nooit helemaal voorbij zou gaan. Nooit, zo nam hij zich voor, zou hij zich weer voor de gek laten houden, nooit zou hij weer in deze verraderlijke valkuil trappen.

Na het eten ging Albert onmiddellijk naar zijn kamer en

liggend op zijn buik probeerde hij te lezen. Maar hoe hij zijn best ook deed, hij kon zijn gedachten er niet bijhouden hoewel het toch over zijn favoriete onderwerp ging: de grote gasplaneten en hun manen. Om tien uur viel hij in een onrustige slaap. Hij droomde van haar, hij droomde dat ze wegliep en tussen ondoordringbare struiken verdween en steeds als hij iets tegen haar wilde zeggen schudde ze haar hoofd en dook ze weg tussen waterplanten terwijl zijn broers op de oever stonden te lachen en boeren lieten. Tegen tweeën was hij klaarwakker, zijn hoofd gloeide en hij was doornat van het zweet. Zijn slapen bonsden pijnlijk en zijn keel was zo droog als een lap leer. Hij stommelde de trap af en terwijl hij in de keuken het ene glas water na het andere dronk, kwam zijn vader beneden en vroeg wat er in godsnaam aan de hand was midden in de nacht.

'Ik denk dat ik griep krijg,' antwoordde Albert, omdat hij niet wilde vertellen over Annelies.

Zijn vader gaf hem een paar aspirientjes en daarna ging het inderdaad beter. Hij viel in een droomloze slaap en pas tegen een uur of acht, toen zijn broers en zijn vader allang naar het hooiland waren, werd hij wakker. Zijn stiefmoeder was boodschappen gaan doen zodat hij in alle rust beneden in de keuken een paar boterhammen kon smeren. Hij wilde naar het bos zeilen, omdat hij nog altijd hoopte dat zij er zou zijn. Maar nadat hij twee boterhammen had gegeten, voelde hij zich zo misselijk worden dat hij naar het toilet rende en overgaf. Het luchtte hem op maar hij stond op zijn benen te trillen. Hij voelde zich zo slap als een vaatdoek en hij begreep dat hij onmogelijk naar het vlot kon lopen, laat staan naar het bos varen.

Tegen enen kwam zijn vader naar hem kijken en toen bleek dat hij over de eenenveertig graden koorts had, ging zijn jongste broer de dokter bij de buren bellen. De dokter onderzocht Albert, maar hij kon niets vinden. Longen, keel en oren waren in orde. De buik was soepel. Zelfs de tong had een normale kleur en hij had nergens pijn. Er waren evenmin tekenen die op een infectie wezen. Ook griep sloot de dokter uit. De hartslag was wat aan de hoge kant, maar niet alarmerend gezien de koorts die nog altijd meer dan veertig graden was.

'Merkwaardig,' mompelde dokter Dijkstra, 'ik heb nog zo'n geval en ik heb geen idee wat er aan de hand is. Voorlopig is de situatie niet verontrustend.' En hij vroeg Alberts vader hem te bellen als de koorts opnieuw boven de eenenveertig graden zou stijgen. In elk geval zou hij in de loop van de volgende ochtend nog even voorbijkomen. In de deuropening keek hij een ogenblik nadenkend naar de zieke.

'Voldoende drinken Albert en niets forceren. Een paar dagen rustig in bed blijven, wat lezen en slapen. Je heb ontspanning nodig, jonge man.'

De volgende ochtend was de koorts gezakt, maar Albert voelde zich zo slap dat hij nauwelijks op zijn benen kon staan en hij had absoluut geen trek in eten. Alleen de gedachte aan een boterham met kaas, anders een lekkernij, deed zijn maag in zijn lichaam omdraaien.

De dokter kwam en ging een ogenblik op het krukje naast Alberts bed zitten.

'In feite ben je kerngezond, Albert. Alles wijst daarop. Op jouw leeftijd is de kans niet zo groot dat een hevige verliefdheid niet wordt beantwoord. Maar ik opper de mogelijkheid toch, omdat ik anders niet zou weten wat er met jou aan de hand is.'

Dokter Dijkstra stond op. Terwijl hij de stethoscoop in zijn tas stopte, viel zijn oog op de foto van Alberts moeder op het nachtkastje. Half naar Albert toegekeerd nam hij het zilveren fotolijstje in zijn hand. Voor Alberts gevoel bekeek hij de foto minutenlang. Terwijl hij Albert een ogenblik aankeek, zei hij bijna onhoorbaar: 'Je moeder was mijn patiënt Albert. Ik was erbij toen ze is overleden.'

Voorzichtig zette Dijkstra de foto terug. Bij de deur keerde hij zich om. 'O ja, nog dit Albert. Ik leg beneden een recept op de keukentafel. Daarmee moet één van je broers naar de apotheek gaan. Het zijn wat onschuldige tabletten om je rustiger te maken. En verder Albert, hou maar goede moed.'

Albert stond de volgende morgen om zeven uur op, zoals hij gewend was. Hij voelde zich lichamelijk weer de oude. De boterhammen met kaas gingen er weer in zoals altijd. Ik heb nu eenmaal een gezond, jong lichaam, dacht hij.

'De dokter heeft gezegd dat je nog maar niet moest gaan zeilen omdat je nog wat duizelig kon zijn,' zei z'n vader, 'wacht nog maar even tot morgen. Er komen nog dagen genoeg. Je hebt nog bijna vijf weken vakantie.'

Het mooie zomerweer zou nog wel een tijdje aanhouden volgens de laatste weersverwachtingen. Albert zou inderdaad nog wekenlang elke dag kunnen varen met z'n vlot. Hij zou kunnen gaan waar hij wilde. Naar het dorp om Van Andel voor het zeil te bedanken, naar de nieuwe brug en weer terug en noem maar op. Waar zij woonden, kon je overal naartoe varen omdat hij het vlot immers gemakkelijk onder de lage brug in de nieuwe weg door kon sturen. Hij kon varen waar geen plezierjacht kon komen. Maar hij wist nu al dat hij het niet zou doen. Hij zou het vlot met geen vinger meer aanraken omdat alles aan het vlot aan haar herinnerde. Zij had het zeil gestreeld, zij had de giek en de mast bewonderd, zij had hem geprezen omdat hij zo'n stevige constructie had gemaakt. Hij wist het zeker, steeds als hij het woord vlot zou horen, zou hij aan haar denken, al werd hij honderd jaar.

's Middags, na het eten, trok hij het vlot op de kant. Het was een sterk en tegelijk licht vlot. Hij kon het gemakkelijk alleen op de zolder in de schuur opbergen. Daar lag al een hele stapel oude rommel, oude planken, emmers en gereedschappen die kapot waren of die ze niet meer konden gebruiken. Zoals alle boeren was zijn vader zuinig en daarom gooide hij die spullen niet weg. Misschien zat je er nog eens om verlegen en niemand had er last van als het daar op die grote, stoffige zolder lag. Het zeil en de giek legde Albert naast het vlot. Hij zou nog weleens naar Van Andel fietsen om hem te bedanken. Later als hij rustiger was geworden en de grootste pijn zou zijn verdwenen.

Na theetijd fietste hij naar de bibliotheek om wat boeken over astronomie te lenen. Dat zou hem afleiden. Met de wind in de rug was hij binnen een halfuur in het dorp. De bomen langs de dijk stonden vol in blad, de lucht was zwanger van geuren. Van het gras dat de boeren hadden gemaaid en het hooi dat ze op wagens laadden. Nooit was de wereld zo mooi als in deze weken van de vroege zomer. Maar hij zag het niet, hij rook het niet en hij hoorde de vogels niet die in de bomen kwetterden en zongen. Hij was verdoofd en hij wist waarom. Het was om haar.

6

's Zaterdags dronken ze om tien uur 's ochtends koffie, dat waren ze zo gewend. Dan lazen ze de krant. Zijn vader nam altijd het katern van de dikke zaterdagkrant met de familieberichten het eerst, omdat mensen van het platteland nu eenmaal geïnteresseerd zijn in het wel en wee van hun buren. Dat kan heel ver gaan. Zijn vader wist bijvoorbeeld precies wie met wie getrouwd waren, hoe de kinderen heetten en waar ze naartoe waren getrokken. Hij wist het van de buren die tot in de verre omtrek woonden.

'Moet je horen,' zei hij dan tegen Alberts stiefmoeder, 'die Jan van der Putten en Aagje, je weet wel, die Aagje van Dijk, die hebben er ook weer eentje bij. Die laten er beslist geen gras over groeien. Nou ja, ze moeten het zelf maar weten, maar ik wilde niet zo'n hok vol kinderen.'

Albert hoorde zijn vader, zijn stiefmoeder en zijn broers praten, maar wat ze zeiden ging grotendeels aan hem voorbij, omdat het hem niet interesseerde. Alleen als zijn vaders stem een bijzondere klank kreeg, luisterde hij een ogenblik. Bijvoorbeeld als zijn vader bij de overlijdensadvertenties was gekomen en ontdekte dat er iemand uit de buurt was overleden. 'Och,' zei hij, 'dat is nou zielig. Moet je horen dat meisje van Hooisma, je weet wel die mensen die aan de Zuiderweg boeren....'

Zijn stiefmoeder onderbrak hem, 'Woont die familie Hooisma in één van de drie boerderijen die je over de vaart in de verte kunt zien?'

'Ja, dat klopt,' zei z'n vader, 'daar wonen de Hooisma's. Rechts van hieruit gerekend.'

Er ging een schok door Albert. Hij voelde zijn handen verstijven waarmee hij de krant vasthield. Een verschrikkelijk voorgevoel kneep zijn keel dicht. Verscholen achter de krant en lijkbleek wachtte hij op wat onherroepelijk moest volgen.

'Is dat niet dat wanstaltige gedrocht?' vroeg zijn jongste broer.

'Ik denk het wel,' zei z'n vader, 'ik zou niet weten wie het anders moest zijn.'

Het was enkele ogenblikken stil, hij keek opnieuw in de krant en zei: 'Veertien jaar. Ja, het moet dat mismaakte meisje wel zijn.'

Albert kon zich niet bewegen, hij was één blok koude steen geworden. Hij probeerde op te staan, maar hij kon het niet. Hij moest alles horen. Hij moest het zeker weten.

'Zulke mismaakte kinderen moesten ze bij de geboorte een spuitje geven,' zei z'n stiefmoeder.

'Je schrok als je haar zag,' zei Feitse minachtend, 'ik heb gehoord dat ze uit het hooivak is gevallen, helemaal van boven met haar hoofd op het beton.'

Alberts adem stokte.

'Vanmorgen om elf uur is de begrafenis,' zei z'n vader terwijl hij de krant dichtvouwde. En meer tegen zichzelf dan tegen zijn drie zonen en nauwelijks hoorbaar: 'Op het kerkhof waar Marije, jullie moeder begraven ligt.'

Albert rende de kamer uit. Boven de toiletpot gaf hij over tot er alleen bittere gal kwam. Met klamme en trillende handen draaide hij het kraantje open en dronk wat. Hij depte zijn voorhoofd met het koude water en gaf opnieuw over. Alles begon te draaien en een ogenblik later zakte hij op zijn knieën. Hij kwam weer enigszins bij zijn positieven doordat iemand de deur opendeed. Het was zijn vader.

'Is alles goed met je?' vroeg hij.

'Het is het laatste restje van de griep,' antwoordde Albert zo goed en zo kwaad als het ging.

'Dat kan gebeuren,' zei zijn vader, 'als er iets is, dan moet je maar roepen.' Albert hoorde hem terug naar de kamer lopen.

Nadat hij vele malen diep adem had gehaald, stond hij op en scheurde in de bijkeuken een blaadje van het schrijfblok waarop zijn stiefmoeder de boodschappen noteerde. Toen hij tenslotte zijn schokkende hand onder controle had schreef hij: *ik ben even gaan fietsen.*

Zonder iets te zien, fietste hij langs de dijk. Hij zag het fluitenkruid niet, noch Van Andel die zijn hand opstak en hem iets toeriep. Er was alleen maar een grijs waas voor zijn ogen. Hij kon niet meer denken, al zijn gevoel was uit hem verdwenen. Automatisch fietste hij verder, kilometer na kilometer. Ver voorbij het dorp kwam hij weer enigszins tot zichzelf. Hij stapte af en ging in de berm zitten. Hij keek op zijn horloge. Het was een paar minuten over elf. Nu wordt ze begraven, dacht hij. Nu zal ik Annelies nooit meer zien. Hij bleef lange tijd zitten tot hij voelde hoe zijn bezwete lijf afkoelde. Een koude rilling deed zijn lichaam ongecontroleerd schudden.

Langzaam fietste hij verder in de richting van het dorp waar zijn moeder vandaan kwam en waar ze ook begraven lag naast zijn grootouders. Nu weet ik het, zei hij in zichzelf, het komt voor dat je al heel jong toch de echte grote liefde vindt. De liefde van je leven. Ze kunnen het wel kalverliefde noemen en dat zal ook wel vaak zo zijn, maar er zijn uitzonderingen. Ik ben zo'n uitzondering en bij Annelies was het ook zo. Misschien komt het één keer op de duizend voor.

Misschien nog minder. Maar als die liefde afbreekt nog voor ze goed en wel is begonnen, betaal je een afschuwelijke rekening. Niemand kan weten wat het is die het niet zelf heeft meegemaakt. Maar direct daarop dacht hij aan Annelies. Aan de mooie uren die ze toch met hem had gehad. Hoe blij ze was dat ze de schoolslag met haar ene arm onder de knie kreeg en hoe zacht en lief ze hem had gekust. Als ze enkele mooie uren met mij gehad heeft, dacht hij, is mijn verdriet niet voor niets. Maar hij durfde niet te denken aan haar woorden die nooit iemand anders zó tegen hem had gezegd, want hij wilde niet weer overstuur raken, zodat hij niet verder zou kunnen fietsen. Hij moest zien waar ze haar hadden begraven, hoe wreed en afschuwelijk het ook was: op hetzelfde kerkhof waar ook zijn moeder lag.

Het was kwart voor één toen hij in de verte het dorp zag liggen. Hij was er een paar keer geweest om het graf van zijn moeder te bezoeken. Alleen, want hij had nooit iemand mee willen hebben. Niet zijn vader, en zijn broers al helemaal niet omdat die er niet bij hoorden, vond hij. Als hij zijn moeder bezocht, wilde hij met haar alleen zijn.

Hij zette zijn fiets vooraan bij de straat tegen een boom. Het was stil, het was midden op de dag, het was warm, de mensen zaten in de schaduw en de ouders en de familieleden van Annelies waren natuurlijk al naar huis. De begrafenisplechtigheid moest om twaalf uur al voorbij zijn geweest. Langzaam liep hij over het pad naar het smeedijzeren hek dat piepend openging, Hij dwong zichzelf met alle kracht die in hem was niet te gaan huilen. Nu niet gaan janken, dacht hij, in hemelsnaam nu niet janken. Nu niet. Hij ademde ritmisch in en uit en door alleen daaraan te denken, liep hij zo beheerst en zo kalm mogelijk in de richting van de bloemenzee die het verse graf bedekte. Zelfs op de grafsteen ernaast hadden de mensen boeketten en kransen neergelegd. Aan de ontelbare voetstappen in de zachte aarde kon hij aflezen dat er vele tientallen, misschien wel een paar honderd mensen bij de plechtigheid waren geweest. Hij ging op z'n hurken zitten om de teksten op de linten te lezen. *Voor onze lieve Marianne, we zullen jou, lieve Marianne nooit vergeten.* Zijn adem stokte. Marianne? Noemden ze haar Annelies, maar heette ze eigenlijk Marianne? Koortsachtig las hij alle linten. Overal stond Marianne. Een enkele keer Marianne Hooisma. Maar er was geen enkel lint waar Annelies opstond. Hij liep haastig terug naar het hek waar zijn fiets stond. Zijn hersens werkten koortsachtig. O, als zijn vader en Feitse zich hadden vergist, dan was het iemand anders die op het beton van de deel was gevallen. O God, dacht laat het waar zijn, laat het alsjeblieft waar zijn. Laat Annelies leven. Het moet waar zijn, herhaalde hij aan een stuk door. Als ze zichzelf Annelies noemt, dan zijn er natuurlijk meer mensen die haar Annelies noemen en dan had onherroepelijk de naam Annelies op minstens een paar linten moeten staan.

Een paar minuten later rende hij de kleine supermarkt van het dorp binnen.

'Kun je me zeggen,' zei hij tegen het meisje achter de kassa, 'hoe het meisje heet dat hier vanmorgen begraven is? Heet ze Annelies?'

'Nee, hoe kom je erbij,' antwoordde ze, 'Annelies van der Wal is het buurmeisje van Marianne Hooisma. Marianne is op de deel gevallen, maar ze is toevallig wel even oud als Annelies en ze zijn toevallig ook nog buren. Het is heel erg.'

Zonder haar te bedanken liep Albert de winkel uit, want hij wilde beslist niet dat ze zou zien dat hij van zijn leven nog niet zo blij was geweest. Jij stomme Feitse, hoe kon je zo achterlijk zijn om onmiddellijk aan te nemen dat het verongelukte meisje dezelfde was als Annelies? Feitse die slome vent dacht nooit na, dat had hij zijn hele leven nog niet gedaan. Maar aan de andere kant, bedacht Albert, kon hij zich ook wel weer voorstellen hoe het gegaan was. Feitse en zijn vrienden hadden natuurlijk gehoord dat er een meisje voorbij het volgende dorp, twintig kilometer verder, te pletter was gevallen. Ze hadden natuurlijk ook weleens gehoord dat daar een gehandicapt meisje van dezelfde leeftijd woonde en zo had je de poppen aan het dansen in het slome hoofd van die stomme Feitse. Zonder de feiten te controleren namen ze zomaar aan dat het dus het gehandicapte meisje was dat op het beton te pletter was gevallen. Zijn vader en zijn stiefmoeder en hijzelf trouwens ook hadden Feitse geloofd en waarom ook niet. Bovendien had Feitse zijn vergissing niet met opzet gemaakt.

Terwijl hij haastig in de richting van de drie boerderijen in de verte fietste, deed hij een schietgebedje voor Marianne Hooisma. Marianne, zei hij in zichzelf, ik ken je niet maar probeer te begrijpen waarom ik nu niet voor jou bedroefd kan zijn.

Al vanaf een afstand herkende Albert de drie boerderijen. Dit moesten de drie boerderijen zijn die hij zijn leven lang als klein roze vlekjes had gezien. Ze stonden alle drie op ongeveer een halve kilometer van elkaar. Bij de middelste boerderij zag hij een massa auto's op het erf staan. Daar had dus die arme Marianne gewoond die zo tragisch aan haar einde was gekomen. De eerste boerderij lag direct aan het water. Daar woonde Annelies, want daar lag, netjes afgemeerd aan een wit geschuurd plankier, haar blauwe bootje met de witte boorden. Hij fietste het erf op en bij het brede hek dat wagenwijd openstond, zette hij zijn fiets neer. Zou ze thuis zijn en zouden haar ouders er ook zijn? Door alles wat hij de laatste dagen had meegemaakt, was zijn verlegenheid zo goed als verdwenen. En nu had hij vleugels. Nu zou hij haar weer zien.

Ze liep hem tegemoet. Ze zei niets, maar kuste hem op zijn mond, zijn wangen, zijn ogen, ze kon zich niet inhouden, ze maakte zijn hele gezicht nat met haar tranen. 'Mijn lief jongetje,' zei ze en ze trok hem mee naar binnen, naar de grote woonkeuken. 'Mijn lief jongetje,' fluisterde ze steeds weer.

'Hoe kon ik zo dom zijn', zei hij.

'Je hebt natuurlijk gedacht, dat ik niet echt in jou geïnteresseerd was,' zei ze terwijl ze zijn gezicht streelde en haar hoofd tegen zijn borst legde.

Hij nam haar gezicht in beide handen kuste haar hele gezicht. Ook dat gedeelte waar iedereen van schrok die haar voor het eerst zag.

Hij vertelde van het koffiedrinken die morgen en van de overlijdensadvertentie en het misverstand

'O God,' zei ze, 'o God, wat moet dat erg voor je geweest zijn.'

'Ja,' zei hij, 'dat was heel erg. Ik meende echt aan jouw graf te staan. Jouw graf tegenover het graf van mijn moeder.'

Ze droogde zijn tranen en toen ze haar ouders over de weg aan zag komen lopen, zei ze: 'Ik vertel dat ik je ontmoet heb op de grote trekvaart en dat je hier toevallig langskwam. Dan vertel ik ze vanavond alles.'

Hij knikte.

Het waren aardige mensen. Hij gaf ze een hand en vertelde dat hij een lange fietstocht maakte en de boterhammen vergeten was en daarom even bij Annelies was aangekomen, omdat zij elkaar kenden, zij in haar bootje en hij op zijn vlot. Antje, Annelies' moeder smeerde onmiddellijk een paar boterhammen met kaas omdat hij die het lekkerst vond. O ja, ze kende zijn ouders wel. Ze had hen eens ontmoet bij een herdenking, iets met de kerk.

'Achter op het erf kunnen we jullie boerderij zien,' zei

Annelies' vader, 'maar alleen 's winters als het riet gemaaid is.'

'Ik zal je wat grappigs vertellen Albert,' zei Antje. 'Toen Annelies klein was, vertelde ik haar voor het slapen gaan over elfen en kabouters en dat ze in jullie huis woonden dat we nog net in de verte konden zien als een klein roze stipje.'

Tegen vijven vertrok Albert. Annelies liep met hem mee naar het hek waar zijn fiets stond.

'Wat een lieve jongen,' zei Antje tegen haar man, 'ik wou dat het ooit wat zou worden met zo'n aardige jongen.'

'Daar moeten we niet mee rekenen Antje,' zei haar man, 'Annelies' handicap is veel te groot. Daar knappen jongens vroeg of laat toch op af.'

Ze zaten aan de keukentafel tegenover het grote raam dat vrij uitzicht gaf op het pad en het grote hek. Annelies stond met haar rug naar de boerderij. Ze had haar hand op zijn stuur gelegd en zo bleven ze staan praten. Zwijgend zaten Antje en Jan naar hun dochter en die aardige jongen te kijken. Het was niet uit nieuwsgierigheid, maar zo zaten ze vaak te kijken, voor het keukenraam, het was nu eenmaal hun favoriete plekje.

'O kijk nu eens,' fluisterde Antje plotseling. De hand van Annelies gleed naar Alberts hand. Ze legde haar hand op de zijne en boog zich voorover. Ze kuste hem terwijl ze hem naar zich toe trok. Ze kuste hem op zijn mond.

Toen Annelies na lange tijd binnenkwam, wisten haar ouders niet wat te zeggen. Annelies stoof hen voorbij en ze deed iets wat ze nog nooit had gedaan. Ze zong boven op haar kamer waar ze hem het langst en het best kon zien. Daar zwaaide ze hem uit tot hij om de bocht van de dijk verdween.

7

En zo is het met ons begonnen: met Albert van Zanden die in die laatste weken van de zomervakantie dertien werd en met mij, Annelies van der Wal, anderhalf jaar ouder. Kalverliefde zou je zeggen, de eerste verliefdheid van pubers. Albert een knappe jongen, hij had niet eens puistjes. Een tengere jongen, één meter achtenzeventig, met blond haar en een eigenwijs kuifje. Ik een paar centimeter langer, een gezonde jonge meid, met donkerblond stevig haar en ook grijsblauwe ogen. Maar met een verschrikkelijke handicap. De linkerkant van mijn gezicht was wanstaltig vervormd. Als mensen me voor de eerste keer zagen, schrokken ze. Logisch, mijn gezicht lijkt vanuit een bepaalde hoek op een doodshoofd. Toch heb ik op de lagere school altijd vriendinnetjes gehad.

Ik was mij er al heel jong van bewust. Ik was nog geen vijf, toen ik op de stoel voor de spiegel ging staan en aan mijn moeder vroeg waarom mijn gezicht zo lelijk was. Ik weet het nog, die eerste keer dat ik het vroeg, omdat mijn moeder begon te huilen. Ze probeerde zich in te houden, ze snikte niet, ze huilde zonder geluid, maar ik zag haar tranen. Ik vond het afschuwelijk. Want het komt door mij, dacht ik, omdat ik zo lelijk ben.

Toch heb ik er op de basisschool niet echt aan geleden. Ik had vriendinnetjes bij de vleet, iedereen wilde wel met me spelen. Soms kwamen ze na schooltijd bij mij thuis om de kalfjes te bekijken. Of de jonge poesjes. Soms speelden we in een leeg hooivak als het regende. En 's winters mochten de kinderen uit mijn klas één voor één naast mijn vader komen zitten om te proberen een koe te melken.

'Gelukkig Jan,' hoorde ik mijn moeder eens tegen mijn vader zeggen, 'onze Annelies heeft wél veel vriendinnetjes.'

Toen ik elf was en in de prepuberteit kwam, veranderde dat. Jongens gingen naar ons, de meisjes, kijken. Eens fietsten jongens voorbij - ik had voor mijn moeder een paar boodschappen gehaald en terwijl ik de boodschappen in de fietstas deed - ik hoorde één van hen zeggen: 'Wat is dat een lijk van een meid, zeg.' De woorden troffen me als zweepslagen, een lijk van een meid. Als verdoofd fietste ik terug naar huis. Een lijk van een meid, een lijk van een meid, iets anders kon ik niet denken. Dicht bij huis stapte ik af en ik droogde mijn gezicht, want ik wilde niet dat mijn moeder zag dat ik gehuild had. Want dan had ik moeten vertellen wat die jongen op verachtelijke toon gezegd had. Ik vertelde het niet, omdat *ik* het was die mijn ouders verdrietig maakte. Want *ik* was een *lijk van een meid.*

Vanaf die tijd ging het bergafwaarts, ik sliep onrustig en soms liep ik al om vier uur in de ochtend rusteloos door mijn kamer. Mijn moeder probeerde mij te troosten. Maar wat kon ze zeggen? Hoe kon ze mij helpen? Ze nam me mee naar onze huisarts, naar dokter Dijkstra. De arme man kon weinig anders doen dan me een rustgevend middel voorschrijven. Het hielp niet. Ten einde raad stuurde Dijkstra mij naar een psychiater in de stad. 'Die kan je wel helpen Annelies, ze is een aardige vrouw.' Hij knikte er goedkeurend bij, maar aan zijn stem meende ik te horen dat hij er weinig fiducie in had. Hij weet ook wel dat mijn gezicht nooit zal veranderen, dacht ik, ik zal mijn hele leven dat verschrikkelijke gezicht hebben. Altijd zullen de mensen zich met afschuw van me afkeren. Mijn vervormde linkerarm met die lelijke roze kleur was het geringste euvel, die kon ik wegstoppen in een lange mouw. Maar mijn gezicht niet. Was ik maar geboren in zo'n moslimland dacht ik, dan had ik een sluier moeten dragen. Dan had ik mijn weerzinwekkende gezicht kunnen verbergen.

De eerste klas van de middelbare school was een regelrechte ramp. Ik kwam met allerlei nieuwe mensen in contact, leerlingen en docenten die me aanstaarden, een paar keer slikten en dan pas wat zeiden. Als ze zich niet gelijk omdraaiden en wegliepen zonder iets te zeggen. Het is me verschillende keren overkomen. Het beetje zelfvertrouwen dat ik bij mevrouw Jansen, de psychiater, had opgebouwd, smolt als sneeuw voor de zon. Er waren leerlingen in mijn klas die me met opzet meden. Ze keken snel de andere kant op als ze mij zagen en ze maakten desnoods een omweg. Ze wilden niets te maken hebben met een levend lijk. Want zo zag ik mezelf. En dat is niet best voor je zelfgevoel als je veertien jaar bent, juist in die periode van je leven waarin je uiterlijk zo'n grote rol speelt. Het enige wat ik kon doen was mijn best doen en proberen te vergeten dat ik een *lijk van een meid* was. Ik deed alsof het me niet raakte toen niemand met me wilde dansen op het eerste schoolfeestje. Echt niemand. Ik durfde het thuis niet te vertellen, omdat ik mijn ouders niet wilde kwetsen.

Met de kerstdagen was ik de beste van de klas. Eigenlijk niet verstandig want nu werden ze ook nog jaloers op mij. 'Toch moet je gewoon je best blijven doen,' zei mevrouw Jansen tegen mij, 'want je zult zien Annelies, dat het vroeg of laat in je voordeel zal zijn.' Ze had gelijk. Mijn cijfers gaven me toch zelfvertrouwen. Mijn klassenleraar zei eens terloops tegen me zodat niemand het kon horen: 'Annelies ik heb respect voor je.' Meer zei hij niet, maar ik wist precies wat hij bedoelde. Het was een flinke opsteker voor me. Mevrouw Jansen vond ook dat ik vooruitging. Het was een troost, zij het een schrale, want ik wist zeker dat ik mijn leven lang alleen zou blijven. Ik durfde niet te dromen van verliefd worden. Dat was niet voor mij weggelegd.

In die tijd besloot ik medicijnen te gaan studeren. Koos ik die studierichting omdat ik vaak op het spreekuur van dokter Dijkstra was geweest? Of wilde ik een beroep met aanzien? Wilde ik laten zien dat ik toch meetelde?

Na dat eerste verschrikkelijke jaar op het gymnasium is mijn moeder meegegaan naar de psychiater. Mevrouw Jansen wilde samen met mij en mijn moeder de therapie evalueren.

'We gaan stapje voor stapje vooruit, mevrouw van der Wal,' zei ze. 'En dat komt omdat Annelies een sterke jonge vrouw aan het worden is.' Ik weet nog dat ik tranen in mijn ogen kreeg. Mijn moeder kreeg het ook te kwaad. Toen vroeg mevrouw Jansen wat ik het liefst zou doen in de vakantie. 'Want,' zei ze, 'je hebt rust nodig Annelies. Je hebt afgelopen jaar prima gestudeerd en dat heb je gedaan met je zware handicap en je zelfvertrouwen dat je met grote inspanning opbouwt. Dat is een buitengewone prestatie meid. Je moet bekaf zijn.' Ik knikte, het was zo, ik was blij dat het vakantie was.

'U mag trots op uw dochter zijn, mevrouw Van der Wal.'

'Dat ben ik ook mevrouw Jansen.'

'Wat zou je in de vakantie willen doen Annelies?' vroeg ze mij voor de tweede keer.

'Ach mevrouw,' antwoordde ik, 'eigenlijk zou ik het liefst helemaal niets doen. Gewoon mijn hoofd leegmaken. Alleen wandelen of in een bootje tussen het riet varen. Zoiets.'

'Is dat een idee mevrouw Van der Wal? Jullie wonen toch in een waterrijk gebied?'

'Is dat wel vertrouwd, wat denkt u dokter?' vroeg mijn moeder bezorgd.

Ik zie mevrouw Jansen nog glimlachen. Ze had een rond

gezicht met een dikke onderkin, ze was helemaal wat aan de mollige kant. Ze was gezellig dik, haar lijf paste volgens mij precies bij haar karakter. Ze was een lieve vrouw. Maar tegelijk een scherpzinnige analyticus van de menselijke ziel. Ze heeft mij geleerd niets weg te stoppen. Ik moest leren mijn lelijke gezicht te accepteren. 'Je moet leren niet bang te zijn voor je eigen afschuw en de pijn die het doet als je jezelf in de spiegel ziet. Je moet leren daaraan te wennen. Er is maar één die je dat kan leren en dat ben jezelf.' En dan lachte ze, alsof ze wilde zeggen dat ik het heus wel kon. 'Ken je het gezegde: You can lead the horse to the horse to the water but you cannot make him drink Annelies?' En dan lachten we. We lachten veel terwijl we over mijn afschuwelijke gezicht en mijn nachtmerries spraken en dat ik dacht dat ik mijn hele leven alleen zou moeten blijven omdat niemand van mij zou kunnen houden. Dan glimlachte ze toch. Ik geloof dat haar glimlach en haar opgewektheid mij het meeste hebben geholpen mijzelf te accepteren. Maar altijd zei ze: 'Vergeet niet Annelies dat we nog maar aan het begin staan. Je hebt nog een lange weg te gaan.'

Mevrouw Jansen keek mijn moeder enkele ogenblikken welwillend aan. 'Ik begrijp u wel mevrouw Van der Wal. Ik heb zelf ook kinderen en we hebben de neiging elke moeilijkheid voor onze kinderen uit de weg te willen ruimen.'

Mijn moeder knikte.

'We kunnen Annelies zelf vragen wat ze van het idee vindt,' stelde mevrouw Jansen voor.

'Nou, zeg het dan maar Annelies,' zei mijn moeder, niet geheel overtuigd, 'is het vertrouwd als we een bootje voor je kopen. Zul je dan voorzichtig zijn?'

'Natuurlijk mam.'

Nog diezelfde week kreeg ik mijn bootje. Met een elektromotor, wat in die tijd heel bijzonder was. En een reddingsgordel.

'Die mag je nooit vergeten,' zei mijn moeder.

Omdat mijn ouders een flinke erfenis hadden gehad van mijn grootouders, de ouders van mijn moeder, nog geen jaar eerder, voelde ik me niet bezwaard.

8

En toen was hij er. Albert. Zomaar. Onverwachts. Na die eerste kennismaking, op die prachtige zomermiddag dat we elkaar leerden zwemmen in dat schilderachtig slootje met de zandige bodem, was ik tot na het avondeten opgeruimd en gelukkig. Mijn moeder zag het, hoewel ik het probeerde te verbergen. 'Ik geloof dat die raad van mevrouw Jansen toch niet zo gek was Annelies. Je krijgt een prachtige bruine kleur en ik zie het aan je ogen... Je voelt je beter dan ooit.' Ik hoorde de trilling in haar stem, ze geloofde in mij. Ze kwam naast me staan, ze legde een arm om mijn schouders en ze zoende me op mijn haar. En ze deed iets wat ze voor het laatst gedaan had toen ik nog een kleuter was, ze gaf me een zoen op mijn beide gezichtshelften, óók op dat gedeelte van mijn gezicht waar ik een 'lijk van een meid' was. Vervolgens draaide ze zich om en ging met haar rug naar me toe verder met de afwas, terwijl ik stilletjes naar boven sloop. Ik ging op mijn bed liggen met mijn gezicht in het kussen en ik huilde. Ik wist het zeker, het was een illusie te denken dat ik, een 'lijk van een meid', ooit zo'n aardige jongen als Albert aan me kon binden. Hoe kon ik zo dom zijn. Albert was een knappe jongen, nog maar dertien en toch al zo volwassen. Albert was intelligent. Hij zou alles kunnen worden, wat hij maar wilde. Ik zag zijn gezicht weer voor me, zijn gave, licht gebruinde huid, zijn mooie blonde haar, dat kuifje, zijn symmetrische gezicht en zijn prachtige ogen die glansden als hij naar me keek. Zijn ogen, vooral zijn ogen. En zijn mooi gebouwde lichaam, alles was mooi aan Albert, zijn handen die een ogenblik mijn huid streelden, ik herinnerde me alles, tot in het kleinste detail. Denk niet verder Annelies, zei ik tegen mezelf, hoe kon je zo dom zijn om te veronderstellen, dat zo'n jongen echt van jou, een lijk van een meid, zou kunnen houden. Het was wat ze kalverliefde noemen, een vluchtige, voorbijgaande emotie. En jij Annelies hebt dat opgeblazen tot iets van echte liefde. Omdat je het zo graag wilde… Je hebt onbewust Albert verleid om dat te zeggen wat jij graag wilde horen.

Ik sliep die nacht nauwelijks en de volgende morgen voelde ik me te ziek om op te staan. Dijkstra, werd gebeld.

Maar Albert kwam toch. Op die middag toen Marianne Hooisma werd begraven. Tegen de avond wuifde ik hem uit en ik wist zeker dat hij de volgende ochtend terug zou komen, ook al hadden we geen afspraak gemaakt. Mijn moeder moet dezelfde twijfels hebben gehad als ik. Zou Annelies zich toch niet vergissen, moet ze gedacht hebben. Maar zij en mijn vader hadden me bij het hek zien praten met Albert en ze hadden gezien dat ik Albert naar me toe trok en hem op zijn mond kuste. Veel langer dan je zou mogen verwachten.

Albert fietste vijfentwintig kilometer heen en ook weer vijfentwintig kilometer terug. Na een paar dagen kwam hij met het vlot, dat ging veel sneller dan fietsen. Want over het water was het maar zes kilometer. Het was hoogzomer en het loonbedrijf dat mijn vader 's zomers inhuurde bij het hooien, was allang verzegd. En daarom hielpen Albert en ik mijn vader. Albert en ik met oude hoeden van mijn vader op ons hoofd omdat de zon elke dag onbarmhartig fel scheen, Albert met een oude korte broek van mij, wij tweeën zo nu en dan achter een hooiopper. Het was de hemel voor ons. En mijn blije en opgeruimde moeder die boterhammen voor ons klaar had om halfelf als we in de grote woonkeuken zaten, ons kleine keffertje dat op Alberts schoot sprong. En ineens, ik weet niet meer wanneer, zei Albert moeder en vader tegen mijn ouders. Alsof het altijd zo geweest was. Ik zag de ontroering op hun gezicht en toen we naar buiten liepen om verder te gaan met het werk hoorde ik mijn vader fluisterend tegen mijn moeder zeggen: 'Alsof Albert mijn eigen zoon is Antje.'

's Avonds zaten we buiten onder de grote perenboom en ik voelde me alleen omdat Albert weer terug was gevaren naar de Onzalige Polder.

'We kennen zijn ouders wel Annelies. Jij was nog klein, je kunt je het niet herinneren. Ze hebben vroeger een paar zondagen bij ons gekerkt. Ze zijn ook gereformeerd en zo hebben we hen nader leren kennen. Je weet hoe dat gaat, ze hebben eenzelfde soort bedrijf als wij.'

'Toen leefde Alberts moeder nog.'

'Marije heette ze, als ik het goed heb,' vulde mijn moeder aan. 'Of Marijke, daar wil ik vanaf zijn...'

Mijn vader: 'Ze was nog jong toen ze overleed. Zulke dingen blijven je bij.'

'Zesendertig, als ik me goed herinner,' zei mijn moeder, 'het moet verschrikkelijk zijn als je doodgaat en je laat drie jonge kinderen achter.'

Mijn vader: 'Albert lijkt het meest op zijn moeder Annelies. Ze had ook fijne gelaatstrekken, ze was een frêle vrouw.'

Ik glimlachte, ze moeten het hebben gezien hoewel het al schemerig was en de eerste vleermuizen boven onze hoofden fladderden.

'Dacht je dat ik niet wist wat frêle betekent Annelies?' vroeg mijn vader lachend. Ik had hem nog nooit zo opgewekt en vrolijk gezien. Alsof hij met de komst van Albert een ander mens was geworden.

'Albert lijkt beslist niet op zijn vader, op Durk van Zanden,' herhaalde mijn vader.

'Kun je hem beschrijven?' vroeg ik nieuwsgierig.

'Hij is een norse, grote en brede kerel.'

'Iemand van wie ze zeggen Annelies, dat het zo'n typische gereformeerde stugge, rechtlijnige boer is,' voegde mijn moeder eraan toe.

'Maar dan lijkt Albert helemaal niet op hem.'

'Nee, dat zeiden we toch al, Albert lijkt sprekend op zijn moeder Annelies.'

'Ja dat moet wel.'

Ze begrepen dat ik erg nieuwsgierig was naar de ouders van Albert. Want het was toch niet normaal dat hij zo weinig over hen sprak. Het ging toch om zijn naaste familie?

'Kennen jullie Alberts stiefmoeder?'

'Ik heb haar één keer ontmoet, ook al weer jaren geleden toen we met de plattelandsvrouwen een uitstapje naar Oranjewoud maakten.'

'En?' vroeg ik.

'We mogen niet lichtvaardig over anderen oordelen,' antwoordde mijn moeder. Het was al te donker om mij te zien glimlachen. 'Dan weet ik het wel,' antwoordde ik.

Mijn moeder haalde waxinelichtjes met een geurtje tegen de steekmuggen op. 'Ach Antje, zou je gelijk de berenburg mee willen brengen, ik heb vanavond zin in een borrel.' Mijn vader dronk nooit, behalve op verjaardagen. Of met de kerstdagen. Mijn moeder nam bij die gelegenheden weleens een half glaasje. Zo ook deze keer.

'Jij ook een half glaasje Annelies?' vroeg ze. 'Mag wel hoor meid. Als je vaste verkering hebt mag dat.'

Ik had mijn ouders nog nooit zo gelukkig gezien. In het flakkerende licht van de kaarsjes zag ik hun gezichten, en de lichtjes in hun ogen. Het was de eerste keer dat ik berenburg dronk. Het maakte mij nóg lichter in mijn hoofd.

'Dachten jullie dat het maar wat kalverliefde was met Albert en mij?'

'Je moet het zo zien Annelies,' mijn vader nam altijd aanloopjes als hij iets ernstigs wilde zeggen, 'op jullie leeftijd is het in de regel een bevlieging. Dat is toch zo Annelies?'

'Ik heb dat ook gedacht,' antwoordde ik terwijl ik het bodempje berenburg in één keer doorslikte, het prikkelde in mijn keel, ik moest hoesten. Mijn vader schonk me glimlachend nog een bodempje in. 'Probeer het zo meteen nog maar een keer Annelies en dan met kleine slokjes.' Hij stond naast me met de fles in de hand. Het was donker, hij boog zich naar mij over en zoende me op mijn voorhoofd. Hij had zoiets nog nooit eerder gedaan.

Mijn moeder was met de zakdoek in de weer.

'Het is een wonder,' zei ze met een verstikte stem.

'Dat vind ik ook Annelies,' zei mijn vader terwijl hij weer ging zitten. 'Weet je waarom ik dat vind Annelies?' Hij wachtte niet op mijn antwoord. 'Omdat jouw onzekerheid als bij toverslag is verdwenen, alsof je ineens volwassen bent geworden. Als het zomaar om wat kalverliefde ging, dan was dat echt niet gebeurd Annelies.'

'Ik denk dat je gelijk hebt papa.'

'Albert zei vader en moeder tegen ons Annelies, dat zegt zo'n jongen niet zomaar.' Ik hoorde de ontroering in zijn stem. En toch was mijn vader er beslist de man niet naar om met zijn gevoelens te koop te lopen. We zwegen lange tijd.

'Wat gaat Albert na de vakantie doen, naar welke school gaat hij?' mijn moeder was er weer helemaal bij.

'Zijn vader wil dat hij timmerman wordt.'

'O?'

Ik hoorde de verbazing in de stem van mijn vader. 'En wat is het advies van de school?'

'Verder leren.'

'Nou, nou. Timmerman is natuurlijk een heel eerzaam beroep, daar wil ik niets vanaf doen. Maar als je zoon verder kan leren. Of wil Albert zelf timmerman worden Annelies?'

'Nee, hij mag niet verder leren omdat zijn broers ook niet mochten doorleren.'

'Een rare logica,' zei mijn moeder en ik hoorde aan haar stem dat ze het maar niks vond. Ik begreep haar wel, mijn moeder zag Albert al min of meer als haar schoonzoon.

'Weet je wat het is Annelies, Aebeltsje is Alberts stiefmoeder. Ik wil niets kwaads van stiefmoeders zeggen. Maar het kan vriezen of dooien als je begrijpt wat ik bedoel. Het zou best kunnen dat Albert nooit een goede band met Aebeltsje heeft gekregen. Ik druk me maar voorzichtig uit. Begrijp je mijn kind?'

'Ik begrijp je heel goed, mams.' Het was niet nodig verder uit te weiden. Albert had ons verteld van die fatale morgen toen hij meende dat ik van de hooizolder was gevallen. Aebeltsje had bij die gelegenheid gezegd dat ze gehandicapte kinderen zoals ik gelijk bij de geboorte een spuitje hadden moeten geven...

9

Op de zaterdagmorgen van de voorlaatste vakantieweek kwam Albert overstuur met zijn vlot aanvaren. Hij was later dan anders en ik stond al ongeduldig maar bezorgd naast ons huis te wachten. Albert vertelde in het kort wat er gebeurd was. Alberts vader wilde niet dat Albert nog langer met mij omging. Omdat ik 'wat had.'

Mijn vader en moeder zaten binnen aan de grote keukentafel. Het was koffietijd.

'Zo is het gegaan,' zei Albert nadat hij het hele verhaal gedaan had.

'Ik ben met grote ruzie daar weg gegaan.' Mijn moeder maakte een extra boterham voor hem klaar en vroeg: 'Hoe moet het nu verder Albert?'

'Zou ik een paar dagen bij jullie mogen logeren? Tot de gemoederen bedaard zijn?'

'Natuurlijk,' zei mijn moeder en nog eens, 'natuurlijk Albert, maar dat weet je toch? Je bent meer dan welkom.' Toen knikte ze op een manier die ik wel van haar ken. Mijn moeder kan verschrikkelijk doortastend zijn. Van nature is ze verlegen, maar als de nood aan de man komt is er van die verlegenheid niets meer te bespeuren, dan gaat ze door roeien en ruiten. 'Ik zal straks wel met je ouders bellen Albert. Laat dat maar aan mij over, dat komt wel goed mijn jongen.' en ze drukte Albert liefdevol tegen zich aan.

Terwijl Albert en ik mijn vader gingen helpen, belde mijn moeder met Van Zanden.

'Ik hoef nooit meer naar ze toe Annelies,' zei Albert zonder een spoortje emotie. 'Het is raar gezegd maar ik zie ze helemaal niet als mijn familie. Aebeltsje is mijn stiefmoeder, het ligt voor de hand dat ik niets met haar heb. Je wilt het niet geloven maar zolang als ik haar ken heeft ze nog nooit een aardig woord tegen me gezegd. Ze heeft alleen maar tegen me gesnauwd, echt waar, ik overdrijf niet. En wat dacht je van mijn vader? Het is alsof hij zijn plicht doet tegenover mij. Meer niet. Alsof ik helemaal zijn zoon niet ben.'

'En je broers?'

'Alleen Sies, de jongste van mijn broers heeft momenten waarin hij niet al te beroerd is. Hij heeft me bijvoorbeeld geholpen met het vlot. Over Feitse wil ik niets zeggen. Elk woord aan hem besteed is te veel.'

'Ik heb met je ouders gebeld Albert. Ze vinden het goed dat je een paar dagen bij ons blijft logeren.'

Mijn moeder zette de pannen op tafel. Wij schepten op, nieuwsgierig naar wat er verder gezegd was. Toen we aten, zei ze: 'Ik heb gezegd dat jij graag bij ons wilde blijven tot het einde van de vakantie Albert. En dat wij daarmee akkoord gingen. Heb ik het goed gezegd Albert?' vroeg mijn moeder. 'Je wilt toch wel zo lang bij ons blijven logeren?'

Ik zag Alberts hand trillen, er biggelde een traan over zijn gezicht.

'Ik zou altijd bij jullie willen blijven,' fluisterde hij tenslotte zacht. Hij vermande zich, dronk een slok water en zei met vaste stem: 'Ik heb het Annelies al verteld. Ik hoor niet bij mijn vader en al helemaal niet bij Aebeltsje. Ook niet bij mijn broers.' Albert zuchtte, haalde diep adem en ging verder: 'Toen mijn moeder nog leefde was het anders. Maar dat is al zo lang geleden, ik weet niet eens meer hoe mijn moeder eruitzag, want ik was nog maar vijf.'

Ik sloeg een arm om zijn schouders en voor het eerst zoende ik hem op zijn wang waar mijn ouders bij waren.

'En nu is Annelies er.' Albert keek kort naar mijn ouders en sloeg verlegen zijn ogen neer. Hij wilde zich beheersen, maar ik zag hoe hij tevergeefs tegen zijn tranen vocht.

'Ik wist het wel Albert,' zei mijn vader, 'ik heb jou en Annelies gadegeslagen, ik zeg het maar eerlijk, ik denk dat jullie bij elkaar horen. Hoe jong jullie ook zijn, het is menens.'

Albert knikte en ik droogde mijn vochtige ogen.

'Goed,' zei mijn moeder resoluut, 'dan zal ik straks na het eten opnieuw met Durk van Zanden bellen. Ze zullen wel pauzeren na het eten, want je vader en je broers zullen nu ook wel klaar zijn met het hooien en dan zal ik kijken wat ze ervan vinden als je bij ons blijft Albert. Gewoon voor altijd. En dan kun je ook verder leren, mijn jongen.'

Albert schudde zijn hoofd. 'Ik ken mijn vader, hij komt nooit terug op zijn woorden, hij zal zelfs een busabonnement om naar het gymnasium in de stad te reizen, niet voor mij betalen.'

'Maar Albert toch, lieve jongen,' zei mijn moeder vertederd, 'als je bij ons komt wonen, dan ben je gewoon een zoon van ons. Had je dat niet begrepen? Dan betalen wij dat voor je, ook je kleren, gewoon álles.'

We zagen dat Albert overrompeld was. Het ging zo snel. Hij vertelde het mij later, toen we met ons tweeën waren, dat hij niet aan de mogelijkheid gedacht had om voor altijd bij ons te blijven. En hij huilde hij met zijn hoofd op mijn schouder. Beslist niet van verdriet Annelies, zei hij door zijn tranen heen terwijl hij een zakdoek zocht om onze tranen te drogen en me op mijn mond en mijn gezicht kuste. Ook op het lelijke deel van mijn gezicht. Alsof dat er niet was.

s Middags, toen we theedronken en een boterham aten voordat de koeien gemolken werden, hoorden we hoe het gesprek met Alberts vader was verlopen. 'Je vader hoorde er nauwelijks van op, Albert. Dat je wel bij ons wilde komen wonen.' Mijn moeder perste haar lippen op elkaar tot het een witte streep leek tussen haar kin en haar neus. 'Ik moet het toch maar zeggen Albert, je vader was niet erg aardig.' Ze stond op en borg het bestek op in de la. 'Misschien moet je toch maar vertellen wat hij gezegd heeft,' zei mijn vader, 'we zullen het na verloop van tijd toch wel horen. Zeg het daarom maar gelijk, dan weten we waar we aan toe zijn.'

'Je vader, zei tegen me dat wij jou wilden omkopen Albert. Wij hadden een mismaakte dochter en we waren blij dat er nu al een jongen voor haar was. Binnen is binnen, zei hij.'

Mijn moeder stond het huilen nader dan het lachen.

'Toen heb ik de hoorn op de haak gesmeten. Niet verstandig, maar jullie begrijpen wel dat ik met stomheid geslagen was.'

'Zo is mijn vader,' zei Albert met een zekere berusting. Hij heeft de mond vol van naastenliefde en noem maar op, hij heeft voor alles een Bijbeltekst, maar als puntje bij paaltje komt, gaat het alleen hierom,' en Albert maakte het bekende teken met duim en wijsvinger.

'Wat is er nog meer gezegd Antje,' vroeg mijn vader. 'Heb je niet tegen Van Zanden gezegd dat Albert het zelf ook wil? Dat wij hem helemaal niet over willen halen?'

Mijn moeder haalde haar schouders op. 'Met Van Zanden is het moeilijk praten. Hij luistert gewoon niet naar je. Ik heb geen kans gekregen iets te zeggen.'

'Heb je ook niet kunnen zeggen mem - Albert gebruikte hetzelfde Friese woord voor moeder als ikzelf - dat jullie alles voor me willen betalen?'

'Ik heb geen kans gehad Albert, die man ratelt aan één stuk door, mooi en lelijk, alles door elkaar.'

'Als hij begrepen had dat hij niets meer voor mij hoefde te betalen was het kat in 't bakkie geweest. Ik ken hem langer dan vandaag,' zei Albert.

'Is dat echt zo Albert?'

'O ja, mijn vader heeft natuurlijk gedacht dat hij alles moest betalen, ook als ik wilde doorleren. Wie weet hoe lang nog wel.'

'Dan zal ik bellen,' zei mijn vader.' Geef me het nummer maar Antje.' Mijn vader schoof een stoel aan om bij de telefoon te kunnen zitten die toen nog aan de muur hing.

'Met Jan van der Wal Van Zanden. Ik wil even wat rechtzetten. Als Albert bij ons komt wonen dan betalen wij alles, jij kunt je beurs dichthouden.' Mijn vader zei het kort en krachtig. Wij hoorden niet wat Van Zanden terugzei. Aan het gezicht van mijn vader was niets af te lezen.

'Luister nou eens Durk, jij en ik hebben samen in die commissie gezeten, het is alweer tien jaar geleden. We weten toch wat we aan elkaar hebben Durk, we zijn potverdorie allebei trouwe kerkleden. Waar hebben we het dan over Durk?'

Mijn vader luisterde weer met datzelfde onverschrokken gezicht. Zo had ik hem nog nooit meegemaakt, zo onverzettelijk, als een rots in de branding, ik was trots op hem.

'Natuurlijk gaat Albert met ons mee naar de kerk,' het gezicht van mijn vader kreeg een milde trek, maar ook spottend. Alleen voor ons die hem goed kenden was het zichtbaar.

'Ik begrijp het wel Durk. Als je dat aan Marije hebt beloofd.'

Na enkele minuten: 'Natuurlijk Durk. Wij begrijpen

dat. Een stiefmoeder kan natuurlijk de echte moeder niet vervangen.'

'...........'

'Wij twijfelen niet aan de goede bedoelingen van Aebeltsje, natuurlijk niet Durk'

Er trok zowaar een glimlach over het gezicht van mijn vader.

'Geloof me Durk, wij betalen die kosten met genoegen, ik zal er niet omheen draaien, wij kunnen het wel lijden Durk, we hebben geërfd, misschien is je dat ter ore gekomen en zo niet dan weet je het nu.'

Mijn vader knipoogde tegen Albert, wij begrepen dat het geld inderdaad een belangrijke factor was bij Van Zanden.

'Ja natuurlijk Durk. Waarom zouden we het niet aanzien? Als Albert na verloop terug wil, dan is er toch geen man overboord?'

Het gezicht van mijn vader werd weer ernstig, zelfs ontstemd.

'Nee Durk, dat mag je zo niet zeggen, dat gaat te ver beste broeder, het is bij ons geen hoerentent en dat zal het ook nooit worden. Sorry Durk, ik dacht dat je mij en mijn familie toch wel zou kennen.'

'....................'

'Ja dat begrijp ik wel Durk.' Mijn vader glimlachte met toegeknepen ogen en schudde zijn hoofd. 'Durk, luister eens, beste vriend, die zoon van jou kan veel meer dan jij denkt. Ja, hij kan uitstekend melken. Wist je dat niet? En de afgelopen dagen hebben Albert en mijn dochter mij fantastisch geholpen. Dat kwam mij heel goed uit.'

'.................'

'Okay Durk, we houden contact.'

Mijn vader legde de hoorn neer. 'Jullie zullen het wel hebben begrepen, denk ik. Je kunt zo lang bij ons blijven als je wilt Albert. En je weet het mijn jongen, ik hoop voor altijd.'

'En de spullen van Albert, zijn kleren en zo Jan, heeft Durk het daarover gehad?'

'Volgende week komen Alberts broers dat brengen.'

We waren allemaal opgelucht. 'Je hebt het goed gezegd Jan,' zei mijn moeder. 'Ik had het je niet kunnen verbeteren.' Mijn moeder zuchtte nog eens van opluchting. Maar toen keek ze op haar horloge. Want vrouwen zijn praktisch. 'Als je broers je kleren pas volgende week brengen Albert, dan heb je geen verschoning, geen schoon overhemd, geen schone sokken, geen pyjama, helemaal niets. Dat kan natuurlijk niet en daarom stel ik voor dat we van middag even naar de stad gaan om wat spullen te kopen.'

Mijn moeder mag graag winkelen. En nu was het noodzaak, want Albert had alleen een oude spijkerbroek aan en een overhemd met een winkelhaak op zijn rug. Hij had zelfs geen windjack.

'U hebt een heel gemakkelijk maat jongeman,' zei de verkoopster. Mijn moeder wilde eerst iets voor de zondag kopen. 'Dan komt de rest vanzelf,' zei ze. Albert liet gewillig met zich sollen, hij glimlachte alleen maar: 'Jullie hebben er verstand van.'

'Je bent een wijze jongen Albert,' zei mijn moeder, 'je hebt geduld en je laat ons kiezen, gelijk heb je.'

'We zoeken eerst een jasje, en daarna een broek die erbij past,' vond ik, want ik had een hemelsblauw jasje in gedachten. Eén van mijn leraren had zo'n jasje en die had dezelfde kleur haar als Albert.

'Ja dat hebben we wel, juffrouw,' zei de verkoopster gedienstig tegen mij, 'want die kleur is dit jaar in de mode.'

Het jasje stond Albert inderdaad prachtig. Als gegoten. 'Nou dat is erg gemakkelijk jongeman, want de mouwen zijn precies goed van lengte. We hoeven niets te verma-ken.'

We kozen er een donkerblauwe broek bij, met een scher-pe vouw, dat hoorde zo.

'Precies dokter Dijkstra, die heeft ook altijd van die com-binaties,' zei ik. Maar mijn moeder en Albert waren te druk in de weer met overhemden om mij te horen.

We waren zeker tot halfvier bezig met het kopen van overhemden, sokken, nieuwe schoenen, dassen en een mooi bijpassend windjack.

'Hebben we nu alles Annelies?'

'Heb je 's nachts ook een pyjama aan Albert? Ja? Dan ko-pen we zo'n katoenen ding voor je, een jasje en een broek. Dat is lekker luchtig voor de zomer.

'We moeten nog een paar spijkerbroeken hebben mam en ook een paar schoenen voor overdag en nog gewone da-gelijkse overhemden. En nog ondergoed.'

We moesten ons haasten, want om zes uur gingen de winkels dicht. Albert werd er verlegen van, toen we betaal-den, in de ene winkel na de andere, mijn moeder en ik zagen het wel. 'Het is veel te gek mem,' zei hij timide, wij op de achterbank, op de terugweg naar huis. 'Jullie hebben twee maandlonen voor me uitgegeven en nog meer.' Mijn moeder keek naar ons in de achteruitkijkspiegel.

'We hebben vorig jaar van mijn moeder geërfd Albert. Wij zijn geen mensen die zomaar in het wilde weg uitgeven. Als mijn moeder wist dat het voor jou was, dan zou ze het er dubbel en dwars mee eens zijn geweest.'

Ik schoof naar Albert toe, uit het zicht van het spiegeltje. Ik kuste hem op zijn mond en ik fluisterde in zijn oor: 'Je wéét toch, dat je mij van mijn complexen afhelpt Albert? Mijn moeder weet dat donders goed, mijn moeder wéét dat ik weer vrolijk ben. Omdat jij er bent. Mijn moeder wil voor jou de sterren van de hemel plukken, lief jongetje.' Ik pakte zijn hand, ik kroelde in zijn haar. 'Wij zijn allemaal dol op je. En vanavond hoef je niet meer terug te varen. Je hoeft nooit meer terug te varen.'

Het gemoed schoot Albert vol. Want hij was niet alleen een intelligente jongen, maar ook een jongen met sterke emoties.

10

Wij woonden in een stolpboerderij. Zowel de schuur als het woongedeelte bevonden zich onder één groot dak. Het woongedeelte werd van de schuur gescheiden door een zware spouwmuur, de brandmuur. Mocht er door hooibroei in de schuur brand uitbreken, dan bleef niet zelden het woongedeelte gespaard, gesteld natuurlijk dat de brandweer op tijd was komen blussen. Het woongedeelte was door deze bouwwijze zeer ruim. Op de zolderverdieping bevonden zich soms wel zes tot acht grote slaapkamers. Deze boerderijen werden gebouwd in de eerste helft van de twintigste eeuw toen men op het platteland in de regel grote gezinnen kende. Acht, negen, tien of nog meer kinderen waren geen uitzondering.

Op deze bovenverdieping bevond zich een lange gang waar de deuren van de slaapkamers op uit kwamen. Bij ons bevond zich halverwege de gang een deur. Ik had een slaapkamer achter die deur, zodat ik 's avonds de radio op mijn slaapkamer aan kon doen zonder mijn ouders te storen. Op hetzelfde gedeelte van de gang was de logeerkamer. En die kamer bestemde mijn moeder in eerste instantie voor Albert.

Ik herinner me die eerste avond met Albert tot in de kleinste details. Ik weet nog precies op welke stoelen we zaten, buiten onder de perenboom en wat we aan hadden. Mijn moeder een blote bloemetjesjurk, die ze alleen thuis droeg als het erg warm was. En mijn vader bij grote uitzondering in een korte broek met zijn sterke benen languit op een krukje. Albert ook in een korte broek, eentje van mij met een nieuw T-shirt, maar met blote voeten in leren slippers van mij. Ik ook in een korte broek en een klein behaatje. En nog transpireerden we.

Het was in de tweede helft van augustus met dat typische broeierige weer. Ik heb altijd van dat weer gehouden, van de dreigende onweerskoppen aan de einder, het grommen van de donder en het plotselinge weerlichten lang voordat je het in de verte hoorde rommelen. Ik ben nooit bang geweest voor onweer. Ik weet wel zeker dat het door mijn moeder kwam, die genoot ook van zwaar weer. Mijn moeder had die voorliefde geërfd van háár moeder. Bij ons ging die voorkeur, voor zover we konden nagaan, terug 'tot in het zesde geslacht'. Ik ken nog het zinnetje waarmee mijn moeder mij geruststelde als het onweer dreigend naderbij kwam: "Annelies, er kan ons niets gebeuren want wij hebben bliksemafleiders.'

'Bij onze buren bidden ze na het eten een speciaal gebed als er onweer dreigt,' vertelde mijn moeder aan Albert.

'Zou ik ook doen,' zei mijn vader, 'als ik geen bliksemafleiders had.'

Mijn vader zei dat absoluut niet spottend, integendeel. Hij zei het omdat mensen God niet moesten verlagen tot bliksemafleider. 'Dan maak je van God een gebruiksvoorwerp, een talisman en je verliest de essentie van wat God is: het onzienlijke, het onbekende dat ons toch nabij is.'

Ik herinner me die eerste avond met Albert zo goed omdat het de mooiste avond was die ik tot dan toe in mijn leven gekend had. Die eerste heerlijke avond met Albert. Zijn hand in de mijne toen het donker werd, zijn adem in mijn hals, zijn geur om me heen.

'Dit is een feestavond Albert en daarom nemen wij er

eentje,' zei mijn vader en schonk mij een half glaasje in. 'Alleen als je het lust Albert. Of wil je ook een half glaasje om te proeven?'

Mijn vader was vol tedere aandacht voor ons. Mijn moeder stak waxinelichtjes aan. En de poes kwam gapend en zich uitrekkend aanlopen met de staart in de hoogte omdat ze de droge Groninger worst rook die mijn moeder op schoteltjes naast de bodempjes berenburger zette.

'Anderhalve week geleden hebben we ook al op jou en Annelies een borrel gedronken, maar jij was je er jammer genoeg nog niet bij.' We klonken, Albert en ik met een half glaasje.

Toen was het stil. Alleen het gerommel van het onweer in de verte.

Albert wist niet goed wat te zeggen, ik ook niet en mijn vader en moeder evenmin. We waren verlegen met de nieuwe gezinssamenstelling, dat moest het zijn. Ik was in een paar dagen volwassen geworden. Zo voelde het. En Albert ook. Ik pijnigde mijn hersens om een onderwerp te vinden waar we over zouden kunnen praten. Mijn moeder was me voor.

'Wat vind je Albert, zullen we werk maken van het gymnasium? Je moet het maar zeggen.'

'Ik zou het wel graag willen.'

'Dan bel ik maandag gelijk de administratie van de school. Die is in de laatste weken van de vakantie alweer actief,' zei mijn moeder.

Het was weer stil.

Na lange tijd zei mijn vader: 'Ik kom nog even terug op het telefoongesprek met je vader Albert. Hij heeft Marije, je moeder, beloofd dat hij erop toe zou zien dat je naar de kerk zou gaan. Ik zou daar een kanttekening bij willen maken. Jij en Annelies zijn beslist geen kleine kinderen meer. Niemand kan en mag jullie verplichten. Het moet jullie eigen keuze zijn, dat staat bij mij en Antje voorop. Annelies weet dat wel Albert.'

Mijn vader ging verzitten, in het flakkerende licht van de kaarsjes draaide hij zich geïnteresseerd in onze richting. De zweetdruppeltjes glinsterden op zijn bruine borst. Voor het eerst zag ik mijn vader als een nog jonge man. Hoewel hij al veertig was. Ik begreep het in een flits, ik was in een paar dagen ouder geworden. Het verschil tussen mijn vader en mij was kleiner geworden, in enkele opzichten zelfs verdwenen. Ik voelde me trots op mijn vader. Omdat hij het begreep en mij en Albert behandelde als volwassenen. En dat waren we in zeker opzicht ook.

'Jullie kunnen je wel voorstellen heit en mem— het Fries klonk zo lief uit Alberts mond, ik kneep in zijn hand - dat er met mijn vader over zulke zaken als de kerkgang niet te praten viel. Ook Feitse mijn oudste broer, die bijna negentien is, moest 's zondags naar de kerk. Het liefst tweemaal.'

'Ik begrijp het Albert.'

Er ging een stroom van warme genegenheid voor mijn vader door mij heen.

'Dan een andere vraag Albert. Ga je graag naar de kerk?'

'Ik heb er geen grote hekel aan.'

Mijn vader lachte. 'Ik hoor het al Albert, jij en Annelies passen beslist bij elkaar want Annelies denkt er geloof ik ook zo over.'

'Met een kleine nuance papa' antwoordde ik. 'Ik ben het laatste halve jaar niet gegaan, omdat,..' Ik zocht naar woorden, omdat ik me steeds meer schaamde voor mijn uiterlijk. Ik had het idee dat iedereen me in de kerk aankeek. Dat zal wel niet zo zijn geweest, maar ik voelde het wel zo, alsof iedereen me veroordeelde. Alsof ik niet deugde.'

Ik lachte zacht. 'Ja,' zei ik nog altijd lachend, 'nu met Albert lijkt het belachelijk.'

Ik voelde bijna tastbaar de opluchting van mijn ouders. En de hand van Albert die in het donker mijn misvormde arm streelde. Met Albert werd het leven voor mijn vader en moeder ineens weer draaglijk. Maar voor mij en Albert was het de hemel. En meer dan dat.

'Echt heel belachelijk,' herhaalde ik, 'maar in die tijd niet. Het was de hel voor mij.'

'Leg ons een uit Annelies,' vroeg mijn moeder, 'hoe moet ik dat nou zien? Je hoeft er natuurlijk niet over te praten, als je het niet wilt.'

'In het donker durf ik er wel over te praten,' zei ik en ik hoorde de opluchting in mijn eigen stem. 'Ik denk dat het heel eenvoudig is. Albert is er en Albert houdt van mij en dat is zo'n kracht dat mijn misvormde gezicht en arm daarbij in het niet vallen. Zo is het. Met Albert ben ik sterk. Albert haalt mijn kracht naar voren, zo kun je het ook zeggen, want jullie hebben me echt heel veel meegegeven.'

'Je hebt erover nagedacht.'

'Wij samen mams, Albert en ik.'

Ineens begon ik te huilen en ik zei iets wat ik anders nooit in het bijzijn van ouders gezegd zou hebben, omdat het voor mijn gevoel zo soft klonk. Het was ook iets wat ik nog nooit tegen hen had kunnen zeggen: 'Ik ben gelukkig papa en mam, zo verschrikkelijk gelukkig omdat Albert er is.'

Het was onwezenlijk stil. Albert schoof zijn stoel naast me en nam me in het donker in zijn armen en ik wist dat mijn ouders tot in het diepst van hun hart ontroerd waren.

'Dat weten wij toch wel Albert en Annelies,' zei mijn vader tenslotte zacht. 'Het komt een enkele keer voor bij jonge mensen van jullie leeftijd. Ik hoorde laatst dat de oud-bondskanselier van Duitsland, Helmut Schmidt en zijn vrouw

Loki al vanaf de lagere school bij elkaar zijn. Alleen in de Tweede Wereldoorlog hebben ze elkaar een tijd niet gezien omdat Helmut bij de Wehrmacht moest dienen. Nu zijn ze al ver in de tachtig. En weet je wat nou zo gek is? Ze zijn kettingrokers, heel zware kettingrokers zelfs, kun je nagaan.'

'Liefde is altijd een wonder,' fluisterde mijn moeder bijna onhoorbaar, 'misschien beschermt liefde wel tegen longkanker.'

Het onweer trok weg, onze poes streek langs mijn kuiten. En Albert was er.

Mijn vader keek in het schijnsel van de waxinelichtjes op zijn horloge. 'Voordat we gaan slapen lieve kinderen, nog deze zakelijke vraag: gaan jullie overmorgen mee naar de kerk?'

'Wat vind jij Annelies? Jij moet het zeggen, want jij had er het moeilijk mee tussen al die mensen.' Alberts hand lag vertrouwd op mijn knie. Ik hoorde zijn rustige ademhaling.

'Ik vind het best papa en mam.'

'Nou dat is dan afgesproken,' zei mijn vader tevreden.

Hij stond op maar ging gelijk weer zitten. 'Ik wil nog iets zeggen Albert en Annelies, voor we naar bed gaan.' Ik zag hem aarzelen, hij zocht naar woorden. 'Kijk Albert, de mensen hier in het dorp en in onze kerk hebben altijd medelijden gehad met Annelies en met ons. Ik draai er niet omheen. Maar ik ken de mensen, ze kunnen tegelijk jaloers zijn, zo erg, dat wil je niet weten. Toen wij vorig jaar die auto kochten, las je de afgunst op de gezichten, begrijp je Albert? Jij weet nog wel wat er destijds gezegd werd Annelies, ze brengen het zogenaamd als een grapje, maar pas op.'

'Zo is je aanloop lang genoeg Jan,' zei mijn moeder grinnikend, 'vertel de jongelui nu maar wat je op je hart hebt.'

'Ik wil alleen maar zeggen dat er onherroepelijk over ons gepraat gaat worden. Piet, dat is onze buurman Albert, Piet

Hooisma van hiernaast vroeg me al: Heb je er een nieuw knechtje bij Jan? Niks mis met die vraag natuurlijk. Ik heb hem gewoon verteld Albert, dat je thuis wat moeilijkheden had. Piet was vol begrip hoor, want hij weet wel dat Aebeltsje jouw stiefmoeder is.'

'En daarom, als we naar de kerk gaan, moet jij maar naast Jan lopen Albert. Door het middenpad. En wij daar achteraan Annelies,' zei mijn moeder, 'de vrouwen die hun plaats weten achter de mannen. Dan in de bank, Jan en ik in het midden en jullie ieder aan een kant. Zo ver mogelijk bij elkaar vandaan.' Mijn moeder lachte. 'Ik deel ook de pepermuntjes uit.'

Toen we naar boven liepen, liet mijn moeder Jan en Albert vooruitlopen.

'Wel voorzichtig zijn hoor,' fluisterde ze mij in het oor, 'want jullie zijn wel jongen en meisje Annelies.'

'Ik weet er alles van mam, maak je geen zorgen.'

11

De logeerkamer bevond zich aan het andere einde van de lange gang, op de grootst mogelijke afstand van de kamer van mijn ouders. Toen het stil was en ik niemand meer hoorde, stond ik op. Ik liep op mijn tenen naar de logeerkamer, naar Albert. Langs de linkerkant van de gang. Omdat daar de planken van de vloer niet kraakten. Ik deed de deur van zijn kamer voorzichtig open. 'Ik ben het Albert.' 'Natuurlijk ben jij het,' antwoordde hij zacht en ik wist dat hij in het donker glimlachte. 'Ik had niet anders verwacht Annelies.'

Ik schoof naast hem, onder het dekbed. We gleden in elkaars armen, dicht tegen elkaar aan alsof we twee magneten waren. Maar het dekbed was zo warm, ik gooide het naast ons op de vloer. Ik knoopte zijn pyjamasje open. 'Dat is voor de winter als het koud is, nu stik je erin Albert.' En ik gooide het op het dekbed. 'Til even je kontje op lief jongetje,' ik trok hem zijn pyjamabroek uit. Mijn lange nachthemd volgde, er lag een grote stapel naast het bed.

Hij hield mijn gezicht in beide handen, zijn mond was overal. We ademden elkaars adem, onze handen waren in ons haar, ik vond zijn tong, we zogen ons aan elkaar vast. Ik liet mijn hand over zijn rug glijden, over zijn stevige kontje. 'Mijn lief jongetje,' fluisterde ik.

De tijd bestond niet meer.

Later ging ik op mijn rug liggen. 'Ik wil dat je me helemaal bekijkt Albert, ook het lelijke deel van mijn gezicht en ook mijn misvormde arm.' Ik knipte het bedlampje aan. 'Ik wil nog één keer van je horen dat je het niet erg vindt.' Zijn gezicht was vlakbij, zijn ogen en zijn pupillen die snel kleiner werden in het plotselinge licht. 'Is het zo belangrijk voor jou lief meisje?'

'Ja Albert, ik weet het wel en toch wil ik het nog één keer van je horen. Omdat jij de enige bent op de hele wereld die zó van mij houdt. Daarom moet jij het nog één keer in mijn oor fluisteren.'

Albert ging op zijn knieën naast me zitten, hij boog zich voorover en kuste mijn gezicht, heel lang het lelijke, vergroeide deel en daarna kuste hij mijn mismaakte arm. Ook lang en pas daarna gleden zijn lippen naar mijn borsten, even speelde zijn tong met mijn harde tepels, toen zoog hij ze voorzichtig tussen zijn lippen, de ene na de andere. Zijn tong was in mijn navel waar het kietelde en ging lager. Hij legde zijn hoofd op mijn buik, zijn gezicht naar mij gekeerd. 'Wat mooi Annelies, dat we ons helemaal niet meer schamen. Wat ontzettend mooi.' Ik spreidde mijn benen nog verder. 'Je mag me overal bekijken Albert, overal,' het was alsof een felle bundel zonlicht langs mijn ogen gleed en verder tot diep in mijn hoofd, toen hij me daar zoende. Ik hoorde hem diep inademen. 'Jouw geur Annelies.' En verder gleed zijn tong, over de zachte huid aan de binnenkant van mijn dijen en weer terug waar hij opnieuw mijn geur inademde.

Toen we naast elkaar lagen, op onze zij, met onze gezichten zo dicht bij elkaar, fluisterde hij: 'Je mag me zo vaak vragen als je wilt, of ik van je houd Annelies. Ik zal je het steeds weer bewijzen en niet alleen met mijn tong.' We lachten tegen elkaar, onze ogen schitterden. Ik liet mijn vinger over zijn gezicht glijden, ik bevochtigde mijn vinger tussen zijn rode lippen en ik trok lijnen, tussen zijn ogen, langs zijn neus en zelfs in zijn mond, langs zijn mooie witte tanden en langs het puntje van zijn tong. Onze adem kwam tot rust. Ik voelde zijn pols,' ik wil immers dokter worden Albert.' En ik ging ineens op mijn knieën zitten. 'Nu moet ik jou onderzoeken lief jongetje.'

Ik liet mijn beide handen tegelijk over zijn gezicht glijden, zacht en strelend en overal waar mijn handen waren geweest kuste ik hem. Mijn lief, mijn lief jongetje, herhaalde ik ontelbare keren die woorden die maar niet uit mijn gedachten wilden.

Natuurlijk wist ik het, maar toch was Albert daar zo mooi, zo opwindend, maar ook zo vreemd. Nog onbekend voor mij, een wereld om te ontdekken. Ik hoorde hem diep inademen toen ik hem daar voor de allereerste keer streelde. Met het topje van mijn wijsvinger. Voorzichtig van boven naar beneden en weer terug en verder tussen zijn benen, waar de huid zo wonderlijk gerimpeld was. 'Je bent heel mooi Albert,' fluisterde ik tenslotte terwijl ik op mijn buik ging liggen met mijn hoofd zo dichtbij. Ik voelde mijn hart kloppen, mijn handen waren klam. 'Je was nog zo klein Albert, toen ik je natte onderbroekje uittrok. We hadden gezwommen in het slootje. Je had het koud, maar je was zo schattig, zo vertederend klein. Maar nu ben je groot en indrukwekkend.'

'Vind je me mooi Annelies?'

'Ik heb nog nooit zoiets moois gezien Albert en weet je waarom?'

'Nou?'

'Omdat jij het bent.'

Ik schoof omhoog en legde mijn hoofd op zijn buik. Nog dichterbij. Ik streelde hem opnieuw. 'Je moet het zeggen hoor Albert als ik je pijn doe.' Ik keerde me op mijn zij en keek naar hem. Ik zag de opwinding in zijn ogen. 'Zie ik er ook opgewonden uit Albert?' 'Je hebt een kleur als een bellefleur en je huid is rood tot tussen je borsten.' Ik schoof verder omhoog om hem op zijn mond te zoenen, ik schurkte me tegen hem aan, voorzichtig om hem daar geen pijn te doen. 'Ik moet je verder onderzoeken, lief jongetje,' zei ik al gauw. Alsof ik haast had. Natuurlijk wist ik dat het mijn opwinding was. Nog nooit zó intens, nog nooit zó voelbaar in mijn hele lichaam. Maar ook nog nooit zó mooi. Zonder het geringste schuldgevoel. En ineens die rare gedachte in mijn hoofd: als ik ooit weer in God zal geloven dan zal ik zeggen, dat jij het was god, jij in ons, in Albert en in mij.

Ik zocht zijn oor, ik fluisterde: 'Ik wil je in mijn mond voelen. Mag het?'

'Heel voorzichtig lieverd, want ik ben daar nog heel gevoelig.'

Ik schudde mijn hoofd. 'Nee Albert, ik heb je daar toch gezien? Je bent daar zo sterk als een beer.'

We giechelden als kleine kinderen.

We bleven lang naast elkaar liggen. Onze lippen tegen elkaars wangen en de vingers van onze handen verstrengeld. Tot ik het niet meer uithield. Ik begon geheime woorden in zijn oor te fluisteren, hij glimlachte en zoende me op de gloeiende huid tussen mijn borsten, mijn hand gleed tot zijn navel en verder. Het smeulende vuurtje werd een uitslaande brand.

'Durf je het?' vroeg hij met hese en zachte stem.

'Natuurlijk durf ik het Albert, want alles aan jou, bén jij.'

Ik knielde naast hem vol verlangen en intense tederheid.

Hij was groot, sterk en toch zo zacht. Langzaam trok ik de voorhuid terug, ik hield mijn adem in omdat hij zacht in mijn hand kneep en ik werd nog voorzichtiger met mijn tong. Het was het spannendste en tegelijk het mooiste wat ik tot dan toe in mijn leven had meegemaakt. Met mijn rechterhand nam ik voorzichtig het buideltje met de gerimpelde huid in mijn hand. Albert zuchtte. Ik deed het goed, ik wist het. Bijna onmerkbaar bewoog mijn tong. Maar hij voelde het. De druk van zijn hand nam toe. O God, dacht ik als je bestaat dan ben je wel heel gul. Weer die rare gedachte. Toen had ik het ritme te pakken. 'O Annelies,' fluisterde hij, 'lieve Annelies, je bent een engel.' Zijn adem ging sneller, hij werd groter in mijn mond en op dat moment gebeurde het. Met felle schokken schoot het in mijn mond. Het is van mijn lief jongetje, was mijn eerste gedachte en in een reflex slikte ik het door.

We bleven heel lang onbeweeglijk naast elkaar liggen. We waren beduusd van dat nieuwe nog niet eerder beleefde wonder dat zomaar met ons gebeurde. We werden er stil van. 'Wat was dat mooi,' zei ik na lange tijd uit de grond van mijn hart. Alleen jij en ik. We keken in elkaars ogen, we lachten en we wisten dat het een wonder was omdat we ons niet schaamden. We waren dichter bij elkaar dan ooit tevoren.

'Het was de eerste keer,' zei hij terwijl hij mijn gezicht streelde en niet genoeg van mijn ogen kon krijgen.

'De eerste keer dat je klaarkwam Albert?'

Hij knikte en fluisterde nieuwe woorden met die gloednieuwe hevige opwinding nog in zijn ogen. Hij omarmde mij en streelde mijn rug met zijn vingertoppen zo lief en innig dat ik er kippenvel van kreeg en hij fluisterde in mijn oor: 'Het is echt waar Annelies, ik heb het nog nooit bij mezelf gedaan. Jij hebt het bij mij gedaan.'

'Alle jongens doen het toch bij zichzelf?'

'Ik was daar zo gevoelig, dat het pijn deed. En daarom ging ik nooit verder. Het komt vanzelf wel, dacht ik. Maar nu ben jij er. Mijn Annelies.'

Plotseling roerde het nieuwsgierige jongetje zich in Albert. 'Kwam er veel zaad in je mond Annelies? Een vingerhoed vol?'

'Ik denk wel meer.'

'Vijf vingerhoeden?'

'Vast wel, maar dan grote vingerhoeden Albert.'

We lachten. 'Morgen wil ik het zien Albert.'

'Hoe smaakt het?' vroeg hij

'Het smaakt naar de zee.'

'Vond je het niet vies?'

'Hoe kan dat nou? Het kom toch uit jou, lief jongetje?'

'Ik doe het bij jou,' fluisterde hij.

'Maar vertel me eerst hoe het was, voel je je anders, wat gebeurde er precies met je Albert?'

'Ik kreeg sterretjes voor mijn ogen en hoe het voelt? Het is een waanzinnig gevoel.'

Albert boog zich al voorover, zijn lippen en tong lieten een vochtig spoor achter tussen mijn borsten, Albert had haast, hij wilde mij hetzelfde laten voelen. Ik was van mijn leven nog nooit zo opgewonden door die onstuimige wilde kracht in ons. Hij was al voorbij mijn navel, o God, ik moet wel in je geloven. Toen was zijn mond daar, zijn lippen en zijn tong en de warmte die van zijn gezicht straalde. Albert was even voorzichtig als ik bij hem, want ook bij mij was alles nog zo nieuw, mijn allereerste keer.

'Iets dieper Albert,' fluisterde ik, 'en niet op het knopje lieverd.'

Ik voelde hoe een vreemde, nieuwe sensatie zich opbouwde, in mijn hoofd, in mijn lichaam en daar tussen mijn benen waar Alberts tong was. Het werd heviger, ik werd meegevoerd op een golf van gelukzaligheid, er waren sterretjes, het prikte vreemd achter mijn ogen, mijn buik leek samen te knijpen en ineens spatte die heerlijke golf uiteen. Ik bewoog me wild en toen was Alberts gezicht weer naast me op het kussen.

'Dit is ongelooflijk Albert.' Ik zei nog meer onsamenhangende woorden en zinnen, ik stotterde, terwijl Albert mij met kussen overdekte.

We bleven stil tegen elkaar aan liggen met de armen stevig om ons heen.

Zo vielen we in slaap.

12

De volgende ochtend hielp Albert mijn vader. Mijn moeder en ik waren alleen in de keuken. Ik droogde af. Mijn moeder treuzelde, ik wist precies waarom, ze had iets op haar lever.

'Annelies, je hebt niet in je eigen bed geslapen. Ik heb toevallig door een kier van de deur in de logeerkamer gekeken.' Ze keek me even vluchtig aan, zweeg en zocht naar woorden. Ze ging met de rug naar me toe staan om me niet aan te hoeven kijken. O nee, ze was niet boos, integendeel. Dan klonk haar stem wel anders.

Ik ging achter haar staan met mijn armen om haar middel. Als kleuter stond ik achter haar als ze op de bank zat en dan legde ik mijn kin op haar schouder met mijn hoofd half in haar haren verborgen. En dan vertelde ik geheimpjes. Ik deed weer zoals vroeger. Ook nu wilde ik haar niet aankijken.

'Mam,' begon ik, 'ik wil je wat zeggen. Iets wat dochters nooit tegen moeders zeggen. Omdat het om iets heel persoonlijks tussen mij en Albert gaat.' Ze bleef bewegingsloos staan, zwijgend, ze legde alleen de afdroogdoek op het aanrecht. 'Ik vertel het alleen omdat je er …, laat ik zeggen, recht op hebt.'

Ze zei niets, ze wachtte af.

'Ik weet wel mam dat jij en papa ervan overtuigd zijn dat Albert en ik bij elkaar horen.'

'Wij zijn er ontzettend blij mee Annelies, dat weet je wel. Ook omdat Albert een schat van een jongen is.'

'Ik wil je nog iets anders zeggen mam.' Ik aarzelde.

'Ik heb het heus wel door Annelies, die aarzeling van jou. Zou ik ook hebben in jouw plaats.' Mijn moeder rechtte haar rug, dat doet ze altijd als ze haar verlegenheid afwerpt. 'Bedoel je Annelies, dat ik jullie slapend vond, met de armen om elkaar heen, zo bloot als twee onschuldige kinderen?'

'Wij zíjn onschuldige kinderen mam.'

'Natuurlijk Annelies, ik ken jullie toch. Maar wat bedoel je nou toch meisje?'

'Dat we nu ook met ons lichaam van elkaar houden.'

'Ja,' zei ze aarzelend, 'maar dat is toch logisch Annelies als je bloot tegen elkaar aan ligt te slapen?'

'Je begrijpt me nog niet mam. Ik bedoel dit. Mijn problemen ontstonden door mijn lichaam begrijp je? Door mijn mismaakte gezicht dat mensen laat schrikken en door mijn vergroeide arm. Dat maakte mij ziek en het gaf jou een vreselijk schuldgevoel. Daarom gingen we naar mevrouw Jansen.'

'Ik geloof dat ik je begin te begrijpen.'

'Albert en ik hadden tot nu toe alleen gezoend, wij wisten dat wij voor elkaar bestemd waren, maar nu hebben we het ook met onze lichamen bewezen. En dat is erg belangrijk voor mij mam. Omdat ik immers aan mijn lichaam geleden heb. Verschrikkelijk was het.' Ik kon het niet droog houden. Mijn tranen drupten op haar blote schouder, het werd een stroompje dat verdween in de spleet tussen haar borsten. Ik pakte de afdroogdoek van het aanrecht en droogde haar hals en de vochtige huid tot aan de rand van haar jurk.

'Mam,' zei ik terwijl ik in haar betraande ogen keek, 'begrijp je hoe belangrijk het voor mij was dat Albert, ik weet niet hoe lang, mijn mismaakte gezicht kuste en mijn vergroeide arm? En tegen mij zei dat mijn gezicht en mijn arm niet meer belangrijk waren? Dat wilde ik tegen jou zeggen mam. Zodat jij je niet meer schuldig hoeft te voelen. Jij niet en papa ook niet. Ik lijd niet meer aan mijn gezicht en aan mijn arm.'

Terwijl ik met mijn rug naar haar toe de afdroogdoek ophing, zei ik 'Het was de allereerste keer voor Albert en mij, en het was heel heftig mam.'

'O.'

'Wees maar niet bang, ik ben nog maagd.'

Ze zuchtte van opluchting.

'Kom Annelies, laten we ophouden met stommetje te spelen.'

'Nou me dunkt mam.' Ondanks alles kon ik een opgeluchte lach niet onderdrukken.

'Nee, vooruit Annelies, kom tegenover me aan tafel zitten. We moeten spijkers met koppen slaan. Je menstrueert al meer dan twee jaar. Albert is een gezonde jongen, en daarom moeten we een ogenblik heel zakelijk zijn. Eén bijna onzichtbaar druppeltje zaad is voldoende om je zwanger te maken en dat kunnen we niet hebben meid. Nu nog niet, dat zou een ramp zijn en daarom stel ik voor dat ik dokter Dijkstra bel. Je bent veertien jaar, misschien wat jong voor de pil, maar nood breekt wet.'

'Ik wil zelf ook wel bellen mam.'

'Nee, laat mij het maar doen Annelies. Voordat we naar dokter Jansen gingen heb ik veel contact met Dijkstra gehad, nee, het is beter als ikzelf even bel Annelies. Want ik wil het zo snel mogelijk geregeld hebben. Dijkstra heeft apotheek aan huis, dus ik zou niet weten waarom dat vandaag niet afgehandeld kan worden. Zoveel werk is het niet voor Dijkstra en voor mij is het een hele zorg. Laten we eerlijk zijn.

Ze stond lachend op, liep om de tafel heen en sloeg haar arm om mijn schouder. 'Wat zijn jullie toch handige donders Annelies, dertien en veertien jaar en jullie vrijen verdorie als volwassenen. Wat zeg ik? Er zijn mensen die weet ik niet hoe lang in therapie moeten om te kunnen wat jullie van nature kunnen. Hoe zeiden ze dat ook alweer in het Frans Annelies, jij zei het laatst.'

'Chapeau.'

'O ja, petje af!'

Ze nam de vochtige afdroogdoek om die buiten aan de lijn te hangen. Ze zong en ze had die blije lach van vroeger weer op haar gezicht. Dansend, op haar tenen, met kleine pasjes, liep ze naar buiten. Mijn moeder was weer de jonge moeder, ze zag er weer uit zoals vroeger toen ik nog een kleuter was. Ze kwam achter mij staan, en ze zei grinnikend: 'Ik wil dat het vandaag nog in orde komt met de pil, want als je zo'n hete donder bent als ik zelf,' ze maakte de zin niet af. Je begrijp wel wat ik bedoel Annelies.'

Ik trok in de bijkeuken mijn oude spijkerbroek aan om Albert en papa te helpen bij het optasten van het hooi in de schuur. Mijn moeder stak nog even haar hoofd om de deur. 'Het gaat er dus om Annelies, dat jij jezelf nu weer als een volwaardig mens ziet. Met een volwaardig lichaam.'

'Maar dat zei ik toch mam?'

'Ik wilde het nog even in mijn eigen woorden zeggen Annelies, want het is toch wel heel belangrijk wat je zonet vertelde.'

Mijn vader had in die tijd een jakobsladder, een soort lopende band met grote pennen waarmee het hooi naar boven werd getransporteerd. Mijn vader stond boven in het hooivak om het hooi verder te verspreiden, samen met Albert. Ik stond beneden op de hooiwagen, ik hoefde het hooi alleen maar op die lopende band te schuiven. Met ons drieën schoot het goed op.

Toen we om een uur of halfvijf thee gingen drinken, had mijn moeder al met Dijkstra gebeld.

'Het gaat om de pil Jan,' zei ze tegen mijn vader. En tegen Albert en mij, 'Ik heb er al met jullie vader over gesproken. Is de pil niet een goede oplossing Annelies en Albert?'

Albert kreeg een kleur. Mijn moeder keek hem vertederd aan. 'Albert,' zei mijn moeder, 'het leven loopt nu eenmaal zoals het loopt en we moeten geen ongelukken krijgen. Vanmiddag heeft Dijkstra geen tijd, maar vanavond, pas om een uur of halftien, kunnen jullie even langskomen.'

Dokter Dijkstra ontving ons in zijn witte jas. We kregen een hand en moesten maar even gaan zitten. 'Je moeder heeft gebeld Annelies.'

Ik knikte. 'Dat hadden we zo afgesproken dokter.'

'Ze heeft me verteld hoe het met jullie zit Albert en Annelies.' Hij keek van mij naar Albert en weer terug. 'Er gebeuren dingen in het leven die niet altijd volgens het boekje lopen. Er zijn uitzonderingen. En jullie zijn zo'n uitzondering. Volgens de regels ben je wat aan de jonge kant voor de anticonceptiepil Annelies. Dat heb jezelf ook wel begrepen, denk ik. Maar aan de andere kant ben je een stevige meid.'

Dokter Dijkstra schreef in zijn paperassen en vroeg wat Alberts plannen waren.

'Ik ga na de vakantie naar het gymnasium in de stad dokter.'

'Aha, dus jullie gaan samen?'

We knikten.

'Je moeder heeft me verteld Annelies hoe goed jullie verkering voor jou uitpakt. Nou dat is precies wat we moeten hebben en als jullie jonger zijn dan gewoonlijk, nou het zij zo. Ik zei het al, het leven loopt nu eenmaal niet langs vaste patronen, we hebben het leven niet aan een touwtje.'

Dijkstra gaf mij een aantal doosjes. 'Hoe en wanneer je de pil in moet nemen, staat op de bijsluiter Annelies. Lees het zelf maar eens door. Het is heel eenvoudig. Voor iemand zoals jij die medicijnen gaat studeren, moet het niet moeilijk zijn. En heb jij al een idee wat jij later gaat doen Albert?'

'Ik ben blij dat ik nu naar het gymnasium mag dokter, want mijn vader had voor mij iets anders op het oog.'

'Zo. En wat dan wel?'

'Timmerman.'

'Ook niet gek natuurlijk. Maar had je dat zelf ook gekozen Albert?'

'Nee, beslist niet dokter.'

'Heb ik dan goed begrepen dat je vader jou geen keuze wilde laten? Moest je timmerman worden?'

'Ja, omdat mijn twee andere broers ook niet doorgeleerd hebben.'

Dijkstra schudde ontstemd zijn hoofd, maar zei verder niets.

'Zul je nog eens teruggaan naar Aebeltsje, Durk en je twee broers Albert, nu je bij Annelies woont?'

'Nee, nooit meer.'

'Zo, dat is duidelijke taal. Je hoeft het natuurlijk niet te zeggen Albert, maar heb je een reden voor die beslissing?'

'Ik pas niet in die familie dokter. Ze hebben mij getolereerd. Meer niet. Ze waren me liever kwijt dan rijk.'

'Zo!'

Dijkstra gaf geen commentaar, maar zijn gezicht sprak boekdelen. Hij keek ons enkele ogenblikken onderzoekend aan en schroefde de dop van zijn pen afwisselend vast en weer los. Alsof hij zenuwachtig was, maar die gedachte schoof ik onmiddellijk naar de achtergrond. Omdat ik in die tijd nog meende dat dokters nooit zenuwachtig waren.

'Het is alsof ik helemaal geen familie van hen ben,' hoorde ik Albert zeggen.

Dijkstra stond op, maar ging gelijk weer zitten. 'Ik wil

jullie nog iets zeggen Albert en Annelies. Een raad. Wij wonen hier in een kleine gemeenschap, iedereen let op iedereen. Jullie vallen met je leeftijd buiten de gangbare patronen. Wat jullie doen, hoort niet, vindt men hier. Daarom zou ik jullie willen adviseren geen aanleiding te geven. Ga niet handje in handje door het dorp lopen. Laat niet merken dat jullie veel voor elkaar voelen. En als men vraagt hoe lang je bij de familie Van der Wal logeert Albert, zeg dan dat je dat nog niet weet. Haal je schouders op en zeg dat het beter was dat je een tijd uit huis ging, zoiets, begrijp je Albert? Praat er maar eens met jullie ouders over. En mocht ik ergens mee kunnen helpen, dan hoor ik het wel.'

We hadden in de tweede helft van augustus een lange periode van zeer warm weer en toen we terugkwamen van de dokter, zaten mijn ouders nog buiten onder de grote perenboom.

'Ik ben blij dat dit geregeld is mam,' zei ik en Albert zei: 'Het was een verstandige zet van je mam, dank je wel,' en hij gaf mijn moeder een zoen op haar voorhoofd. In het schijnsel van de waxinelichtjes, zag ik de brede lach op het gezicht van mijn vader en de tranen op het gezicht van mijn moeder.

'Annelies en Albert,' als hij zo begint, dan hoeft het niet ernstig te zijn, maar er komt wel iets waarover hij lang heeft nagedacht. En zo was het. 'Annelies en Albert. Antje heeft me verteld van jouw gesprek met je moeder, Annelies zal jou er wel van verteld hebben Albert. Wij hebben het helemaal begrepen Albert, jij hebt onze dochter beter gemaakt. Met jouw liefde en dat zullen we nooit vergeten mijn jongen.'

Mijn vader schonk een berenburger in. 'Nee Jan, niet wéér, dat is verdikkeme al de derde avond dat je aan de fles zit.' Mijn moeder deed alsof ze boos was.

'Het kan me niet schelen of het de tweede of de derde avond is Antje, ik heb nu een neut nodig.'

'Nou dan nemen wij boerenjongens Annelies. Als we dan toch aan de drank raken, dan allemaal.'

Ik zuchtte zacht van ontroering, ik wilde niet dat ze het hoorden, want mijn vader en moeder hadden al te veel intimiteiten over Albert en mij gehoord. Tussen ouders en kinderen hoort dat toch niet. Ik streelde Alberts hand en ik moest aan de gedachte wennen dat mijn ouders nu wisten wat we vanavond gingen doen. 'Wat ben je ineens stil Annelies,' zei mijn moeder.

'Ik luister naar het onweer mam, het komt snel dichterbij, kijk maar, het weerlicht al in het zuidwesten.'

'Hè wat mooi, zo'n echt, ouderwets onweer.' Ze zat naast mijn vader, zijn hand op haar blote dijen, haar rok ver teruggeschoven. Hij streelde haar daar, ik zag het, omdat het plotseling fel lichtte. Ons keffertje gromde van schrik, alsof hij een grote hond was die het onweer op de vlucht kon jagen. We lachten, maar mijn vader vond dat we beter op konden breken. Albert kneep zacht in mijn hand, ik wist waarom. Zijn hand was klam als de mijne. Toen we de stoelen en het tafeltje opgeruimd hadden en Albert en ik naar binnen wilden gaan, sloeg mijn vader de armen om onze schouders, hij drukte ons tegen zich aan. Hij aarzelde. 'Nou Albert en Annelies, nu maar lekker gaan slapen.' Hij had alles kunnen zeggen, het gaf niet wat, want wij wisten toch wel wat hij bedoelde. En dat was heel lief van mijn vader en ook de zoen die mijn moeder Albert en mij gaf en de zachte aanraking van haar hand op mijn misvormde arm.

'Vind je het erg als ik het bedlampje aanlaat Albert?' vroeg ik terwijl ik een witte, nog ongebruikte badhanddoek op het bed legde. 'Want ik wil je ogen zien als we het doen. Ik wil zeker weten dat ik je gelukkig kan maken.' Hij lachte. 'Dit zijn de zakelijke mededelingen, mijn lief jongetje,' en ik kroop tegen zijn sterke lichaam aan. Ik was ongeremd, ja dat was het woord, er waren geen grenzen meer, omdat er niets meer mis kon gaan met Albert en mij. Dankzij mijn moeder. En de condooms die de zorgzame dokter Dijkstra ons had meegegeven, omdat de pil immers pas na een zekere tijd gaat werken. Albert voelde hetzelfde, Albert had ook dat natuurlijke, dat onstuimige over zich. O God, dacht ik, we wéten het van elkaar zonder woorden. En we deden alles want we hadden ervaring. En nog veel meer. Toen Albert een ogenblik uitgeput naast me, met zijn hoofd op het kussen lag, moest ik een aantal weerbarstige krulharen van zijn lippen vegen. 'Mijn haren, bah, straks krijg je ze in je keel Albert, je kunt er wel in stikken, lief jongetje.' We giechelden, we grinnikten en we lachten, alles tegelijk.

'Durf je dat Annelies?'

'Natuurlijk, durf ik dat, ik zeg gewoon tegen mijn moeder dat je een elektrisch scheerapparaat nodig hebt omdat jij je niet goed kunt scheren met zo'n scherp mesje. Dan ga je bloeden en moet je een stukje aluin gebruiken en dat vinden we maar niets.'

We giechelden, ik voelde zijn blote buik tegen de mijne, het voelde zalig als hij lachte.

'Dat zeg ik tegen mijn moeder. Dan begrijpt ze alles Albert. Omdat moeders zoals die van mij, alles weten. Mijn moeder heeft niets met preutsheid, dat is even ver van haar verwijderd als de zon van de aarde.'

Albert legde zijn hoofd op mijn borst en tegelijk voelde hij mijn pols. 'Je hart gaat als een razende tekeer Annelies. Ben je zenuwachtig?'

'Nee, niet zenuwachtig, maar wel ontzettend nieuwsgierig.'

'Misschien doet het wel een beetje zeer Annelies.'

'Ik ben niet bang Albert.'

'Waarom niet?'

'Omdat jij het doet.'

'Nee, liefje,' fluisterde ik, 'schaam je niet voor je tranen, dat doen alle mensen als ze in hun hart ontroerd zijn. Onze tranen zijn niet kinderachtig, mijn lief jongetje.' Ik liet mijn lippen over zijn natte wangen glijden.

Ik stuurde hem met nauwelijks waarneembare druk van mijn hand. Blijf zo nog even op me liggen Albert. Want ik wil je rug en je billen strelen.' Er straalde een onbekende prikkeling vanuit mijn vingertoppen naar zijn zachte huid, ik hoorde hem zuchten, zijn adem streelde mijn gloeiende wangen.

Het zou niet voor lang zijn, ik voelde het aan de onrust in zijn mooie hete lijf, aan kleine bewegingen van zijn heupen en zijn buik, zo warm en al zo vertrouwd tussen mijn dijen. 'Doe het zoals jij het wilt Albert, zacht of wild en opgewonden, het maakt niet uit.'

We haalden beiden in een reflex diep adem, ik kneep in zijn hand. 'Goed zo lief jongetje,' fluisterde in ik zijn oor. Ik keek in zijn ogen, in zijn pupillen die zich plotseling verwijdden toen de natuur de regie van ons overnam, een korte scherpe pijn, daarna was er zaligheid, de hemelen die over ons geopend werden en de zachte adem van mijn lief op mijn gezicht, het wilde bewegen van mijn lichaam en toch weer die rare gedachte – nu ben jij het God, in Albert en in mij.

Ik trok het dekbed over ons heen. Door het open raam stroomde koele lucht de kamer binnen, het onweer trok weg. We bleven heel lang liggen, met onze gezichten zo dichtbij, onze handen zo innig in elkaar gevouwen.

Ik vertelde van mijn rare gedachten. 'Nee Albert, niet de God der heerscharen die de Palestijnen afslachtte, die was het beslist niet. Maar de grote onbekende uit wie alles voortkomt en naar wie alles weer teruggaat in een onmetelijk lange ademtocht. Die ook liefde kan zijn. Die in ons is, in jou en in mij.'

13

Wij waren gewend naar de kerk te lopen omdat het maar negenhonderd meter was vanaf onze boerderij die aan de rand van het dorp stond. Ik was het laatste halve jaar voordat Albert kwam, niet meer meegegaan. Ik durfde niet meer. Ik schaamde me steeds meer voor mijn afschuwelijk mismaakte gezicht en mijn vergroeide arm.

Verstandelijk kon ik mevrouw Jansen, mijn psychiater nazeggen dat de mensen in het dorp mij al kenden vanaf de tijd dat ik een kleuter was. Daarom letten ze niet speciaal op jou Annelies, zei ze. Maar mijn gevoel zei me iets heel anders, mijn gevoel was vergroeid met jarenlange angst en achterdocht voor het oordeel van anderen. De hel dat zijn de anderen, zei een Franse filosoof. Ik moet het eens gehoord of gelezen hebben, ik weet het niet meer. Maar het werd wel mijn zinnetje. De anderen die van mijn wereld een hel maakten, de anderen die me meedogenloos uitmaakten voor *een lijk van een meid* . Ik werd in mijn eigen ogen een minderwaardig mens. Iemand die er eigenlijk niet hoorde te zijn, iemand die ze bij de geboorte een spuitje hadden moeten geven. Zodat de anderen zich niet meer dood hoefden te schrikken als ze met mijn wanstaltig uiterlijk geconfronteerd werden.

Maar nu was Albert er. Voor me uitlopend naast mijn vader. Zo nu en dan rook ik zijn aftershave, die hij eigenlijk niet nodig had omdat hij zich om de dag schoor. Maar het rook wel lekker omdat het vermengd was met zijn geur.

'Lief van je mam dat je op de wastafel scheerspullen voor Albert hebt klaargezet.'

'Albert lijkt wel een kind van mij Annelies.'

Ik knikte. 'Ik weet het mam, ik heb het wel gezien.'

'Vannacht had ik een rare droom Annelies, een nacht-merrie. Ik droomde dat Albert weg was. ik heb overal gezocht, ik raakte er overstuur van. Ik heb vroeger zo'n akelige droom gehad toen jij nog een baby van een paar weken was.'

'Je hebt het weleens verteld mam.'

'Vannacht ben ik op mijn tenen naar jullie kamer gelo-pen Annelies. Het lampje boven jullie bed brandde. Jullie sliepen in elkaars armen. Pas toen ik jullie regelmatige ademhaling hoorde, werd ik weer rustig.'

'Lief van je mam.'

'Je vindt het toch niet erg hè?'

'Je ging ons toch niet met opzet bespioneren?'

'Ik heb geen gaatje in mijn hoofd Annelies.'

We liepen een eind, we zeiden niets maar toen ik haar even van terzijde aankeek, glimlachte ze.

'Ik kan nu weer met je praten. Je bent een paar jaar weg geweest, gewoon weg Annelies. Je was onbereikbaar, ook voor je vader.'

'Ik weet het wel mam. Ik zat opgesloten in een cocon van pure angst.'

Ik keek haar weer aan, enkele tellen maar. 'Daarom moet je ook niet denken dat het zomaar een bevlieging is van Albert en mij. Want dat denk je zo nu en dan toch om-dat we nog zo jong zijn. Maar als je zo ver heen bent als ik, als de angst je in zijn macht heeft, word je echt niet beter van een bevlieging. Dan moet het heel echt zijn mam.'

Ze knikte en glimlachte, nauwelijks zichtbaar. Maar ik zag het.

We liepen een meter of tien.

'Weet je eigenlijk wel dat ik niet meer zo veel op heb

met de kerk Annelies? Ik ben wel gelovig hoor meid, misschien wel geloviger dan ooit tevoren. Nu Albert er is.'

Ze zocht in haar tasje. 'Ik heb nog nooit zoveel gehuild als de laatste weken Annelies. Van geluk. Ik heb jou alleen maar en een moeder wil toch dat haar kind gelukkig is,' ze droogde snel haar ogen.

We waren halverwege, al midden in het dorp, we liepen in een groepje mensen. 'Allemaal gelovigen,' zei mijn moeder zacht zodat ze het niet konden horen. Maar ze glimlachte en schudde nauwelijks zichtbaar haar hoofd. 'Vroeger kwam er weleens een oude tante van je vader bij ons bezoek en die zei altijd dat het hier wel Staphorst leek. Daar lopen ze ook in dikke rijen naar de kerk, zei ze, met pepermuntjes en kleine bijbeltjes in de aanslag. Wij zijn nog net niet een zwartekousenkerk Annelies, maar het scheelt niet veel. Wil je weten wat ik van de kerk vind Annelies? Het is eigenlijk één groot toneelspel van mannetjes die allemaal gelijk willen hebben en als ze geen gelijk kunnen krijgen dan beginnen ze een eigen kerkje. Ze maken zichzelf wijs dat God daar heel erg blij mee is.' Ze hield de pas in zodat niemand ons kon horen. 'Mijn geloof gaat over de liefde Annelies, over de liefde die verder gaat dan het verstand. Die er ook zal zijn als we doodgaan.'

Mijn hart bonsde terwijl ik over de brede gemetselde drempel stapte. Alsof ik examen moest doen. Zou ik bestand zijn tegen de onbeschaamde, dodende blikken van onze gelovige dorpsgenoten?

Ik liep met opgeheven hoofd naast mijn moeder door het middenpad. Ik voelde de ogen. Misschien dachten ze wel: ze is er weer. Dat mismaakte meisje van Jan en Antje van de Wal. Wie hebben ze op bezoek? Een neefje? Anderen dachten: is dat niet een zoon van Durk van Zanden uit de

Onzalige Polder, die hertrouwd is met Aebeltsje? Die lelijke vrouw met de vooruit staande tanden? Ze dachten maar en ze veronderstelden maar. De onbeschaamde, veroordelende ogen die me weg wilden hebben, deden me niets meer. Want Albert liep voor me.

Het orgel speelde nog niet, toen we in de middelste rij banken aanschoven, er was alleen het geroezemoes van zacht pratende mensen. Mijn moeder fluisterde in mijn oor: 'En toch wil ik hier God bedanken Annelies,' ze zocht schielijk haar zakdoekje. Ik legde mijn hand onopvallend op haar bovenbeen, ze glimlachte even naar me.

Onder de preek waren mijn gedachten er niet bij. Ik wist alleen dat het over de mij onbekende onbarmhartige god ging die het goedvond dat de Israëlieten onschuldige mensen dood maakten die in het land Palestina woonden. Mijn god was de god van mijn moeder. En later heb ik me gerealiseerd dat mijn moeder en ik, naast elkaar zittend, dezelfde God hebben gedankt voor ons grote geluk.

Thuis, bij de koffie zei mijn vader: 'Je hebt het met de preek niet getroffen Albert. We hebben een zijige, bangelijke dominee. Die man denkt dat hij de gemeente een deugd doet door harde teksten uit het Oude Testament te kiezen.'

'Bij ons in de kerk is het precies als in de Tweede Kamer Albert,' zei mijn moeder,' je hebt de diehards met hun formulieren van enigheid, je weet wel de mannenbroeders die zo terug kunnen naar de Dordtse synode van 1619 en je hebt de mensen van de evangelische richting. Vanmorgen heeft onze onervaren dominee de diehards een hart onder de riem gestoken. Maar reken er maar op dat hij er binnenkort op aangesproken zal worden door de evangelische richting, onder andere door dokter Dijkstra en zijn vrouw. En dan doet hij het in zijn broek, want Titia Dijkstra is weliswaar een vriendelijke vrouw als je haar voor het eerst ontmoet, maar ze kan je onbarmhartig de levieten lezen, als ze het nodig vindt, want ze heeft een advocatenkantoor in Leeuwaarden. Geloof me maar Albert, ze is voor de duvel niet bang.'

Mijn vader en ik hadden een glimlach op ons gezicht.

'Je moet toch weten waar je terecht bent gekomen Albert,' zei mijn moeder, 'misschien denk je wel dat we van God los zijn.'

Mijn moeder wilde me boven wat laten zien. 'Kom eens mee Annelies.'

'Kijk, we hebben hier op zolder ruimte zat. De wand tussen deze slaapkamer en de logeerkamer waar jullie nu slapen is een houten beschot. Dat kun je er zo uithalen. Dan krijgen jullie een zitslaapkamer. Wat vind je daarvan?'

'Hm mam, ja een goed idee, ik wist niet dat het zo gemakkelijk was om één grote kamer te maken.'

Ze lachte. 'Even je verstand gebruiken Annelies.'

Terwijl ik er over nadacht, begon mijn moeder op te ruimen want alles lag nog op het bed en op de vloer. Ik schaamde mij.

Toen ze het witte badlaken wilde opvouwen, schrok ik. We zagen het tegelijk: de rode vlek van mijn bloed. Ik was het glad vergeten. Mijn moeder zei niets, maar glimlachte geheimzinnig.

'Kom eens mee Annelies, ik wil je wat bijzonders laten zien.' In hun slaapkamer, boven in de kleerkast stond een kartonnen doos. Ik had hem weleens gezien. 'Er zitten oude hoeden in, niets bijzonders,' had ze geantwoord toen ik haar eens vroeg wat er toch in die ouderwetse, ronde doos zat. Hoe oud zal ik geweest zijn? Zes of zeven?

En nu zette ze die oude verfomfaaide, gele doos op het bed. En tilde voorzichtige het deksel eraf.

'Kijk Annelies, dit is mijn handdoek, eigenlijk een gewone droogdoek. Zie je die bruine vlek? Van mij. Dan deze van mijn moeder, jouw grootmoeder, ze is overleden in het jaar dat jij geboren bent. Veel te vroeg, want ze was nog maar vijfenvijftig, en tenslotte, eigenlijk een vod, die van mijn grootmoeder, jouw overgrootmoeder. Wie op het idee is gekomen om deze doeken te bewaren, weet ik niet. Ik kreeg de doos vlak voor mijn trouwen. 'Antje', zei mijn moeder, 'geloof niet wat ze in de kerk zeggen. De geslachtelijke omgang tussen man en vrouw is niet door de duivel uitgevonden. Maar door God. Ga nooit de geslachtsdaad – zulke huiveringwekkende woorden gebruikten ze vroeger Annelies – ga nooit de geslachtsdaad snel even afraffelen. De geslachtsdaad is er om de liefdesband tussen man en vrouw te bezegelen en te versterken. Maak er elke keer een feest van Antje,' zei ze, 'dan blijft je man bij je. Doe je het niet en gaat hij op je liggen gapen van verveling, dan gaat hij fantaseren hoe het met die jonge meid een paar straten verder zou zijn. Als je man thuis niet genoeg te eten krijgt, gaat hij buiten de deur dineren, begrijp je Antje?'

Mijn moeder keek me glimlachend aan, ook ondeugend. Ik heb het niet van een vreemde. 'Jouw grootmoeder was een slimme vrouw Annelies, want in haar tijd mocht je eigenlijk alleen maar vrijen als je kinderen wilde. Als je er plezier aan beleefde dan was dat een gruwel in de ogen des Heren. Zo zeiden ze het. Die zogenaamde zuiverheid van vroeger, die kuisheid, die afkeer van seks die vooral meisje werd bijgebracht, geloof maar niet dat Onze-Lieve-Heer daar bij heeft staan applaudisseren. Kijk nou naar dat idiote celibaat, wat een ellende heeft dat niet gebracht. Daar wordt een normaal mens toch raar van?'

Mijn moeder keek me nog steeds aan met die ondeugende twinkeling in haar ogen. 'En toch zijn je vader en ik eigenlijk heel ouderwets Annelies. Wij zijn voor het huwelijk en voor het gezin. Ik moet helemaal niets hebben van dat vrije gedoe, van partnerruil en zulke dingen. Vrije seks, met iedereen het bed in? Belachelijk. Bij seks hoort liefde Annelies.'

'Niet iedereen kan aan dat ideaal voldoen mam. Er zijn ook mensen die homofiel zijn. Toch?'

'Je zult mij daar niet over horen Annelies. Als die mensen een stabiele relatie aangaan, wie ben ik dan om dat te veroordelen? Ik vind trouwens toch dat wij niet lichtvaardig moeten oordelen.'

Ze keek mij vragend aan.

'Wil je horen wat ik ervan vind mam?'

'Nou?'

'Ik ben het helemaal met je eens mam. En weet je waarom?'

'Zeg het eens Annelies, ik ben nieuwsgierig,' zei ze terwijl ze op het bed ging zitten en mij met haar meetrok tegen zich aan.

'Omdat jij en papa mij dat voor hebben gedaan. Jullie hebben me natuurlijk niet voorgedaan hoe je moet vrijen. Dat bedoel ik niet, maar jullie hebben nooit jullie liefde voor mij verborgen. Jullie zoenden en jullie knuffelden elkaar ook als ik erbij was. En als ik jullie toevallig betrapte als papa je kuste met zijn hand op je billen, dan deden jullie nooit spastisch. Weet je nog van die keer dat jullie kennelijk aan het stoeien waren, boven in het hooivak en jouw jurk per ongeluk beneden op de deel terecht was gekomen, mam? Dan zei ik natuurlijk niets. Als kind van negen doe je dat niet, want je weet van nature dat het jou niet aangaat wat je ouders boven in het hooivak aan het doen zijn. In het verse, geurende, prikkende hooi. Maar tegelijk leerde ik er wel van dat mensen die gelukkig zijn, zoals jullie, met elkaar stoeien. Heel erg met elkaar stoeien,' zei ik er lachend achteraan, terwijl ik mijn moeder in haar zij kietelde.

Ze legde mijn handdoek op die van haar en die van mijn grootmoeders. 'Ik zal er kamferbolletjes in doen,' zei terwijl ze even in de doos rook. 'Die handdoeken zijn natuurlijk nooit gewassen, want dan zou je niet meer weten wat de bedoeling was.' Ze deed zorgvuldige het oude gescheurde deksel terug op de doos. 'Is dat nou niet grappig Annelies, dat onze moeders nog altijd een boodschap voor ons hebben?'

Ze zette de doos terug boven in de kast. 'Je weet waar hij staat Annelies. Mocht je een dochter krijgen en ik ben er niet meer, wil jij dan de boodschap aan je dochter doorgeven?'

Ze schoof de stoel terug onder het kaptafeltje en ging weer naast me zitten. 'Ik begrijp wel hoe het is gegaan Annelies. Vroeger, toen er geen voorbehoedsmiddelen waren, moest je je dochter wel bang maken, omdat er immers geen andere mogelijkheden waren.'

'Ja,' zei ik, 'heel logisch eigenlijk. Zo is door de eeuwen heen de lichamelijk liefde in het verdomhoekje geraakt.'

'Natuurlijk,' zei mijn moeder, 'had je daar nog niet aan gedacht? Vroeger was het enige voorbehoedmiddel je dochter wijs maken dat seks vies en zondig was. En dat God het verschrikkelijk vond. Daarom werd het celibaat in de roomse kerk een heilig ideaal.'

'Een noodzakelijk medicijn. Maar wel met lelijke bijwerkingen.'

'Annelies, Annelies', zei mijn moeder lachend, 'ik weet zeker dat jij naar Groningen gaat om dokter te worden. Let op mijn woorden.'

Ik wilde opstaan, maar ze hiel me tegen. 'Blijf nog even zitten Annelies. Het is zondagmiddag, we hebben de tijd en Albert en je vader zitten gezellig te praten, luister maar.'

Door de open deur hoorden wij hen beneden praten en lachen. 'Je vader heeft een zoon gekregen.'

'Heeft hij dat gezegd mam?'

'Wel tien keer Annelies.'

'Je gelooft in mij en Albert, hè mam?'

'Ik zal je zeggen waarom. Mensen die van elkaar houden moeten op elkaar lijken. Ze moeten veel met elkaar gemeen hebben.'

Ik keek haar nadenkend aan. 'Hm mams, daar zou je weleens gelijk in kunnen hebben.'

'Natuurlijk heb ik daar gelijk in. Ik kan je zo opnoemen wat jullie gemeen hebben Annelies. Jullie zijn allebei heel goed bij de tijd, allebei de besten van de klas. Jullie kunnen beiden spelen. Albert is een jongen die van onorthodoxe dingen zoals lege olievaatjes een vlot bouwt. Dat jij altijd hebt gespeeld, hoef ik je niet te vertellen. En dan iets heel belangrijks Annelies, jullie zijn allebei heel gevoelig. De traantjes komen gauw bij jullie. Het zou me trouwens ook helemaal niet verwonderen als Albert, precies als jij ook medicijnen gaat studeren. Als ik Dijkstra zie en Albert, dan denk ik, Albert, jij hebt ook zo'n eigenwijs kuifje. Jij zou ook zo'n dokter kunnen worden als Dijkstra.'

Mijn moeder wilde absolute zekerheid. Met haar mond tegen mijn oor zodat ze mij niet aan hoefde te kijken, vroeg ze fluisterend: 'Jullie spélen toch in bed, hè Annelies?'

'Mam,' zei ik, terwijl ik haar in haar ogen keek, 'mam, wij spelen heel lang en heel heftig.'

14

De onvoltooid tegenwoordige tijd van onze middelbare schooltijd veranderde langzaam maar zeker in de voltooid verleden tijd: wij maakten het christelijke gymnasium in de stad af. Ik een jaar eerder dan Albert. We regelden het zo dat wij tegelijk in Groningen medicijnen konden gaan studeren. Een halfjaar voor het begin van de studie zochten we al naar een ruime kamer voor ons beiden. En dat viel niet mee, want we waren niet getrouwd. Wij wilden 'hokken' zoals dat in die tijd heette. Nee dus. We kregen overal nul op het rekest. Een mooie kamer en suite, precies wat we zochten ging aan onze neus voorbij.

Toen Albert achttien werd en ik negentien was, zijn we getrouwd. Alberts vader, Durk van Zanden, leefde niet meer. In het jaar daarop zijn Alberts twee broers op jammerlijke wijze om het leven gekomen. Zo er nog banden waren met de Onzalige Polder, dan waren ze nu definitief verbroken. Want Aebeltsje heeft niets van zich laten horen. Wij zijn getrouwd met alleen de familie van mijn kant.

Ik ben niet in het wit getrouwd. Eigenlijk is een witte bruidsjurk nooit ter sprake gekomen. Want wit staat me nu eenmaal niet. En bovendien wilde ik geen praatjes, want na een jaar of twee drie had iedereen toch in de gaten gekregen dat Albert en ik wel héél goed met elkaar konden opschieten. Hoewel onze mededorpsbewoners nooit enige zekerheid hebben kunnen verkrijgen over de intensiteit van onze vriendschap, omdat wij hen nooit expliciete aanwijzingen in die richting hebben verschaft. We waren wel wijzer. 'Albert woont een tijdlang bij ons in huis,' zei mijn vader toen hij er in de kerkenraad op aangesproken werd. En daarmee was de kous af. Waar had men ons van kunnen betichten? Na twee jaar sprak niemand meer over ons. Het nieuwtje was eraf. Albert woonde nog altijd 'voorlopig' bij ons, er was iets met zijn stiefmoeder werd er gezegd, die magere vrouw 'met de vooruitstekende tanden uit de Onzalige Polder.'

Albert en ik waren trouwe kerkgangers. Meer voor de gezelligheid, dan voor de immer vermanende preken. En er was de wandeling heen en terug, de koffie erna en de oude wijvenkoeken met een laagje boter. We gingen na verloop van tijd zelfs met uitgesproken plezier 'ter kerke' omdat we een nieuwe organist kregen, een onderwijzer, die verbluffend goed Bach kon spelen. Albert en ik zijn verzot op Bach.

Onze trouwerij werd een mooie, ingetogen plechtigheid. We kregen een kaartje van onze leraar Duits. Met een oud, middeleeuws gedichtje:

Du bist min
Ich bin din
Du bist beschlozzen
In minem herzen
Verloren ist das schlüzzelin
Du muost immer drinne sin.

Het hangt ingelijst boven onze keukentafel

We hebben vanaf twee uur 's middags ontvangst gehouden op de deel, netjes opgeruimd en versierd met ontelbare papieren bloemen en guirlandes. Men sprak er geen schande van, dat kon moeilijk, maar het was ánders. Ontvangst thuis, zelfs niet het woord receptie, op de versierde deel en op het erf. Dat was nog niet eerder bij ons op het dorp vertoond. Het was geen nieuwlichterij, dat zou te ver gaan, maar het was *anders*. Voor de plattelandsmentaliteit was *anders* gelijk aan '*het hoort niet*.' Wij hebben er ons niets van aangetrokken. Later kregen we overigens complimentjes omdat men het zo gezellig had gevonden. 'Zo zie je maar weer,' zei mijn vader filosofisch, 'het kan verkeren.'

Na de formaliteit in het gemeentehuis zijn we in de kerk getrouwd en daarna kon iedereen die het maar wilde ons tot in de late avond komen feliciteren. Mijn vader had een afspraak met het café, annex eetgelegenheid tegenover het gemeentehuis gemaakt. Ze hebben ons de hele dag van drankjes en hapjes voorzien. 'De Uitspanning' had ook gezorgd voor tafeltjes en stoelen *à la Parisienne* met grote parasols. Een goede zet want we werden gezegend met stil, zeer zonnig voorjaarsweer.

Veel mensen van wie we wisten dat ze indertijd grote bezwaren hadden, omdat zij vermoedden dat wij als 'kinderen' van dertien en veertien jaar dingen deden die niet bij onze 'kinderlijke, ongehuwde staat' pasten, kwamen ons nu feliciteren. Wat Albert en mij betrof, was het vergeten en vergeven.

's Avonds kwamen vrienden van ons, jongens en meisjes die dagelijks met ons mee waren gefietst, heen en terug naar de stad. Met twee van hen hebben Albert en ik nog altijd contact omdat ik al met hen naar de kleuterschool ging. Was ons dorp niet een gereformeerd bastion geweest, dan hadden we er 's avonds een dansfeest van gemaakt. We hebben ervan af gezien. Want ons dorp was nog te behoudend. Het was toch wel gezellig. Driekwart van de dorpsbewoners, schatten we, was ons komen feliciteren en dat was veel meer dan we hadden verwacht.

Vele jaren later, in de grote woonkeuken, in ons oude doktershuis in Holland, hangt onze trouwfoto aan de wand.

Albert in een mooi donkerblauw pak, ik in een lange jurk, beige, die kleur staat me goed, maar mét blote schouders en blote armen.

'Ik heb niets te verbergen, mam,' zei ik toen ze in de winkel aan kwam dragen met de ene jurk met lange mouwen na de andere. 'Ik ben zoals ik ben en daar moeten ze het maar mee doen.' Ik wilde mijn vergroeide linkerarm onder geen beding wegstoppen, omdat ik een zekere trots had ontwikkeld. Ik was er trots op dat ik samen met Albert mij er niet meer voor schaamde. Alsof die overwinning mij een stoot adrenaline gaf. 'En bovendien mam, ze zien het toch, want mijn gezicht kan ik niet verbergen.'

Onze oudste dochter, Anna, staat weleens op de stoel om de foto van dichtbij te bekijken.

'Dat zijn jullie,' zegt ze, 'jij en papa.'

'Toen zijn we getrouwd. Je kent die deel toch wel Anna?'

Onze tweede dochter, Marijke, wil ook op de stoel getild worden. Ze is vier. Twee jaar jonger dan Anna.

'Zijn dat echte bloemen mama?'

'We hebben ze van papier gemaakt.'

'Waarom?'

'Omdat het in mei was, in een ongewoon warme week en dan verwelken echte bloemen.'

'Wat is verwelken mama?'

'Mag ik het vertellen?' vraagt Anna.

'Nou graag,' antwoord ik. Want ik heb schrijfwerk waar ik mijn hersens bij moet houden.

'Mag ik ook papieren bloemen maken mama?' vraagt Marijke als ze weet wat verwelken is. Marijke is onze artieste. Ze is met haar vier jaar voortdurend in de weer met kleurpotloden, ze plakt gekleurd papier op stukken karton. 'Moet je kijken,' zegt Albert als ze naar bed zijn, 'het lijkt wel alsof ze al bewust een compositie heeft gemaakt.' En hij hangt trots het kunstwerk van zijn dochter op het prikbord naast de deur. Marijke is een dromerig meisje. Volgens ons ook intelligent. We zeggen dat nooit als er een ander bij is, want we weten dat wij, ouders, niet objectief naar onze kinderen kunnen kijken. Maar ondanks die restrictie blijven we toch bij onze mening. Onze drie dochters zijn heel slim. Zo is het nu eenmaal, zeggen we zonder blikken of blozen tegen elkaar.

Een paar dagen later staat Anna weer naar onze trouwfoto te kijken.

'Kijk het mooie er niet af meid,' zeg ik gekscherend, 'of zie je er iets bijzonders in Anna?'

'Als ik later trouw wil ik ook zo'n lange beige jurk.'

'Je zou ook een witte kunnen nemen.'

'Wit staat me niet mama.' Ze blijft nog een tijdje staan kijken. Mijn Anna toch, denk ik. Wie heeft jou verteld dat wit je niet staat?

'Jouw grootmoeder wilde dat ik een jurk met lange mouwen zou nemen.'

'Waarom mama?'

'Wat denk je, Anna, waarom zou mijn moeder gewild hebben dat ik een jurk met lange mouwen zou nemen? Weet je waarom?'

'Ik weet het niet mam,' zegt ze na enkele minuten.

'Om mijn vergroeide arm. Met een lange mouw zou je die niet meer zien.'

'Maar dat is toch niet erg.'

'En mijn gezicht dan Anna?'

'Zo ben je toch mama?'

's Avonds in bed heb ik het er met Albert over. 'Kinderen zeggen de waarheid Annelies. Ik zou trouwens hetzelfde gezegd hebben als Anna. Jij bent jij, jij bent de sterke Annelies vol zelfvertrouwen.'

'Jij hebt mij zelfvertrouwen gegeven Albert, gelijk al op de eerste dag, toen we in het slootje gingen zwemmen.'

'Welnee. Jouw angst verdween toen jij en ik samen waren. Je had een maatje gevonden. En daardoor kreeg jouw zelfvertrouwen lucht. Je zelfvertrouwen kon groeien. Maar het was wel jouw eigen zelfvertrouwen.'

Ik nestel me behaaglijk in zijn armen, in de warmte van zijn lichaam. Hij trekt mijn nachthemd uit.

'Elke vierkante centimeter van je lichaam gloeit van zelfvertrouwen Annelies. Daarom roept elke vierkante centimeter van je lijf: Albert, ik hou van jou. Dat maakt je ongelooflijk aantrekkelijke en lieve vrouw.'

We kroelen. Na al die jaren hebben we nog altijd niet genoeg van elkaar gekregen. Natuurlijk weten we waarom: we zijn bofkonten, we hadden voor hetzelfde geld een andere partner kunnen treffen. Eentje die elke dag een robbertje wil vechten, tot een van tweeën er genoeg van krijgt en zijn biezen pakt.

'Weet je wat Anna laatst tegen me zei Albert? Dat ze niet bang voor me was, maar dat ze wel altijd moest doen wat ik zei. Ben ik toch te streng tegen de kinderen?'

'Ik begrijp Anna wel, ik moet ook altijd doen wat jij wilt Annelies. Dit bijvoorbeeld,' en hij draait me behendig op mijn buik en kneedt mijn rug van boven naar beneden. Met voorliefde voor mijn billen, 'want dan hou je een mooi strak kontje.'

Als we zover zijn, is er geen houden meer aan, *dann hängt uns der Himmel voller Geigen.*

Toch goed dat we Duits hebben gehad.

15

Zolang onze kinderen nog klein zijn, gaan we in de zomer- en de kerstvakantie naar *pake en beppe* in Friesland. Dikwijls ook nog in het voor- en najaar.

Voorbij Zwolle gaan Albert en ik steeds meer Friese woorden in Nederlandse zinnen gebruiken. Het is niet een gemakkelijk spelletje, want voor je er erg in hebt krijg je rare zinnen. Anna en Marijke vinden het prachtig. En onze jongste, de fijn gebouwde Christien - twee en nog in de luiers- schatert met haar zusjes mee zonder te weten waarom. Ze lacht om te lachen, levenslust zonder naam. Als we over de Tjonger rijden, zijn we het taalspelletje beu en gaan we gewoon Fries spreken.

Wij horen niet tot de mensen die pascontroles in willen voeren op de grens met Overijssel, maar omdat het Fries nu eenmaal de eerste taal is die wij als kind hebben geleerd, heeft het Fries voor ons herinneringen die ons dierbaar zijn. Elke Nederlander die in zijn jeugd iets anders heeft gesproken dan ABN, zal precies hetzelfde zeggen. Want objectief gezien kun je immers niet zeggen dat de ene taal mooier is dan de andere.

Maar *pake en beppe,* opa en oma, vinden het wel heel fijn als Anna en Marijke accentloos Fries spreken. De reden is duidelijk: de band met hun kleinkinderen is daardoor nog inniger, omdat er met de Friese woorden warme gevoelens terugkomen, die ze zo goed kennen. En daarom spreken we thuis regelmatig Fries met onze kinderen, meestal in de weekenden. Want ook voor ons is het Fries meer dan alleen maar kale woorden.

Mijn ouders tellen de dagen af. Als we van huis vertrekken bel ik even, zodat ze weten hoe laat we ongeveer zullen arriveren. Mijn vader staat ons tegen die tijd al op te wachten bij het groene hek op het erf. Als hij ons in de verte aan ziet komen, geeft hij mijn moeder een teken: je kunt de koffie inschenken Antje en zet de taartjes maar klaar. Ik heb al een paar keer tegen mijn vader gezegd dat ik dat bellen eigenlijk helemaal niet zo'n goed idee vind. Want als we onderweg wat krijgen, een lekke band of zo, en we vergeten te bellen in de drukte, en we komen later, dan maken jullie je zorgen. Waarschijnlijk meer dan strikt nodig. Ik kan mijn vader moeilijk op andere gedachten brengen.

Ik herinner me één van die heerlijke vakanties. Dagenlang is het heet en broeierig.

'We krijgen onweer,' zegt mijn vader als we buiten naar de lucht kijken. We staan bij de ingang van de schuur naast de '*mendoarren*' de grote schuurdeuren.

Een kwartier later gooit Albert, alleen in een kort broekje, het hooi op de jakobsladder. Ik ruik het verse hooi met die heerlijke geur uit mijn jeugd. We zijn blij dat dit de laatste wagen is. Want nu ligt alle hooi droog in de schuur als het onweer losbarst. Buiten rommelt de donder steeds dreigender en als we koude thee drinken – want niets is beter tegen de dorst, zegt mijn moeder – klettert de regen al naar beneden, het ruist op het dak van de schuur.

Dan staan we even later in de grote keuken, de veiligste plek in huis, zegt mijn moeder. Er is een verblindende bliksemschicht, geelwit en blauw, het doet zeer aan je ogen en met een oorverdovende knal slaat het in de boom naast het *fjoerhok,* het stookhok, slechts een paar meter van het keukenraam. De kinderen gillen, ze verbergen hun gezicht in mijn rokken. Ik sla beschermend mijn armen om hen heen, ik trek ze tegen mij aan. Ze zijn geschrokken maar niet bang, want wij, ook hun pake en beppe, blijven rustig staan. En mijn vader zegt kalm en beheerst: 'Er is niets aan de hand hoor kinderen, want we hebben bliksemafleiders. Er kan ons niets gebeuren.'

Als het onweer is weggetrokken, gaan we naar buiten. We zijn toch wel blij dat het niet is ingeslagen, want het onweer is recht over de boerderij getrokken, volgens mijn vader en Albert.

De lucht is koel en het ruikt naar frisse regen en naar de bloemen voor het huis. Zelfs het zand ruikt anders. Het is weggespoeld uit het pad, zo heeft het gegoten.

Er liggen grote plassen met lauw water, waarin de kinderen mogen spelen. Ze mogen kliederen zoveel als ze maar willen want ze hebben toch alleen een broekje aan dat in de was moet. Mijn moeder lacht en speelt met hen mee, ze lijkt weer jong, ze spat haar kleinkinderen nat, ze zien er niet uit en ze spatten op hun beurt beppe nat. Wat geeft het, zegt mijn moeder, ik gooi straks toch alles in de wasmachine. Als ze moe zijn en onder de modder zitten, tilt ze hen één voor één op, jullie zijn mijn kleine engeltjes zegt ze en ze zoent hen warm en liefdevol, ook al zitten er dikke modderstrepen op hun wangen. Kom maar mee, zegt ze, dan mogen jullie alle drie onder de warme douche.

Albert, mijn vader en ik lopen naar de wei waar de koeien in grijze misslierten liggen te herkauwen. We lopen naar hen toe door het natte gras. Mijn vader kent elke koe bij naam, ze likken zijn handen. Uit hun grote lijven straalt nog de warmte van de lange hete zomerdag.

16

Onze kinderen genieten van de vakanties in Friesland. Ze kunnen er naar hartenlust buiten spelen. Met hun drieën of met de kleinkinderen van de buren, die soms in dezelfde weken komen logeren als wij. Als er gemolken wordt, staan ze met grote interesse bij het hek van het weiland. Om een uur of halfvijf gaan de koeien naar een afgesloten gedeelte van de wei, *de jister*. Mijn ouders gaan de koeien melken, zittend op een houten krukje met één poot. Als de emmer vol is, gieten ze de schuimende melk door een zeef in een grote glimmende melkbus. Mijn moeder heeft een kopje meegebracht en Anna en Marijke mogen om de beurt proeven. Dan komt Albert meehelpen, hij heeft een overall aangetrokken en hij gaat even behendig als mijn ouders op een krukje zitten, *de tuolle*, zeggen we in het Fries. De kinderen kijken vol bewondering toe hoe Albert als een volleerde boer de koeien melkt. Mijn moeder ook, ik zie haar grote donkere ogen, ze is weg van Albert, vanaf die eerste dag, toen hij afscheid van me nam. Bij het hek voor ons huis. Op die dag dat Marianne Hooisma werd begraven.

Ik weet precies wat ze nu denkt: dat is mijn schoonzoon, de vader van mijn kleinkinderen. Hij is dokter en toch zo gewoon. Ik weet dat die combinatie in het hoofd van mijn moeder bijna mythische proporties aanneemt. Ik heb al eens tegen haar gezegd, 'Mam, laat je trots niet te veel merken, want jullie hebben in de ogen van de brave burgers toch al zoveel, een eigen boerderij, prima vee, drie gezonde kleinkinderen en dan ook nog een dochter en een schoonzoon, die beiden dokter zijn. En jullie hadden de eerste auto in het dorp. Ook nog een gloednieuwe. Dat hebben ze echt niet vergeten. Pas op mam, mensen kunnen heel afgunstig zijn.'

'O maar dat weet ik wel Annelies, ik zeg altijd langs mijn neus weg: Albert en Annelies komen met de kinderen. Meer niet, ik ben niet gek Annelies. Ze weten heus wel dat jullie het ver geschopt hebben. Verder dan wie ook,' vergeet ze nooit er achteraan te zeggen.

Ik laat de kinderen in een hoop droog gras spelen. Spelen kúnnen ze. Dat hebben ze van Albert. Ze maken een huis. Anna is de moeder en Marijke en Christien haar kinderen, het zit er al helemaal in.

Tegen halfzeven ga ik de boterhammen alvast smeren. Anna mag het beleg erop doen en Marijke mag met Christien de tafel dekken. Ik hoef niets te zeggen, Marijke zet de borden klaar en Christien mag van Marijke het bestek naast de borden leggen. Het bestek kan niet op de grond aan scherven vallen, Marijke regelt het al prima, ook al is ze nog maar vier en een half.

Na een dag onweer en regen wordt het opnieuw droog warm weer. Mijn vader besluit nog een bunder gras te maaien om er hooi van te maken. Er is nog ruimte in het laatste hooivak. Ik ben er uitdrukkelijk bij als ik met de kinderen ga kijken hoe mijn vader handige de maaimachine bestuurt, want de machine heeft vlijmscherpe messen. Marijke en Christien vind ik nog te klein om alleen te gaan kijken. Mijn vader zit weliswaar op de maaimachine, maar hij kan niet maaien en tegelijk op de kinderen letten. Mijn vader heeft al jaren een trekker. Maar nu wij er zijn, wil hij zijn kleinkinderen laten zien hoe hij vroeger maaide met de ouderwetse maaimachine getrokken door zijn twee paarden.

'Jan kan nog geen afscheid nemen van het ouderwetse

boeren,' zegt mijn moeder. Maar ik ken nog een reden: Mijn vader wil zijn kleinkinderen de paarden laten zien en hoe hij vroeger het gras maaide. Albert en ik verwonderen er ons over hoe belangrijk onze kinderen voor mijn ouders zijn. Jammer dat we zo ver weg wonen.

'De paarden gehoorzamen pake, hè mam,' zegt Anna.

'Dat doen ze vanzelf Anna, omdat de paarden goede vrienden zijn met jullie pake. Ze krijgen op tijd hun eten en 's winters staan ze binnen op stal.'

Twee dagen later is het gras al droog. 'Nu is het hooi geworden. Het is kurkdroog en nu mag het in de schuur. Ruik maar eens,' zegt pake tegen zijn kleinkinderen, 'hooi ruikt heel lekker.' Hij neemt ook een pluk nat gras. 'Ruik je het verschil? Als je hooi in de schuur doet dat niet helemaal droog is, gaat het broeien, en wordt het zo heet dat er vuur in komt en dan kan de hele boerderij afbranden. Daarom zorg ik ervoor dat er alleen kurkdroog hooi in de schuur komt.'

Mijn vader glundert als Anna alles over paarden wil weten. Hoe paarden het gras afbijten met hun tanden. 'Kijk maar, je kunt zien waar paarden grazen. Daar is het gras korter dan in de wei waar de koeien grazen. Jullie mogen wel bij de paarden komen, maar alleen als ik of jullie ouders erbij zijn. Want als je plotseling achter de paarden langs loopt en ze schrikken, kunnen ze achteruit slaan. Daarom moet je altijd wat tegen de paarden zeggen, dan weten ze dat je er bent en schrikken ze niet zo gauw.'

's Middags als de paarden in de wei lopen laat ik mijn kinderen één voor één voor op de rug van het oudste paard rijden. Ik houd ze vast, want het paard is toch wel erg groot in vergelijking met de kleine lijfjes. Samen geven we de paarden en paar brokjes speciaal paardenvoer. 'Het zijn snoepjes voor de paarden,' zegt mijn vader, 'want paarden eten vooral gras.'

Mijn moeder heeft gewacht met het zaaien van radijsjes en

slaplanten tot wij er zijn. 'Willen jullie meehelpen?' vraagt ze aan Anna en Marijke. Ze weet het antwoord natuurlijk al, mijn kinderen zijn dol op zoiets. Een paar dagen eerder hebben mijn vader en Albert de tuin omgespit. Nu mogen Anna en Marijke met een hark helpen de aarde te effenen. Eerst spant mijn moeder een touw. Ze loopt schuifelend op haar klompen langs het touwtje zodat er een mooi recht paadje ontstaat. 'Loop ook maar even over het paadje,' zegt mijn moeder tegen de kinderen, 'dan wordt het paadje nog mooier.' Een halve meter verder herhalen we de procedure, maar dan mogen Anna en Marijke als eersten langs het touwtje lopen en zo ontstaat het bed voor de radijzen. We trekken met een stok een geultje door de aarde en daarin laten we op geregelde afstanden een zaadje vallen, Anna achter mij aan en Marijke met mijn moeder langs het volgende geultje.

'En nu maar afwachten Marijke en Anna,' zegt mijn moeder. 'Voordat de vakantie voorbij is, zijn de radijsjes gegroeid en dan mogen jullie ze oogsten.'

Koffiedrinken doen we altijd binnen in de grote woonkeuken. Ook als het mooi weer is. 'Boeren zijn bijna altijd buiten,' zegt mijn vader, 'en daarom willen we tijdens het eten en het koffiedrinken lekker binnen zitten.'

Anna kijkt verbaasd naar haar vader, die nu al, om tien uur in de ochtend, twee boterhammen met kaas eet. 'Daar kijk je van op, hè Anna, dat ik nu, midden op de morgen twee boterhammen eet. Thuis hoef ik alleen maar een recept voor mijn patiënten uit te schrijven. Ik hoef alleen maar de bloeddruk te meten of met de stethoscoop naar hun longen te luisteren. Maar hier op de boerderij gebruikt mijn lichaam veel energie en dat vul ik aan met lekkere boterhammen van beppe.'

'Dat is logisch,' zegt Anna.

We glimlachen, omdat het zo mooi klinkt uit de mond

van Anna. Omdat het woord logisch zo deftig klinkt tussen Friese woorden.

Na het avondeten mogen Anna en Marijke langer opblijven. 'Dan kunnen jullie zien,' zegt mijn moeder, 'hoe de stier een zaadje gaat planten in de buik van een koe.'

'Maar dat kan toch niet, want er groeien toch geen radijsjes in de buik van de koe,' zegt Marijke. We glimlachen en mijn moeder zegt, 'Het is geen zaadje waar een radijsje uitgroeit, maar een kalfje.'

'O ja, dat was ik even vergeten,' zegt Marijke. Anna lacht want Marijke gebruikt nu haar stereotype zinnetje.

Terwijl mijn vader de stier haalt, zegt mijn moeder: 'Stieren zijn vaak wild, heel anders dan koeien en daarom mogen jullie nooit in de buurt van de stier komen. Ze nemen weleens een boer op de hoorns. Ze kunnen je doodmaken, want stieren zijn verschrikkelijk sterk.'

Mijn vader haalt de stier van de stal. 'Je ziet zo dat de stier een mannetjes koe is,' zegt Marijke, 'want hij heeft korte, sterke horens en hij heeft ook geen uiers zoals een koe, maar wel een raar zakje onder zijn buik. Waar is dat voor beppe?'

'Daar bewaart de stier de zaadjes in.'

'Weet de stier dat,' vraagt Anna, 'dat hij daarin zaadjes bewaart?'

'Dat denk ik niet Anna. De stier is nu eenmaal zo, zoals hij is. De stier kan daarover niet nadenken zoals mensen. Maar ook al kunnen wij nadenken Anna, dan weten we nog niet waarom de natuur is, zoals ze is. We weten ook niet waarom de wereld er is. Eigenlijk is alles een groot raadsel.'

Anna en Marijke staan naast mij, ze houden mijn hand vast, ze kijken met grote interesse. 'Wij hebben nieuwsgierige kinderen,' zeggen Albert en ik. De stier heeft een touw om de hoorns, daar houdt mijn vader de stier mee vast. Er zit ook een ring in de neus van de stier. Als de stier een uitgelaten sprong maakt, trekt mijn vader aan die ring waardoor de stier weer rustig wordt. Mijn vader loopt met de stier naar de koe die aan het hek vastgebonden staat. De stier ruikt aan de koe en dan springt hij op de koe, terwijl onder zijn buik een grote rode stok tevoorschijn komt. Mijn grootmoeder knipoogt naar me, ze heeft ook gezien hoe Anna en Marijke met grote verbazing staan te kijken, met de duim in hun mond. 'Dat is de stijve plasser van de stier,' zegt mijn moeder, 'die gaat achter in de koe. Kijk maar goed, dan weten jullie hoe de stier een zaadje in de koe plant.' De stier beweegt een paar keer en het is al voorbij. 'Heeft de stier nu al een zaadje in de koe geplant?' vraagt Marijke verbaasd. 'Ja,' zegt mijn moeder, 'een stier kan dat in minder dan een minuut.'

'Doet dat geen pijn bij de koe?' vraagt Anna.

Mijn moeder is vanavond de perfecte voorlichtster. 'O nee, Anna. De koe vond het heel fijn en daarom bleef ze ook zo stilstaan toen de stier op haar sprong. De koe en de stier vonden het een heerlijk spelletje.'

'Grappig,' zegt Anna. 'Ja,' antwoordt mijn moeder, 'het is één van de mooie dingen in de natuur. Zo gaat het bij alle dieren en ook bij de mensen.'

Ik zie mijn kinderen denken. Wij gaan weleens samen met de kinderen onder de douche, ze zien ons regelmatig bloot. Ik vind dat je niet geheimzinnig moet doen, want daar komt alleen maar rare overdreven nieuwsgierigheid van. Voor je het weet wordt het verschil tussen man en vrouw een obsessie voor je kinderen. Omdat ze ons van kleins af aan zo hebben gezien, vinden ze het gewoon dat papa er anders uitziet dan mama. Maar nu begrijpen ze ineens waarom dat zo is. Ik zie het aan hun gezichten. Maar omdat wij het gewoon vinden, is het voor hen ook gewoon.

'Jullie moeten over negen maanden maar weer komen logeren,' zegt mijn vader, 'dan gaan de koeien kalven, en kunnen jullie zien hoe een kalfje geboren wordt. Want de draagtijd van koeien is, op een paar dagen na, even lang als bij mensen.'

'Ja, dat wil ik wel zien,' zegt Anna, 'want ik vind kalfjes heel lief.'

Onze Anna is nieuwsgierig. 'Pake,' vraagt ze, 'hoe weet de stier, dat hij met zijn stijve plasser het zaadje in de koe moet planten. Wie heeft de stier dat geleerd?'

'Dat is een heel goede vraag Anna,' zegt mijn vader ernstig. 'Je moet eerst denken aan een madeliefje Anna. Een madeliefje hoef je ook niet te leren hoe het moet groeien om een bloempje te krijgen. Dat doet de natuur in die plant en zo doet de natuur het ook in de stier. We noemen dat het instinct van de stier.'

'Hebben mensen ook een instinct?'

'Ja, mensen hebben ook een instinct Anna. Maar mensen kunnen ook nadenken. Dat is een groot verschil met dieren.'

17

Anna wil alles in de boerderij zien. Ook die plaatsen waar ze nog nooit geweest is. Samen met Albert gaat ze op ontdekkingstocht. Op de zolder van de paardenstal vinden ze mijn lichtblauwe bootje met de witte biezen.

'Wat een mooi bootje,' zegt Anna. 'Was dat het bootje van mama?'

'Ja,' zegt Albert, 'het is het bootje van jouw moeder, van Annelies.'

'Mogen we erin varen papa?'

'Alleen als wij erbij zijn Anna, want jullie kunnen nog niet zwemmen. Maar eerst moet het bootje geverfd worden, want overal hangen de schilfers erbij, het ziet er niet uit.'

Albert en Anna laten het bootje voorzichtig naar beneden glijden. Beneden staan wij, mijn vader en ik klaar om het aan te pakken.

'Mag ik helpen verven?'

'Nou dat zou wel mooi zijn Anna,' zegt mijn vader, 'want vele handen maken licht werk.'

Eerst moet de boot geschuurd worden omdat je niet over de losse schilfers heen kunt verven. Mijn vader komt met twee schragen aanlopen, daar leggen we het bootje omgekeerd op zodat we niet op onze knieën hoeven te werken. Mijn moeder komt ook schuren en zo zijn we in een uurtje klaar.

'Nu gaan we plamuren Anna en Marijke,' zegt Albert, 'anders blijf je de plekken zien waar de verf afgebladderd is.' Onze kinderen vinden het prachtig. Vooral Marijke. Als alle oneffenheden zijn weggewerkt zouden ze het liefst direct gaan schilderen.

'Morgen nog één keer schuren en dan kunnen we gaan verven.' zegt mijn vader.

'Mogen wij er dan mee varen?' vraagt Anna.

'Nee,' Albert schudt zijn hoofd, 'jullie mogen er pas in varen als jullie kunnen zwemmen. Eerder niet.'

'Dan wil ik direct leren zwemmen.' We moeten allemaal lachen als Anna zo nadrukkelijk haar wil toont.

'Wat vind je Albert, kan onze Anna al leren zwemmen of zou ze nog te klein zijn? Misschien is ze wel bang voor water.'

'Natuurlijk ben ik niet bang voor water. Ik durf alles.' Onze Anna wil heel graag met het bootje varen, daar twijfelen we niet aan. We spreken af dat we over een dag of drie, als het bootje klaar is, naar een sloot met een zanderige bodem gaan varen. 'Daar kun je aan de kant staan Anna en daar gaan we jou en Marijke leren zwemmen. Papa en ik hebben daar ook leren zwemmen.' Onder het koffiedrinken vraagt mijn moeder: 'Gaan jullie dan naar hetzelfde slootje waar jullie elkaar voor de eerste keer hebben ontmoet? In het bos dat je in de verte kunt zien als je achter onze schuur staat?'

'Het is eigenlijk helemaal niet ver over het water, hoogstens vier kilometer.'

'Ik zou het weleens willen zien. Want het is eigenlijk dichtbij en toch ben ik er nog nooit geweest.'

Ik aarzel. 'We willen Anna en Marijke daar leren zwemmen mam.'

'Ik kan ook niet zwemmen Annelies. Kunnen jullie me dat ook niet leren?' vraagt mijn moeder, want ze is altijd een ondernemende vrouw geweest die verzot is op wat nieuws. 'Natuurlijk kunnen wij je leren zwemmen mam,' antwoord ik. 'We vinden het prima als je meegaat. Maar we zijn daar wel met ons gezinnetje en we gaan zonder badpak zwemmen. Dat zijn we zo gewend.'

'Helemaal naakt?' vraagt mijn vader. 'Moet dat nou Annelies en Albert?'

We lachen wat en mijn moeder zegt: 'Luister eens Jan, Albert en Annelies zijn dokter, die weten heus wel wat hoort en wat niet.'

Mijn vader is sceptisch, zoals altijd als er iets nieuws is waar hij niet aan gewend is. Mijn moeder is veel nieuwsgieriger, ze is altijd in voor iets wat anders is. En eerlijk is eerlijk, mijn moeder is beslist niet preuts. Ik heb dat niet van een vreemde.

'Zou ik het wel durven?' vraagt ze wat lacherig, 'Poedeltje naakt? Want ik ben wel vierenvijftig jaar, met rimpeltjes en strepen op mijn buik.'

Mijn vader beroept zich op het woord des Heeren: 'Toen Adam en Eva van de appel hadden gegeten zagen ze dat ze naakt waren, en ze bedekten zich met vijgenbladeren want ze schaamden zich voor hun naaktheid. Ik zal het vanavond na het eten voorlezen.'

Anna en Marijke kijken van mijn vader naar mijn moeder en vervolgens naar ons. Ze hebben ons altijd naakt gezien in de badkamer. Ik geloof niet dat ze veel van de discussie begrijpen.

'Lopen jullie naakt door het huis?' vraagt mijn vader toch wel geïnteresseerd, maar tegelijk met een ondertoon van ernstige twijfel. Want wat het verbod op het naakt betreft, heeft hij nooit aan het Woord des Heeren getwijfeld.

'Als het zo uit komt paps. Wij maken er geen punt van.'

'Maar als jullie in dat slootje gaan zwemmen, zijn jullie toch buiten?'

'Maakt dat verschil?'

'Vinden jullie kinderen het niet raar?'

'Vraag het maar aan Anna, pap. Nou zeg het maar Anna, is het raar als wij in de badkamer geen kleren aan hebben?'

'Ik begrijp het eigenlijk niet pake. Heb jij wel kleren aan onder de douche?' vraagt ze.

Mijn vader glimlacht. Hij is niet een man die koste wat kost gelijk wil hebben. 'Maar je kunt toch in dat slootje een badpak aantrekken?' vraagt hij desalniettemin.

'Het is alleen maar lastig pap. Ik zit later met dat natte goed, ik moet het weer uitspoelen en aan de lijn hangen. Ik weet wel dat het geen uren werk is, maar waarom zou ik het doen, als je ook evengoed zonder kleren aan kunt zwemmen? Dan heb je ook niet zo'n natte lap om je lijf en je bent veel sneller droog. Het voelt veel aangenamer en het geeft je een gevoel van vrijheid. Denk je echt papa dat wij er niet over hebben nagedacht? Wij zijn er toch de mensen niet naar om iets te doen wat niet zou horen, of wat nadelig voor onze kinderen zou zijn?'

'Dat geloof ik wel Annelies. Maar als jullie gewoon zo-als iedereen een badpak aan zouden doen, dan had je deze discussies niet. Wat maakt het nou uit als je zo'n onnozel stukje textiel aan hebt? Dat spul van tegenwoordig is in een paar minuten weer droog, hoorde ik laatst in een re-clame.'

'Nee pap nou maak je een grapje. Want ik kan het ook omdraaien: als jij er geen punt van zou maken, hadden we deze discussie evenmin.'

Mijn vader is sportief. 'Annelies, je hebt gelijk meid. Maar toch lijkt het alsof jij dat naakte lichaam, laat ik zeg-gen, een zekere waarde toekent.'

'Alsjeblieft Jan,' zegt mijn moeder, 'ik had het niet def-tiger kunnen zeggen. Anna jij hebt je deftige taalgebruik beslist van je pake geërfd.'

'Nou dan zeg ik het anders Annelies. Waarom is het naakte lichaam voor jou kennelijk zo belangrijk?'

'Ik wil mij niet meer schamen voor mijn lichaam. Toen ik een jaar of twaalf, dertien was, heb ik me doodgeschaamd voor mijn lichaam, voor mijn gezicht en mijn arm. Die Annelies is 'een lijk van een meid,' zei een jongen eens tegen me. Het was de hel, weet je dat nog wel paps? Nu schaam ik me niet meer voor mezelf en dat is voor mij het verschil tussen een normaal leven en de hel op aarde. En daarom wil ik me voor de rest van mijn lichaam dat er beslist mooi uitziet, ook niet schamen. Dat is heel belangrijk voor me. Ik heb mijn mooie lichaam van jou en mam gekregen, van Onze-Lieve-Heer, zo je wilt, ik zorg er goed voor, met veel beweging en gezond eten. En dan is het werkelijk van de gekke dat ik me ook nog voor mijn lichaam zou moeten schamen. Waarom eigenlijk?'

Ik zie mijn vader letterlijk nadenken. 'Ja,' zegt hij voorzichtig, 'in jouw geval kan ik mij er veel bij voorstellen Annelies. Sterker nog, ik vind het eigenlijk heel mooi wat je zegt over je lichaam. Ik weet ook wel dat we ons in de christelijke traditie veel te negatief uitlaten over het lichaam. Dat is mij allemaal bekend. Maar ik zit toch met de seks Annelies. Het naakte lichaam wekt toch de seksuele begeerte op. Of zie ik dat verkeerd?'

'Wat je zegt is niet zo gek hoor paps. Als je nooit naakte mensen ziet of alleen in een bepaalde context, half ontkleed op de Walletjes, ik noem maar wat, dan kan het naakte lichaam wel degelijk erotiserend werken. Maar wat dacht je van ons werk paps? Albert en ik komen regelmatig in aanraking met geheel of gedeeltelijk ontklede mensen, jonge mooie mensen of oudere mensen. En dacht je nou werkelijk dat wij daar opgewonden van worden? Als dat zo was, zouden we dagelijks opgefokt rondlopen. Vraag Albert maar.'

'Nou dan vraag ik een second opinion aan jou Albert.'

Albert haalt zijn schouders op. 'Het is zoals Annelies zegt pa. In de gezondheidszorg wen je aan naakte mensen. Als ik vrouwen op mijn spreekuur krijg voor een uitstrijkje is dat gewoon mijn werk. Ik blijf gewoon praten met die vrouwen. Bij meisjes die voor het eerst op je spreekuur komen voor zoiets, is het heel belangrijk dat je ze op hun gemak stelt. En als ik gewoon doe - ik hoef allang niet meer te doen alsof - is het ook echt gewoon en dat helpt altijd.'

'Dokter Dijkstra heeft mij ook altijd op mijn gemak gesteld,' zegt mijn moeder. 'Je voelt onmiddellijk of zo'n man integer is.'

Mijn vader knikt. 'Had ik niet gedacht dat jullie me zouden overtuigen, ik zeg het maar eerlijk. En zo is het dus ook op zo'n naaktstrand?'

'We gaan weleens naar het naaktstrand van Zandvoort en daar komen we fatsoenlijke mensen tegen. Ze gooien geen rommel op het strand, ze zuipen niet en ze zetten geen tetterende radio's neer. Veel gezinnen met kinderen zoals onze kinderen. Het klinkt ouderwets, ik weet het wel, maar gezinnen met opgevoede kinderen, begrijp je pa? Want denk maar niet dat we naar zo'n strand toe zouden gaan als er rare dingen gebeurden.'

Mijn moeder schenkt nog een keer koffie in. Ze kijkt mij eerst uitdrukkelijk vragend aan en vervolgens Albert. 'Vinden jullie het goed Albert? Willen jullie mij ook leren zwemmen?'

Albert glimlacht.' Jij wel mam.'

We drinken onze koffie en ik voel weer dezelfde ontroering van vroeger, op één van die eerste dagen toen Albert bij ons was en hij zei: 'Jij wel mam.' Ik weet niet meer precieze de context, maar die drie woorden die Albert toen tegen mijn moeder zei, weet ik me woord voor woord te herinneren: jij wel mam.' Ik zie de tranen in de ogen van mijn moeder en ze glimlacht tegen mij en Albert. Ze weet waar wij aan denken 'We moeten dus anders over het naakte lichaam gaan denken,' zegt mijn vader tenslotte als een soort slotakkoord. Ik knoop er nog een coda aan vast. 'Naakte lichamen pap, zijn de lichamen van mensen. Je schamen voor je lichaam is je schamen voor jezelf. Naakte lichamen bespottelijk maken is mensen bespottelijk maken. En staat er niet zoiets in de Bijbel, dat het lichaam een tempel Gods is?'

Mijn vader glimlacht. Ik ben trots op hem. Omdat hij zo sportief is.

18

En dan is de dag aangebroken waarop Anna en Marijke leren zwemmen. Christien is de enige die redelijk rustig is, want ze heeft nog geen benul van de dingen die komen. Zelfs mijn moeder is drukker dan anders. 'Als ik het toch niet durf, ga ik gewoon in mijn kleren onder een boom zitten, hoor Annelies'

'Ja natuurlijk mam,' zeg ik, 'waarom zou je iets doen waar je geen zin in hebt?'

Ze zal het toch doen, ik ken mijn moeder wel. Ze is veel te nieuwsgierig hoe het is, poedeltje naakt met je even blote kinderen en kleinkinderen. Ze zal het doen omdat ze – het klinkt misschien gek en toch is het zo – op een bepaalde manier tegen ons opkijkt. Want wij zijn toch dokter, onze status verleent ons gezag. Zelfs bij mijn eigen moeder. Als we een andere baan hadden zou ze ons minder snel geloven. Soms is dat voor Albert en mij een prettig gevoel, soms is het gênant, omdat wij wel beter weten. De alwetende wijsheid die mijn moeder ons vooral onbewust toedicht bestaat natuurlijk niet.

Ik zit naast mijn moeder op het achterste bankje, Christien en Marijke zitten op de bodem van het bootje, vóór onze voeten en Anna zit helemaal voorin, achter de rug van Albert die roeit met het gezicht naar ons toegekeerd.

Het is prachtig weer. Het is één van de vele tropische dagen van deze onvergetelijke zomer.

Zo laag bij het water zie je de waterplanten groot en majestueus voorbijglijden. Kikkers springen op het laatste moment in het water, schrijvertjes lopen verschrikt voor ons uit en libellen zoemen om onze hoofden. Op sommigen plekken roeit Albert ons door velden gele plomp. Anna telt de kikkers die toch stoïcijns op de bladeren blijven zitten ook al glijdt ons bootje op nog geen meter geruisloos langs hen heen. Marijke schept eendenkroos uit het water en Christien schurkt zich behaaglijk tussen mijn benen met de duim in haar mond.

Mijn moeder en ik leren hen de namen: de waterlelie die wit is, de krabbescheer en de gele lis, die op mijn naam lijkt. 'En dit is de lisdodde,' zegt mijn moeder, 'die krijgt grote sigaren. In de herfst gaan we die afsnijden, en kun je die in de gang tegenover jullie wachtkamer in die grote vazen zetten Annelies.'

Albert stuurt ons bootje door kleine groene paradijsjes. Hij trekt zijn T-shirt uit en alleen in een kort broekje roeit hij verder. Het zweet loopt in stroompjes langs zijn neus, het druppelt op zijn bruine lijf en maakt de bovenrand van zijn broekje donker. Eindelijk, komen we op de oude, brede trekvaart. Er waait een koele wind. Ik geef Anna Alberts T-shirt. 'Wil jij je vaders rug even drogen Anna? Want Albert heeft erg gezweet in de hitte van de nauwe sloot met de hoge oevers waar geen zuchtje wind was.' Albert kent elke meter van de trekvaart en hij stuurt het bootje feilloos in onze sloot en enkele minuten later leggen we aan bij de boom met de grote takken die bijna helemaal over de sloot heen groeien. Het is nog precies zoals vroeger. Hij blijft nog even zitten en fluistert tegen onze kinderen: 'Luister eens naar de stilte.' We horen alleen de wind bijna onhoorbaar ruisen, heel hoog boven ons in de toppen van de bomen. Je kunt de stilte bijna voelen en onze kinderen zwijgen intuïtief. Dan stapt Albert voorzichtig aan wal terwijl hij zich aan een dikke tak vasthoudt. Eerst tilt hij Anna uit het bootje, daarna Marijke en Christien, nog altijd in die plechtige stilte. Als we allemaal in het lange gras op de open plek staan en om ons heen kijken, fluistert mijn moeder. 'Wat is het hier mooi. Eigenlijk vlak bij huis en toch zo stil. Alsof we hier de eerste mensen zijn.'

Albert loopt voorop langs de sloot. Hij buigt takken en twijgen opzij zodat wij verder kunnen lopen zonder ons te schrammen. Ik sluit de rij. Pas als we bij de zwemplaats aankomen, gaat Marijke als eerste weer praten. 'Het lijkt wel een betoverd bos,' zegt ze huiverend. We lachen en ik zeg terwijl ik haar donkere haren streel, 'Nee hoor Marijke, het is een gewoon bos, je hoeft niet bang te zijn. Maar het is wel een heel mooi, natuurlijk bos. Het is uit zichzelf gegroeid, want de mensen hebben de bomen en de struiken niet geplant. Er zijn alleen zaadjes hier naartoe gewaaid. Het is nog precies zo als vroeger toen Albert en ik elkaar voor het eerst in dit bos ontmoetten.'

'Toen werden jullie verliefd hè mama,' zegt Marijke.

'Heel erg Marijke. En toen hebben we elkaar hier leren zwemmen. Kijk maar, hier bij deze grote eik. De bodem is van zand en daarom blijft het water helder en doorzichtig als jullie zo meteen in het water gaan spelen.'

Mijn moeder spreidt de reisdeken uit en ik help haar met het uitpakken van de twee picknickmanden, maar onze kinderen hebben geen geduld, ze willen direct zwemmen.

'Nou vooruit, de kleren uit en het water in.' Ik kleed me snel uit en ik laat me als eerste in de sloot zakken, terwijl ik me aan de tak van vroeger vasthoud. 'Nou kom dan maar.' Albert geeft me Anna aan, daarna Marijke en tenslotte Christien. Dan is Albert ook in het water en ik zeg tegen onze jongste: 'Christien, nu heb je geen luier meer aan. Je moet het tegen me zeggen hoor Christien, als je moet poepen. Want dat moet hier maar niet in het water waar we zwemmen. Beloof je me dat?' Ik weet niet of ze mij in het drukke gespat van water begrijpt. Nou we zien wel, denk ik. Hier is geen badmeester die ons weg kan sturen.

'Wat moeten we nu doen?' vraagt Anna.

'Je moet eerst helemaal kopje-onder in het water durven.'

'Kijk zo, je neus dichtknijpen en je dan langzaam laten zakken tot je hoofd helemaal onder water is.' Ik doe het voor.

En terwijl we oefenen - Albert is heel voorzichtig met onze jongste - staat ineens mijn moeder naast me. 'Moet ik ook kopje-onder Annelies?'

'Ja, natuurlijk mam.' En ik doe het nog een keer voor. 'Mijn permanent gaat naar de knoppen, maar wat geeft het, vrijdag ga ik toch naar de kapper, zodat ik er voor de zondag weer piekfijn uitzie.'

'Nee mam,' zeg ik, 'nou niet treuzelen. Doen.' Want mijn moeder is minstens zo onwennig in het koele water als mijn kinderen. Ze heeft nooit een ligbad gehad, ze is gewend aan een douche en nu moet ze ineens helemaal kopje-onder. Maar mijn moeder laat zich niet kennen. Ze haalt diep adem en terwijl we allemaal toekijken, gaat ze kopje-onder Misschien wel twee tellen. Als ze bovenkomt applaudisseren we. Vervolgens gaan we verder met oefenen. Zelfs Christien, die kleine duvel kan het.

En dan zegt ze met een bedeesd stemmetje, 'ik moet poepen papa.' Albert klimt met haar op zijn nek uit het water, houdt haar boven een struik en daarna wast hij verderop in de sloot haar kontje. Ik neem haar in mijn armen en terwijl ik haar knuffel zeg ik: 'Nu ben je een grote meid Christien, wat knap van je.' We prijzen haar allemaal, 'en als je per ongeluk nog eens in je broekje poept is dat helemaal niet erg hoor Christien.' Maar ik zie aan haar ogen dat ze het, als het even kan, zal vermijden, want die lof en die knuffels zijn toch wel erg aantrekkelijk voor ons kleine engeltje.

Als we moe zijn en trek krijgen, gaan we op de grote reisdeken zitten. Mijn moeder en ik geven de kinderen ranja en er is koffie voor ons uit thermosflessen. En heerlijke broodjes voor ons allemaal. Als toetje schilt mijn moeder appels.

Christien slaapt 's middags nog een uurtje. Ik leg een vinger op mijn lippen.' Ga ook maar even op de deken liggen.' zeg ik zacht tegen Anna en Marijke, 'dan kan Christien even slapen. Ga maar kijken naar de figuren die de schaduwen van de bladeren op je armen en je handen maken.' Marijke's oogleden worden ook zwaar en enkele tellen later ligt ze naast Christien te slapen. Anna gaat met Albert een ontdekkingstocht door het bos maken.

Als we alleen zijn fluistert mijn moeder om de kinderen niet wakker te maken: 'Er is helemaal niets bij.'

'Natuurlijk is er niets bij mam,' fluister ik terug.

'Je moet over je valse schaamte heenstappen, meer is het niet. De eerste paar minuten zijn onwennig mam, dat is logisch.'

'Het heeft iets om de lucht, het water en de zon op je hele lichaam te voelen. Alsof je een deel van de natuur bent, zo dichtbij.' Ik hoor bewondering in haar stem. Eerbied? Ze kijkt mij onderzoekend aan. 'Weet je waar ik aan denk Annelies?'

'Nou?' vraag ik.

'Aan het paradijs.'

'Goh, wat mooi mam,' antwoord ik met een zekere verwondering. 'Denk je dan ook aan God mam?'

'Ja, ik denk zeker aan God.'

Ik ga achteroverliggen met mijn hoofd op het zachte deksel van de picknickmand.

'Geloof je nog altijd dat het niet van God mag?' vraag ik.

'Welnee Annelies. Ik geloof allang niet meer letterlijk in die verhalen. Toen jij nog een kleuter was al niet meer. Maar het gevoel van het verbod zit nog heel lang in je.'

'Nu nog mam?'

'Toen ik in met mijn kleinkinderen speelde zo-even in het water, verdween mijn schuldgevoel. Het kan eenvoudig geen zonde zijn, dacht ik.

Ze gaat ook achteroverliggen met haar hoofd op het andere deksel.

'Heb jij ook zoiets gehad Annelies?'

'Ik weet het eigenlijk niet meer mam. Wij zijn er al zo lang aan gewend, dan vergeet je dat. Ik denk nooit meer aan zonde als ik blote mensen zie.'

'Het is dus een kwestie van gewenning?'

'Ja meer is het niet.'

'Vind jij je blote kinderen ook mooi Annelies?'

'Ja natuurlijk mam, ik vind mijn blote kinderen prachtig. Ik kan ze wel opvreten bij wijze van spreken.'

'Je ziet ze zonder bijgedachten.'

'Hoe zou ik bijgedachten kunnen hebben bij mijn kinderen?'

'Ja dat is ook zo.'

'Maar ik vind blote mensen in de regel wel erg mooi. Als mensen heel oud worden, tja, laten we eerlijk zijn dan verwelkt de schoonheid, maar dat zie je ook als mensen nog kleren aan hebben, dan verliezen ook gezicht en handen onherroepelijk de frisheid van de jeugd. Zo is het helaas.'

'Zoals jij er over praat klinkt het zo gewoon Annelies.'

'Het is ook gewoon mam. Nog altijd kan ik blote mensen en zeker kinderen erg mooi vinden. We zeggen dat toch ook van gezichten, benen en armen van jonge mensen? Dat ze mooi zijn?'

'En de seks Annelies?'

'Heb ik niet mam. Ik zie dat niet bij blote mensen. Nou ja, er is één mens, mam, bij wie ik het wel zie, bij hem laat ik alle remmen los.'

Ze glimlacht en tegelijk zie ik de ontroering op het gezicht van mijn moeder. Ik ken die ontroering al jaren. Ze is me dierbaar. Want ze drukt op mijn moeders gezicht dankbaarheid uit. Omdat Albert en ik het leven zo goed aankunnen. Wij hebben haar schuldgevoel om mijn misvormde gezicht en arm weggenomen. Onze liefde heeft haar het levensgeluk teruggegeven.

We zwijgen lange tijd.

'Eigenlijk vind ik mijn kleinkinderen precies engeltjes. Je weet wel dat ze in de roomse kerk van die engeltjes hebben, zo mooi gebeeldhouwd. Christien, Marijke en Anna zijn van die engeltjes Annelies. Bloot zijn ze zo echt. Zo mooi als vandaag heb ik hen nog nooit gezien.'

Ik ga op mijn zij liggen, met mijn hoofd naar haar toegekeerd.

'En wat vind je van Albert en mij mam?' vraag ik ondeugend. 'Zijn wij ook nog altijd mooi?'

Ik meen een blosje op haar wangen te zien.

'Jij bent mijn kind Annelies.'

'Maar ik heb wel drie kinderen gebaard.'

Nu kijkt ze mij ondeugend aan. 'Je vist naar complimentjes Annelies.'

'Misschien wel mam.'

'Ik wil je geen veer op de hoed steken Annelies en daarmee weet je wel wat ik bedoel. Ik heb het je trouwens ook vaak genoeg gezegd, je ziet er nog altijd fantastisch uit. Het zit ook in onze familie. Kijk maar eens op onze oude familiefoto's.'

'Van je familie moet je het hebben mam.'

'Je houdt er ook rekening mee Annelies. Met het eten bedoel ik.'

'Wij komen er dagelijks mee in aanraking mam. Echt dagelijks. Met de afschuwelijke gevolgen van overgewicht. Je weet niet half wat je er allemaal van krijgt als mensen zich te barsten vreten aan zoetigheid en de hele dag met hun dikke kont op de stoel blijven zitten. En dan komen ze bij ons en zeggen ze glashard: en toch eet ik niet veel hoor dokter. Alsof wij onnozele idioten zouden zijn.'

'Je kunt het de mensen natuurlijk niet verbieden. Ben je streng tegen je patiënten?'

'Meestal niet. Omdat het niets uithaalt.'

'Wat doe je dan?'

'Ik zeg wat ik voel. Ik zeg bijvoorbeeld, wat jammer nou mevrouw dat u zo dik bent. Wat zou ik het mooi vinden als u over een tijdje vijf kilo minder zou wegen. Dat meen ik echt mam, ik hoef het niet te spelen. En dat helpt nog het beste. En als ze later terugkomen en ze zijn echt afgevallen, dan prijs ik hen. Dat hoef ik ook niet te spelen.'

'Goh.'

'Als ik het zo doe, helpt het soms.'

'Soms?'

'Mensen moeten een minimum aan wilskracht bezitten mams.'

'Ja,' zegt mijn moeder nadenkend, 'ik begrijp het wel Annelies, mensen zijn nu eenmaal verantwoordelijk voor hun eigen leven. Gezond eten zullen ze toch zelf moeten doen.'

'Gaat Albert ook zo met de dikkerdjes om?'

'Ja, want wij hebben in grote lijnen dezelfde houding tegenover onze patiënten.'

We blijven een tijdje op onze rug liggen. Dan vraag ik: 'Je hebt me nog niet verteld wat je van mijn blote echtgenoot vindt mam.'

Ze keert haar gezicht naar mij toe. 'Natuurlijk heb ik naar Albert gekeken en ik begrijp je vraag heus wel hoor Annelies.'

'Nou vertel het dan maar mam.'

'Natuurlijk vind ik Albert mooi, ook daar hoor Annelies. Het zou al gek zijn als ik dat niet had gezien.'

'Vond je dat opwindend?'

'Natuurlijk niet.'

'Waarom zeg je, *natuurlijk niet?*'

'Omdat Albert mijn schoonzoon is. Hij is jouw man Annelies en de vader van mijn kleinkinderen. Ik zou me doodschamen als ik daaraan dacht bij Albert.'

'Precies mam. Nu heb je het zelf gezegd. Je zou je beslist niet opgewonden *willen* voelen bij het zien van Alberts piemel.'

'Wil je hiermee zeggen dat mensen verantwoordelijk zijn voor wat ze doen en denken Annelies?'

'Ja natuurlijk mam. Pap zei het laatst nog tegen mijn kinderen. Een stier heeft instinct, dat hebben mensen ook, maar mensen kunnen ook nadenken. Dat is een groot verschil.

Christien en Marijke worden wakker. 'Ga nog maar wat spelen. Papa en Anna komen zo terug.

19

Als Albert en Anna terug zijn van hun ontdekkingstocht leren we onze kinderen op de rug te drijven. Ik doe het voor. Albert en ik hebben het er druk mee, want mijn moeder wil het natuurlijk ook leren, ze is altijd een nieuwsgierige vrouw geweest. Ze probeert het alleen, terwijl wij de kinderen helpen. Als Anna het kan en Marijke helpt en Albert Christien heel voorzichtig op haar rugje laat drijven, help ik mijn moeder. 'Vroeger heb je mij in bad gedaan mam. Toen hield jij je hand onder mijn rugje. Nu doe ik het bij jou.'

Mijn moeder heeft er moeite mee, ze durft eigenlijk niet. Ze is bang dat ze water in haar neus krijgt. Als de kinderen een ogenblik op adem moeten komen, helpt Albert mij.

'Als jij je hand onder mijn moeders hoofd houdt, zal ik haar rug steunen. Natuurlijk kun je het mam. Nu je buik omhoog drukken.'

Ik ondersteun haar, mijn hand in de holte van haar rug.

'Help een handje Anna en Marijke, ondersteun je grootmoeder, kijk hier. Nee, mam, je moet echt je buik omhoog drukken en niet bang zijn dat je water in je neus krijgt, want Albert houdt je gezicht echt wel boven water.' Eindelijk kan ook mijn moeder op haar rug drijven, eerst nog krampachtig, maar na een paar keer oefenen gaat het steeds beter. Mijn moeder is altijd een doorzetter geweest.

'Nou, dat was een hele bevalling Annelies,' zegt ze nog nahijgend als we met ons tweetjes op de reisdeken zitten, 'maar nu ik kan toch op mijn rug drijven.'

Ik kijk haar even van terzijde aan. Ik voel het aan alles, mijn moeder is gelukkig. We zijn allemaal gezond, we vormen een gelukkig gezin en een gelukkige familie.

'En dat het zo mooi is,' zegt ze meer in zichzelf dan tegen mij, 'die mooie blote engeltjes, jouw kinderen Annelies, mijn kleinkinderen' en ze legt haar hand liefdevol op de mijne.

'Je hebt gemakkelijke kinderen Annelies.'

'Ik geef ze zoveel mogelijk aandacht mam. Dat weten ze intuïtief. Ze weten dat ik van hen houd en dat ik het vuur voor hen uit de sloffen loop. En dan heb ik een paar eenvoudige regels. Daar houd ik me aan. Ik wil dat ze mij gehoorzamen. Op hun leeftijd moet dat en dat weten ze.'

'Wat voor regels?'

'Bijvoorbeeld de tijd waarop ze naar bed gaan. Je bord leeg eten. Niet snoepen. De kleren niet rond laten slingeren. Naar me luisteren als we bij ons langs de drukke rijksweg lopen. Bij vreemde mensen met twee woorden spreken, ik noem zo maar wat dingen. Mijn kinderen weten dat ik die dingen absoluut wil. Ik denk dat ze het aan mijn stem horen.'

'Ik heb het wel gemerkt Annelies. Je doet het goed.'

'Jij deed toch niet anders met mij mam?'

'Kinderen willen precies weten waar ze zich aan te houden hebben. Dat hoort bij kinderen, en zeker als ze zo oud zijn als Marijke en Christien.'

'Anna mag meer, het gaat eigenlijk vanzelf.'

We kijken naar Albert die Anna de schoolslag probeert te leren, terwijl Marijke en Christien oplettend toekijken. Ze willen het straks ook kunnen. Ik lach. 'Moet je horen mam, waar Anna laatst mee thuis kwam. 'Mama,' vroeg ze, 'maken jullie weleens ruzie?' 'Eigenlijk nooit Anna.' 'Dat is niet goed mama,' zegt ze. 'Hoe kom je daar nou toch bij,' vroeg ik. 'Waarom zouden wij ruzie moeten maken?' 'Bij de buren zeggen ze dat het gezond is als je af en toe ruzie maakt. Dan klaart de lucht weer op en gaat de spanning uit je lijf. Als je die spanning in je lijf houdt kun je er wel ziek van worden. Daarom moeten jij en papa zo nu en dan ruzie maken.' Ik lachte en zei: Luister Anna, wat jij vertelt over ruzie maken, geldt voor mensen die het zo nu en dan flink met elkaar oneens zijn. Maar Albert en ik hebben dat niet. Omdat we toevallig goed bij elkaar passen. Wij hebben gewoon geluk gehad Anna en daarom hoeven we nooit ruzie te maken. En daarom krijgen wij ook geen spanning in het lijf.' 'Is dat echt zo mama?' 'Ja,' zei ik, 'dat is echt zo Anna. Albert en ik passen heel goed bij elkaar. En daarom moet jij later ook een man zoeken die heel goed bij je past. Want bijna altijd gaan mensen scheiden omdat ze niet goed bij elkaar passen en niet omdat het vervelende mensen zouden zijn.' Ik kijk mijn moeder aan. 'Wat denk jij ervan mam? Heb jij dat ook niet altijd gezegd? Dat ik iemand moest zoeken die goed bij mij paste?'

'Ach Annelies, we kunnen dat wel zeggen, maar toch denk ik dat mensen gewoon geluk moet hebben. Kijk nou naar jou en Albert. Heb jij Albert gezocht en Albert jou? Hier hebben jullie elkaar getroffen. Jullie waren buurkinderen, maar het water tussen jullie was te breed en te diep. Maar het lot was jullie goed gezind en Albert kon goed vlotten bouwen.'

'En toch zeg ik tegen Anna, dat ze goed op moet passen met wie ze in zee gaat.'

'Dat heb ik ook tegen jou gezegd Annelies, en toch heb jij de eerste de beste genomen.'

We lachen wat, mijn moeder heeft natuurlijk gelijk.

'Hier precies op deze plek, waar we nu op de reisdeken zitten. Hier hebben we in het warme gras gelegen op die eerste middag. Eerst nog in ons natte ondergoed, want wij waren heel nette kinderen mam.'

Ze lacht. 'Jullie zijn nog altijd nette mensen, ook al hebben jullie me overgehaald om helemaal naakt te gaan zwemmen. Als ik er nu over nadenk, vraag ik me af waar ik de moed vandaan haalde en tegelijk denk ik: was het dat nou helemaal?'

'Ik wilde het niet tegen jou en pap zeggen mam, maar eigenlijk vind ik het iets van oude kwezels als mensen niet bloot durven. Iets van een verschrikkelijke overdreven preutsheid, iets van vroeger, bijgeloof uit de duistere middeleeuwen.'

'Meen je dat?'

'Natuurlijk meen ik dat mam. Maar als pap erbij is, hou ik me in, omdat hij nog altijd in dat oude taboe gelooft. En het staat in de Bijbel, vergeet dat niet, dat is voor pap nog altijd belangrijk. Maar ik moet er eigenlijk om lachen.'

'Gek eigenlijk,' zegt mijn moeder nadenkend.

'Het gaat met alles zo mam, als mensen ergens aan gewend zijn, als iedereen het zegt, dan geloven ze er in. Dat is van alle tijden en plaatsen. Ze maken van hun geloof een eeuwige waarheid, ook al is het klinkklare nonsens. Je hoeft niet eens zo ver terug in de geschiedenis te gaan. De Duitsers geloofden dat alle Joden verschrikkelijke mensen waren. We weten allemaal wat er gebeurd is. En hoe lang is dat nog maar geleden?'

We zwijgen en we luisteren naar het geruis in de boomtoppen en onze kinderen die met Albert in het water spelen. Mijn moeder legt naar linkerbeen over haar rechter. Precies zoals ik gewend ben het te doen. Vanuit mijn ooghoeken bekijk ik haar. Ze heeft haar ogen gesloten. Als ik mijn moeder vergelijk met mijn vrouwelijke patiënten van haar leeftijd, ziet ze er nog heel goed uit. Ze heeft haar jeugd nog steeds niet verloren.

Ik ga op mijn zij liggen. Naar haar toegekeerd. Mijn moeder heeft alleen een paar oppervlakkige zwangerschapsstreken op haar buik. Van mij. Ik heb het nooit geweten tot vandaag. Ze heeft nergens ook maar het begin van een sinaasappelhuid, ik heb dat altijd vermoed, nu constateer ik het met genoegen. Niet alleen voor haar, maar ook voor mezelf, want het betekent dat ook ik waarschijnlijk heel lang een strakke stevige huid zal houden. Want van mijn vaderskant weet ik dat het ook allemaal sterke, slanke vrouwen waren. Ik heb geluk. Ik kijk verder. Wat ik al geconstateerd heb toen ze naast mij in het water stond, een paar uur geleden, registreer ik ook nu weer, ze heeft ongeveer dezelfde borsten als ik, niet zo erg groot, maar wel met mooie stevige tepels. Ze heeft me borstvoeding gegeven tot mijn negende maand. Nu zie ik die tepels na al die jaren weer terug, nu bewust in het zachte, gefilterde licht van de halfschaduw. Ik zie nog iets. In haar rechterkuit het begin van een onschuldige spatader, eigenlijk schemert het blauw door de huid heen, meer nog niet, maar ik neem me voor het in de gaten te houden. Ze heeft precies als ikzelf haar schaamhaar afgeschoren. Ik zag het vanmorgen onmiddellijk en ik dacht, gelukkig heb ik dat ook, zodat mijn kinderen het niet gek zullen vinden als beppe daar zo kaal is. Ik glimlach in mezelf, omdat ik het wel weet, mijn moeder en ik hebben beiden een sterk ontwikkeld seksleven. Ik ben een hete donder, zoals ze het eens tegen mij zei in een plotselinge bui van openheid, toen Albert nog maar pas bij ons was. Ze doet haar ogen open. 'Bekijk je mij Annelies?'

'Ja, ik bekijk je mam. Als dochter en als arts.'

'Nu praat je met mij, zoals ik vroeger met mijn moeder praatte Annelies. Eigenlijk heb ik maar één keer een echt intiem gesprek met mijn moeder gehad. Dat was toen ik van jou in verwachting was.'

'Was het omdat je in verwachting was? Was dat de aanleiding van dat intieme gesprek?'

Ze knikt. 'Eerder was er een soort muur tussen mijn moeder en mij. Ik durfde niet met mijn moeder over intieme, persoonlijke dingen te praten. En zij niet met mij.'

Ze kijkt me vragend aan. 'Is dat normaal?'

'Ja dat is normaal mam. Tussen ouders en kinderen bestaat een natuurlijke barrière als het intieme zaken betreft, dat is algemeen bekend. Wij hebben dat toch ook? Wij hebben toch ook nooit uitgebreid over zulke zaken gesproken mam? Nu doen we het voor de eerste keer nu jij bloot en kwetsbaar naast me ligt.'

Ze glimlacht terwijl ze me aankijkt. 'Dat zeg je goed Annelies. Je kunt je alleen maar bloot op je gemak voelen als je weet dat de ander je goed gezind is en je niet beentje wil lichten. Zo ervaar ik het nu.'

'Dat is zo mam, het moet van beide kanten komen.'

Mijn moeder plukt een grassprietje en gaat erop kauwen. 'Nou Annelies, wat vind je van mij?'

'Ik kijk naar je mam, omdat jij mijn moeder bent en ik grote kans heb dat ik er later ook zo zal uitzien zoals jij nu. En dan heb ik mazzel, want jij ziet er voor je leeftijd nog verrassend jong uit.'

'Mooi,' zegt ze, 'dank u wel dokter.'

'Je hebt geen overgewicht mam, dat is heel belangrijk. Je eet matig, maar wel goed, je gebruikt zo goed als geen suiker, je snoept alleen op feestdagen en je beweegt veel. Je bent een natuurlijk mens, heel belangrijk hoor mam.'

'Ja wel mevrouw de dokter. En verder?' vraagt ze met gesloten ogen terwijl ze het grassprietje behendig van de ene naar de andere mondhoek verplaatst.

'Je bent ook mijn moeder. Ik heb voor het eerst de tepels gezien waarmee je mij gezoogd hebt. Je hebt relatief kleine borsten, dat is mooi meegenomen want dan gaan ze op latere leeftijd niet hangen. Hebben wij, jij en ik mam, en verder heb je maar één zwangerschapsstreep, nauwelijks het noemen waard. O, ja dat was ik bijna vergeten mam. Ik zal de kuit van je rechterbeen in de gaten houden, je hebt het begin van een spatader. Kijk maar.' Ik laat het haar zien.

'Erg Annelies?'

'Welnee mam.'

'En verder Annelies?'

'Verder eigenlijk niets mam, behalve dat je een heel mooie gave huid hebt.'

Ze sluit opnieuw haar ogen. Ik voel dat ze nog iets wil zeggen en ik vermoed waarover. Ik besluit de eerste stap te doen. 'Verder heb je geen haar onderop je buik.' Er verschijnt een ondeugende trek om haar mond. 'Ik wist dat jij dat ook niet meer had Annelies. Al heel lang. Albert was nog maar pas bij ons.'

'Hoe wist je dat mam, dat wij het toen al afgeschoren hadden?'

'Omdat jij al direct in het begin vroeg of ik een elektrisch scheerapparaat voor Albert wilde meebrengen uit de stad, omdat Albert zich niet goed met een mesje kon scheren en toen ik jullie bed opmaakte - jij had het in die eerste week een keer vergeten - vond ik een paar van die harde krulhaartjes, jouw haarkleur. Moeders zijn soms precies detectives. Ik durf je het nu wel te vertellen Annelies, hoe ontzettend blij en opgelucht ik was. Want je wilt niet weten Annelies hoe belangrijk het is als je daar beiden van houdt, als je er samen mee durft te spelen. Het zegt zo veel over de relatie van mensen.'

'Ik ben precies zo'n geile donder als jij mam.'

'Albert ook, hè?'

'Nou reken maar.'

Daarna is het weer minutenlang stil. Het zijn ogenblikken vol nieuwe emotionaliteit. Voor mijn moeder en voor mij. We leren elkaar op een andere manier kennen.

'Heb ik je verteld Annelies, hoe lang het geduurd heeft vóór ik van jou zwanger werd?'

'Je hebt dat weleens gezegd mams.'

'Maar niet wat we allemaal gedaan hebben om het zover te krijgen.'

'Nee, dat niet.'

'Nou luister, dan zal ik je het vertellen Annelies. Vrienden zeiden tegen ons dat je een kussen onder je billen moest doen, want dan kon het zaad niet direct uit je weglopen. En meer van die onnozele dingen. Ze hielpen niet. Toen zeiden – ach hoe heetten ze nou ook al weer – nou doet er ook niet toe, dat je het een week lang niet moest doen, maar dat je elkaar wel zo veel mogelijk moest opwinden.'

Ze kijkt me enkele tellen heel schalks aan, maar toch draait ze haar hoofd weer terug. 'Nou Annelies, je bent mijn dochter, dan begrijp je wel dat Jan en ik dat wel konden. We waren na een week zo opgefokt dat we de laatste nacht voor jouw lancering nauwelijks hebben geslapen. Het was op een zondagmiddag in augustus, toen wij jou hebben verwekt. In het achterste weiland, ver van de weg waar niemand je kon zien. In een hooiopper. Buiten in Gods vrije natuur en daarom ben je altijd een buitenkind gebleven.' Ze kijkt me aan met ondeugende lichtjes in haar ogen. 'Wij hadden toen een wit paard. Jij kent dat paard niet meer, doet er ook niet toe. Ik ben op dat paard naar dat achterste weiland gereden, terwijl je vader het paard aan de teugel hield.'

Ons gesprek wordt onderbroken door de kinderen en Albert. Ze hebben dorst. Als ze naast ons zitten zuchten Anna en Marijke van genoegen, Christien doet hen na, als ze de ranja drinken.

'Daarom waren die manden zo zwaar,' zegt Albert, 'nu begrijp ik het. Het kwam door al die flessen water en de fles ranja.'

20

Albert heeft ons zien zitten praten. Als de kinderen hun dorst hebben gelest en mijn moeder ze ieder nog een halve boterham heeft gegeven, zegt Albert: 'Blijven jullie nog maar even praten. Ik geef ze wel zwemles.'

Maar eerst ga ik met mijn moeder kijken hoever ze met het zwemmen zijn, want kinderen willen dat altijd aan hun moeder laten zien. Als je daar als moeder geen tijd voor neemt, bega je een pedagogische doodzonde.

Weer zittend op de reisdeken, zegt ze: 'Ik reed dus op dat paard naar het achterste weiland, je vader lopend naast me, het paard aan de teugel.'

Ik kijk haar aan, mijn hoofd naar haar toegewend.

'Nee,' zegt ze terwijl ze mijn hand vastpakt, 'nee Annelies, je mag me nu niet aankijken, want ik wil je heel intieme details vertellen, en ik wil niet dat je ziet dat ik een kleur krijg.' Ze giechelt, maar tegelijk meent ze het, ik ken mijn moeder. 'Nee,' gaat ze verder, 'dat ik geen broekje aanhad, dat bedoel ik niet. Het intiemste komt nog. Ik had toen zo'n heel kort doorzichtig jurkje aan, dat was toen mode, dat had ik aan en verder niets, want ik wilde de harige rug van het paard tussen mijn benen voelen. Ik deed het voor de maximale opwinding, begrijp je? Want ik wilde zo graag een kind.'

Ze kijkt me aan. 'Denk je dat die opwinding geholpen heeft? Jij moet het weten, want jij bent dokter Annelies.'

'Ik weet niet of het wetenschappelijk onderzocht is mam. Maar die hevige opwinding zal zeker hebben geholpen. Ga maar na, mensen verwekken hun kinderen in de regel als ze opgewonden zijn. Dan is de vagina extra vochtig en de prostaat produceert veel zaadvocht dat de spermatozoïden stimuleert om door de baarmoedermond te zwemmen in de richting van het eitje. Nou dan ligt het voor de hand dat jullie extra hevige opwinding in jullie voordeel geweest moet zijn.'

'Dat hebben wij ook altijd gedacht Annelies.'

Ze zwijgt, en als ze ziet dat ik haar niet aankijk, gaat ze verder: 'Toen we bij één van de achterste hooioppers waren aangekomen, ben ik van het paard gesprongen en toen ben ik eerst op mijn knieën in het droge hooi gaan bidden. Ja echt Annelies, bidden,' herhaalt ze nog eens met ontroerde stem. Ze wacht enkele tellen.

'Goh,' zeg ik, 'ik ben verbaasd mam.'

'Vind je het gek dat ik heb gebeden Annelies?'

'Ik ken je langer dan vandaag mam. Je moet een goede reden hebben gehad om te bidden. En kennelijk heeft het geholpen, want hier zit ik.' Ik sla mijn arm om haar schouders en trek haar tegen me aan en geef haar dikke zoenen op haar wang. 'Wat lief van je om te bidden, zodat ik geboren kon worden. Dat ontroert me tot in mijn tenen mama.' Ik voel de tranen achter mijn oogleden prikken.

'Vertel het aan niemand, behalve aan Albert natuurlijk.'

'Natuurlijk vertel ik het aan niemand mam, ik ben toch niet gek? Het gaat toch om iets heel persoonlijks, iets tussen jou en God?'

Ze begint te lachen. 'Stel je voor Annelies, ik, met alleen dat schandalig korte jurkje aan met niets eronder en dan bidden voordat Jan en ik gingen vrijen.' Ze lacht nog harder. 'Ze zijn hier wel fijn gereformeerd, maar ik kan me werkelijk niemand voorstellen die dat gedaan zouden hebben. Of het moest Titia geweest zijn, je herinnert je haar nog wel, de vrouw van Dijkstra, die hier vroeger dokter was.'

'Heb je dat jurkje uitgetrokken toen jullie het deden?' Terwijl ik het vraag, realiseer ik mij hoe gemakkelijk ik ineens met mijn moeder over haar intieme leven praat. En nog iets realiseer ik me: Het is goed, want het gaat om ons leven, het leven van mijn moeder dat zo innig verweven is met het mijne. 'Had je dat niemendalletje al uitgetrokken voordat je ging bidden?'

Ze knikt en de uitdrukking op haar gezicht zegt genoeg. Ze moet er zeer van genoten hebben.

'Dat was bepaald geen gereformeerd gedrag mam. Zonder broekje, en zonder zadel op de ruige rug van het paard rijden, ook nog op zondag, seksueel opgewonden tot in je tenen, en dan achter die hooiopper waar niemand jullie kon zien, in je blootje op je knieën gaan bidden.'

'Ik zou je het nooit hebben verteld als we niet zo vanzelfsprekend bloot waren geweest.'

'Je hebt je nooit veel van de kerk aangetrokken mam.'

'De kerk Annelies is iets van mannen die gelijk willen hebben, die met hun verstand allerlei regeltjes maken en ons precies vertellen wie God is. Ook een man dus. Laat me niet lachen.'

'Jij pretendeert niet dat je weet wie of wat God is.'

'Natuurlijk weet niemand wie of wat God is, maar zeker niet die verstandelijke constructie die de kerk ervan maakt: een kerel, de heer der heerscharen, een generaal dus. Toe nou toch.'

'God in de natuur. Bedoel je dat mam?'

'Ook wel Annelies. God is voor mij de overweldigende kracht in alles wat is. Waardoor alles is en wordt. Stel je voor dat die kracht er niet was, dan zou niets kunnen bestaan. Zo ongeveer bedoel ik het. Voor mij zijn dat niet zomaar woorden. Het is in mijn hart, het is de liefde voor jou, je kinderen en voor Jan, daarin leeft wat ik God noem.'

'De God van het Oude Testament is niet aan jou besteed mam.'

Ze praat verder alsof ze mij niet gehoord heeft. 'God is ook mijn dankbaarheid dat wij allemaal gezond zijn. Dat het leven zo mooi is zoals vandaag.' Ze kijkt mij lachend aan. 'En vooral de opwinding toen wij jou verwekt hebben Annelies. Pure geile opwinding, zoals Jan en ik zeggen. Misschien beleef ik God daarin wel het meest tastbaar. Als ik dat woord tastbaar zou gebruiken.'

Ik kan niet nalaten te lachen. 'Nee dat is beslist niet wat de mannenbroeders voorstaan mam.'

'Soms is dat gedoe met de kerk zo belachelijk. Zo intens belachelijk dat ik me er niet eens meer aan stoor.'

'Zo erg?'

'De kerk heeft het eeuwige leven niet, de kerk is van mensen, dat verdwijnt weer, maar de liefde verdwijnt niet. Als je dat in je hart voelt, dan weet je het voor altijd.'

Ik ga achteroverliggen. Weer met mijn hoofd op het zachte deksel van de mand. 'En de ellende in de wereld mam, de onschuldige mensen die doodgemarteld worden. Nu op dit moment, terwijl wij praten over de zachte, liefelijke kant van de wereld?'

'Ik weet het niet, ik heb er geen verklaring voor. Ik kan alleen stamelen dat het niet zou mogen.' Ze kijkt me van terzijde aan. 'Daarom ben ik zo trots op jullie. Jullie doen iets om het lijden te verzachten. Toch?'

Ik haal mijn schouders op. 'Wat moet ik erop zeggen mam, men doet wat men kan.'

Ze knikt. 'Je hebt gelijk.'

'Weet je wat onze leraar Duits vroeger zei mam? *Wer immer strebend sich bemüht, den können wir erlösen.* Het komt uit de Faust van Goethe en het betekent zoiets als: wie altijd zijn best doet, die zal verlost worden.'

'Ja. Meer kunnen we niet doen Annelies.' Ik ga weer rechtop zitten, achter haar en ik leg mijn kin op haar schouder. En terwijl ik eraan denk wat ik tegen haar ga zeggen, lopen de tranen over mijn wangen, ze vallen op haar schouder. Ik verberg mijn gezicht in haar nog altijd volle haar en ik fluister: 'Mam ik ga iets zeggen wat dochters nooit tegen hun moeders zeggen omdat het erg intiem is. Toen Albert voor het eerst bij mij sliep, toen wij voor het eerst vrijden, dacht ik precies hetzelfde als jij mam: Jij bent er, god, in onze liefde, in onze handen en in ons lichaam.'

21

Het jaar daarop gaan we in de zomer één week naar Friesland en twee weken naar Frankrijk. We hebben een bagagewagentje gekocht, zodat we in de auto ruimte voor de kinderen overhouden. We maken van de achterbank één groot bed waarop ze kunnen spelen of slapen, wat ze maar willen.

We hebben besloten dit jaar naturistisch te gaan kamperen en we rijden van de ene naaktcamping naar de andere. Onze kinderen krijgen de indruk dat heel Frankrijk naakt loopt. De laatste tien dagen zijn we op een camping in de buurt van Montpon- Ménestérol, in de Dordogne.

We hebben de camping gekozen omdat we Bergerac en Saint Émilion willen bezoeken, de plaats waar die schandalig dure bordeaux vandaan komt. *Chaudeau* is een echte Franse camping. We hebben op onze tocht een paar campings aangedaan met Nederlandse beheerders. Prima campings, niets op aan te merken, maar je kampeerde er wel tussen vrijwel alleen mensen uit de randstad omdat die – zoals wijzelf – in dezelfde weken vakantie hadden. Het waren Nederlandse enclaves in Frankrijk. En wij willen nu juist naar iets typisch Frans. Want wij gaan niet alleen voor het mooie weer, maar ook voor de Franse cultuur naar het zuiden. Dat betekende dus kathedralen bezoeken, dat was het eerste waar wij aan dachten op onze tocht door *la douce France*. Op een gegeven moment zei Albert: 'Annelies, ik geloof dat onze kinderen nu wel weten hoe middeleeuwse kerken eruitzien.'

Wij hebben lieve, gehoorzame kinderen, maar toen ze ons bij de laatste kerk al vertelden, nog voor we naar binnen waren gegaan, waar de uitgang was, kregen we een vermoeden dat ze nu wel wisten waar het altaar stond en waarom er altijd een rood lampje brandde.

Nee, geen twijfel mogelijk, Chaudeau is typisch Frans. In een groot bos met een beekje en twee meren. In het ene kun je vissen en in het andere, waar warm water opborrelt, kun je zwemmen. Er is een strandje voor de kinderen met ondiep water ervoor. En verder kun je er kilometers door het bos lopen. Gewoon zoals Onze-Lieve-Heer je geschapen heeft. Heel bijzonder als je nog nooit een wandeling in het paradijs gemaakt hebt.

Nadat we de tenten hebben opgezet, we hebben er twee, een heel lichte die we ook opzetten als we trekken en een grotere waarin we desnoods allemaal kunnen slapen, Albert en ik aan de ene kant en de kinderen aan de andere kant, ook in een afgesloten gedeelte, kwamen we, lui achter overhangend in onze vouwstoelen, op adem. Want het is een lange dag geweest helemaal vanuit de omgeving van Orleans.

'Mogen we nu wat rondlopen mam?' vraagt Anna. Ik onderdruk een zucht, sta op en zeg tegen Albert: 'Blijf jij nog meer even liggen uitrusten, want jij hebt het hele stuk na Brive gereden. Dan ga ik met de kinderen de camping verkennen.' Ze hollen als uitgelaten jonge honden naar het pad. 'Daar is het zwembad,' zegt onze Marijke, die van de drie verreweg het beste richtinggevoel heeft. Je hoort het trouwens ook, want het is het geluid van kinderen in een zwembad, het kan niet missen. 'Okay, dan gaan we eerst zwemmen. Wij wachten hier en wil jij dan even de zwembandjes halen Anna?' Ze is al weg en nog geen minuut later is ze ook alweer terug. Want ze weet precies waar ik die spullen in de auto opberg. O ja, ik geef het grif toe, ik ben een regelkont, ik houd van georganiseerd kamperen. Niet zo maar de rommel op een hoop achter in de auto gooien.

We lopen door een gedeelte waar mensen langer wonen, dat zie je zo. In stacaravans en in zomerhuisjes. Veel oude baasjes en dito magere vrouwtjes. Dat zijn typische Françaises, zeg ik tegen mijn kinderen, die worden hartstikke oud, dat komt door de *contradiction Française.* Help me maar onthouden, dan zal ik je vanavond vertellen wat die geheimzinnige woorden betekenen.

We komen op een weide met aan onze rechterhand een huisje met een Nederlandse auto erachter.

'Kijk nou,' zeg ik, 'daar heb je zowaar landgenoten.'

'Oude mensen,' zegt Marijke.

'St!,' fluister ik. 'Niet zo luid, want die oude baas kan jou immers verstaan.'

'O ja', zegt ze, 'dat was ik even vergeten mama.'

Zij, de Nederlandse, kennelijk de vrouw van het oude baasje, wokt. Nou, denk ik, in elk geval mensen die gezond eten. Want het bloed kruipt nu eenmaal waar het niet gaan kan: ik zie onmiddellijk of de mensen te veel en te vet eten. Terwijl we naar het zwembad lopen, midden op de wei, doe ik ze alvast de bandjes aan. Ook Anna, die het zich laat welgevallen omdat ze het goede voorbeeld moet geven. Heel lief van haar.

Eén meter dertig diep. Met bandjes en mijn oplettende ogen kan het. Eigenlijk kan alleen Christien nog niet zwemmen. Ze genieten, het is heerlijk schoon water met weinig chloor. Ik zwem ontspannen achter hen aan. Aan de overkant van het bad zitten een man en een vrouw, beiden van mijn leeftijd, op de rand van het bad met de benen in het water. Hij kijkt me lang aan. Dat doen mensen vaak vanwege mijn gezicht. Meestal hebben ze het niet in de gaten. Ik glimlach tegen hem en kijk hem net zo lang aan tot hij zijn ogen neerslaat. Zijn vrouw heeft het niet gemerkt, ze heeft haar aandacht gericht op mijn kinderen. Als we na een kwartiertje teruggaan, staat hij toevallig(?) bij het hekje, hij doet het vriendelijk voor ons open en ik geef hem een knipoog. Hij glimlacht terug. We hebben geen woord tegen elkaar gezegd en toch hebben wij elkaar begrepen.

Als we bij onze kampeerplaats zijn – Marijke weet precies de weg terug – blijkt dat we buren hebben gekregen. Tussen onze en hun kampeerplaats is een stuk bos van bijna twee meter, zodat we elkaar nauwelijks kunnen zien. De plekken zijn erg groot omdat de eigenaar van de camping toch bos genoeg heeft. Bos is hier trouwens veel goedkoper dan in Nederland.

'Ze wokken,' zegt Christien, 'precies als wij mama.'

'Het is in de mode Christien. Iedereen wokt tegenwoordig.'

Onze kinderen zijn nieuwsgierig, want ze hebben al gehoord dat de buren kinderen hebben. Anna zet haar stoel zo neer dat ze door een opening in de bosschage kan kijken. 'Niet te opzichtig gaan zitten loeren hoor Anna,' zegt Albert. 'Dat is niet netjes.'

'Doe ik ook niet papa.'

Anna leest zogenaamd geïnteresseerd verder, maar ondertussen houdt ze de buren terdege in de gaten. Want kinderen willen nu eenmaal graag kinderen van hun eigen leeftijd treffen.

Als ons eten klaar is en we allemaal aan tafel zitten, zegt Anna: 'Onze buren zijn rare Fransen.'

'Hoezo?'

'De ouders hebben de hele tijd in een stoel liggen lezen en de oudste dochter heeft het eten helemaal alleen klaargemaakt.'

'Hoe oud is ze Anna?'

'Niet zoveel ouder dan ik, want ze heeft nog geen borsten. Ik denk dat ze hoogstens twaalf is. Ze konden haar toch wel helpen?'

'Heb je medelijden met haar?'

'Als ik die moeder was. had ik mijn dochter niet zo afge-beuld.'

'Overdrijf je niet een beetje Anna? Misschien wilde dat meisje zelf wel het eten klaarmaken. Misschien doen ze het wel bij toerbeurt, de ene dag de oudste dochter, daarna de moeder en vervolgens de vader. Misschien is het wel een heel geëmancipeerd gezin, weet jij veel?'

'Ik vind het wel knap dat het meisjes het eten klaar kan maken, al is het dan maar wokken. Je moet het toch geleerd hebben.'

'Is ze er handig in?' vraag ik verder.

Anna knikt alleen maar. Marijke zit aan de kant van de tafel waar ze de buren kan zien. 'Ze hebben nog twee kin-deren, een jongetje van mijn leeftijd en een klein meisje zo oud als Christien.'

'Dat is niet gek,' zeg ik terwijl ik Albert aankijk, 'ook drie kinderen, misschien kunnen jullie wel samen spelen.'

'Ik wil niet met een jongetje spelen,' zegt Marijke. 'Jongetjes zijn vervelend.'

'Natuurlijk hoef jij niet met het buurjongetje te spelen Marijke, je kunt hier bij onze tent ook alleen spelen.' zegt Albert.

Na het eten willen ze alle drie in hun ligstoel liggen lezen. Ik heb een grote stapel oude Donald Ducks meegebracht, eigenlijk zijn ze antiek maar ze zijn weer in de mode. Onze kinderen zijn moe, zeg maar gerust afgemat. Logisch het was een dag met ontelbare nieuwe indrukken. Zo'n eind door Frankrijk reizen is een vermoeiende bezigheid.

Albert en ik gaan afwassen. Morgen zijn de kinderen aan de beurt. Bij de afwasbakken – lekker schoon, ik veraf-schuw afwasbakken met de resten van maaltijden, ook al zijn het kleine slablaadjes om van erger maar te zwijgen, voor de duidelijkheid noem ik ze toch maar: niet te definiëren vetsliertjes, dát bedoel ik – komen mensen naast ons staan. We krijgen een hand. Het zijn onze buren, ze hebben ons herkend, aardige mensen van onze leeftijd. Albert en ik zijn 'mensen - mensen' zeggen we altijd, wij houden van mensen. Moet ook wel met ons beroep. Zij heeft mijn statuur. Hij is twee à drie centimeter langer, maar met een buikje. Ik registreer zulke zaken onmiddellijk en op hetzelfde moment denk ik, toch tot mijn eigen ergernis, doe er wat aan man. Het is beslist niet gezond als je nog zo jong bent en je hebt zo'n opzichtige embonpoint. Wat mij verder opvalt aan Jacques, zo heet hij, zijn de zwarte haartjes over heel zijn lichaam. Ik vind ze bijna zo erg als sliertjes vet in afwasbakken. Albert heeft ze niet omdat ik ze penibel nauwkeurig afscheer, want ik houd van mijn mooie gladde en slanke man. Zelfs het haar in zijn schaamstreek – bah wat een woord – trim ik zorgvuldig, tot beider genoegen. Mijn buurvrouw heeft dezelfde gewoonte zie ik met één oogopslag, je let nu eenmaal op andere persoonskenmerken als je naaktloopt. Later zal ze mij vertellen dat het de laatste tien jaar in de naturistische wereld mode is geworden om je 'schaam'- haar af te scheren.

Onze buren hebben, wat ons betreft, één geweldig voordeel: ze komen ergens uit de Elzas. Ze spreken behalve Frans gebrekkig Duits, maar wel zoveel dat ze ons snel iets duidelijk kunnen maken, als wij het radde Frans niet begrijpen. En nog iets boeit ons aan de twee, behalve dat het heel aardige, vooral open mensen zijn: ze zijn beiden socioloog, hij is leraar en zij werkt aan een instituut waar ik nog nooit van heb gehoord. En ze weten ontzettend veel van de naaktloperij of het naturisme, zoals wij meestal zeggen. Zij komt uit een gezin waar ze al decennia lang naaktlopen. 'Want het naturisme is in de eerste plaats iets van vrouwen. Dat zul je misschien gek vinden Annelies, maar toch is het zo. Vooral van geëmancipeerde vrouwen. Let maar op, het overgrote deel van de vrouwen is van het zelfstandige type, vaak met een leidinggevend beroep, het zijn vrouwen die zichzelf hebben leren accepteren. Beslist geen doetjes. En bijna altijd hebben ze een goed huwelijk. Weet je waarom mensen aan het naturisme beginnen Annelies? Vaak zijn mannen het eerst geïnteresseerd. Ze zullen het nooit hardop zeggen, maar ze denken: dat lijkt me wel wat, allemaal naakte wijven. Wat heerlijk opwindend. Logisch dat mannen dat in onze maatschappij zeggen, want ze zijn van jongs af opgefokt met afbeeldingen van naakte vrouwen, daar worden mannen in onze maatschappij mee doodgegooid. De reclame doet er nog een schepje bovenop. En wat gebeurt er als ze een zomer naakt kamperen? Manlief ontdekt tot zijn teleurstelling, dat naakte vrouwen in een gewone dagelijkse setting helemaal niet opwindend zijn. Jacques zegt, maak je geen illusies Jeanne, noch in positieve noch in negatieve zin, ik vind vrouwen nog altijd mooi om te zien, dat is gegeven met het man zijn, maar de geile lust die ik ervan verwacht had, is er niet. Nu moet ik het met jou alleen doen lieve meid.' Jeanne lacht. Dan gaat ze verder: 'En wat denken vrouwen? Naakt ben ik kwetsbaar, aan elke centimeter van mijn lichaam mankeert wel iets, want ze worden immers met de meest ideale meiden geconfronteerd, op de televisie, in de film, in de reclame. Overal. Desnoods maken ze die meiden nog mooier met elektronische trucjes, elk bobbeltje en elk pukkeltje wordt weggeretoucheerd. Of ze maken de benen langer en de neuzen kleiner. Alles kan. Maar vrouwen vergelijken zichzelf *wel* met die volmaakte dames, al dan niet kunstmatig op ons netvlies getoverd. Dat begint al op de leeftijd van onze oudste dochters Annelies.' Ik leg even mijn hand op haar arm. '*Regarde moi,*' zeg ik in mijn beste Frans, 'zie je het Jeanne, heb je mijn gezicht en mijn arm gezien?'

'*Mais bien sûr, Annelisse,* ik heb het dadelijk gezien.'

Ik vertel haar hoe ik mijn eigenwaarde terug heb gekregen. Door Albert en hoe jong we destijds waren. 'Maar je hebt helemaal gelijk hoor Jeanne. In deze omgeving, tussen al die naturisten heb ik allang gemerkt dat er meer achting voor de ander is dan waar ook. Omdat iedereen weet dat de ander is als jezelf. Hier lijkt die eenvoudige waarheid meer dan ergens anders tastbaar.' En ik vertel Jeanne van de man in het zwembad, een uur geleden.

We lopen terug. 'Soms,' zegt ze, 'hou ik ermee op om mensen die toevallig horen hoe we 's zomers kamperen, uit te leggen dat we echt niets te maken hebben met seksboetiekjes, liederlijk gedrag en partnerruil en alles wat mensen nog meer aan gorigheid kunnen bedenken.' Ze lacht. 'Ze moesten eens weten wat voor welopgevoede mensen wij zijn,' en ze lacht opnieuw.

22

Onze kinderen spelen met de buurkinderen pétanque op het zandpad. Marijke heeft haar weerzin tegen jongetjes kennelijk snel overwonnen. Zij en Guy, zo heet het mooie goud gebruinde jongetje, spelen zij aan zij. Het ligt ook wel voor de hand want ze zijn ongeveer even oud. Anna trekt automatisch op met Thérèse, de oudste van de buren. Ze is ruim elf jaar heeft Jeanne mij verteld. En dan is er nog Adrienne die iets ouder is dan onze Christien.

Jeanne vertelt me van de school van haar kinderen. 'We zijn met opzet op het platteland gaan wonen, *à la campagne Anneliisse,* om het onderwijs. 's Middags komen moeders bij toerbeurt samen met kinderen in de leeftijd van Thérèse koken. Ik ook. Voor de hele school. Zo leren onze kinderen de traditionele Franse keuken waarderen. Gewoon simpele producten van het land, niks invoeren vanuit Afrika. Geen suiker, geen zoete frisdranken, niet snoepen. Maar wel goed eten, zoveel je wilt. Want van de gewone, ouderwetse Franse pot word je niet dik.'

'Wat goed,' zeg ik. Ze lacht. 'Zo leren alle kinderen, ook de kinderen die later gaan studeren, toch goed koken en goed eten.' Ik vertel haar van ons beroep en het overgewicht van steeds meer Nederlanders. 'Bij ons krijg je bij de overheid geen geld meer los voor zulke projecten.'

'Maar het kost de Franse overheid geen cent *Anneliisse, pas un sou,* geen stuiver! Wij wonen in een plattelandsgemeente, dus met veel boeren. Uien, aardappelen, wortelen en noem maar op, krijgt de school van hen. Gratis. Heel slim natuurlijk, want, zeggen de boeren, als de kinderen onze inheemse producten leren waarderen, zullen ze die later automatisch gaan kopen. En daarom vindt iedereen dit project zo belangrijk.'

'Je moet wel een goed geoutilleerde keuken hebben.'

'Hébben we. Er zijn altijd genoeg ouders, die iets voor de gemeenschap willen doen. Er is altijd wel een aannemer die adviezen wil geven. En even voordoet hoe je tegels zet en plavuizen legt. Mensen zijn ijdel, iedereen wil op het jaarlijkse feest van de school zijn of haar naam horen noemen. Iedereen wil graag meehelpen. Dat is een eer, samen op de foto in de *Dépêche!*'

Ze ziet mijn bewondering. 'We willen niet verder amerikaniseren, we willen niet altijd aan geld denken. *Il y a des autres valeurs*, er zijn andere waarden.'

Ze schenken ons een glas wijn in. 'We gaan nog even zitten babbelen, om straks goed te kunnen slapen,' zegt Jacques. 'Graag,' zeggen we, 'maar een halfuurtje, niet langer, want we zijn moe van de uitputtende reis. '

Ze begrijpen het. Als het schemerig wordt, geven we de kinderen shampoo en met hun zessen, al helemaal met elkaar vertrouwd, lopen ze naar de douche. 'Niet een halfuur onder de douche blijven staan hoor, Anna en Marijke.'

Nog voor tienen liggen we op één oor. Midden in de nacht word ik wakker met een zwaar gevoel op mijn maag. Ik voel me misselijk. Voorzichtig, om Albert niet wakker te maken, kruip ik op mijn knieën uit de slaaptent. Het is volle maan. Alsof het dag is. De schaduwen van de bomen tekenen zich scherp af op het gras. Ik vind zonder moeite mijn slippers. Ik hoef niets aan, want het is nog altijd warm. Ik knip de zaklantaarn niet aan, ik zie alles, het pad, de stenen en de grote wortels. Bij het sanitair brandt een lampje. Halverwege blijf ik een ogenblik staan. Ik adem diep in. Mijn misselijkheid verdwijnt. Ik leg een hand op mijn voorhoofd, ik voel mijn pols, nee, niets aan de hand. Ik heb geen harde buik en dan lach ik in mezelf. Gekke meid, denk ik, jij met je aangeboren doktersmaniertjes. Toch denk ik nog even aan de wijn. Het was een flink glas. Maar het was wel wijn van de plaatselijke *producteur*. Die zal er heus geen conserveermiddelen in doen, verkoopt hij nooit meer een liter aan de mensen op het platteland. 'Niet tien liter mee naar huis nemen, hoor,' zei Jacques. 'Daar is deze wijn niet geschikt voor, want het is natuurlijke wijn.' De Fransen met hun natuurlijke wijn, denk ik, Maar ze worden hier in het zuiden wel allemaal hartstikke oud en toch eten ze vette foie gras, vette lever en drinken ze een glas. *La contradiction Française,* de Franse tegenstrijdigheid. Ik blijf lang staan in de absolute stilte en het bleke licht van de maan. Alsof het vale licht steeds helderder wordt en de stilte nog stiller. Heel langzaam loop ik verder, alsof ik zo lang mogelijk over de honderd meter tot aan het sanitair wil doen. Ik doe een plas, ik drink koud water bij het fonteintje en het wordt weer rustig in mijn hoofd. Langzaam, nog altijd, loop ik terug. Bijna bij onze tent hoor ik iemand achter mij. Ik kijk om en ben weer gerustgesteld, het is het silhouet van zijn te dikke buik, Jacques. De laatste meters loopt hij zwijgend naast me. Ik kijk even terzijde, mijn voet raakt een steen, ik struikel, hij grijpt mijn arm, hij ondersteunt me. *'Merci Jacques,'* fluister ik. We blijven staan en terwijl hij mijn arm loslaat, fluistert hij terug: *'Ne te fais pas des soucis Anneliisse.'* Bij de tent van de kinderen blijf ik staan, waarom zegt die man dat? Maak je geen zorgen, zei hij. Maak ik me dan ergens zorgen om? Weet hij het dan, nog voor ik het zelf heb gemerkt? Was ik daarom misselijk? Ik laat me op mijn knieën zakken en kruip onder de bijna doorzichtige luifel. De slaaptent is opengeritst, een brede baan geel maanlicht valt naar binnen. Ik zie Marijke met haar donkere haar, ik hoor haar ademhaling. Aan de andere kant ligt Anna en tussen hen in Christien. Veilig tussen haar grote zussen. Een koele luchtstroom doet me huiveren. Ik leg de opengeritste slaapzakken voorzichtig over hun kostbare lijven. Eerst over Marijke, dan Anna. En tenslotte over het lijfje van Christien. Ze heeft haar duim in de mond, ze mompelt iets in haar slaap. Ik glimlach, ze noemt zijn naam. Guy, fluistert ze. Ik ruik mijn kinderen, die typische geur van mijn kinderen. Ik zuig de geur in mijn longen waarna ik terugga naar de grote tent. Ik dek Albert toe, die ik ook ruik. De vertrouwde geur van mijn man, mijn lief jongetje en ik kruip voorzichtig tegen hem aan, mijn koele billen tegen zijn warme lijf. Hij zucht in zijn slaap, zijn arm ligt op mijn schouder terwijl ik de slaapzak over ons heen trek.

De volgende ochtend slapen we een gat in de dag. Maar als we opstaan hebben onze kinderen de tafel al gedekt met wit papier. Ik ken het niet, waar hebben ze het vandaan? Anna heeft voor de eerste keer koffie voor ons gezet. Nog wat slap, maar we zeggen er uiteraard niets van. We hadden nog liever het puntje van onze tong afgebeten. De eitjes zijn perfect, niet te hard en niet te zacht, dat kun je alleen als je ervaring hebt. Later horen we dat Thérèse geholpen heeft. Onze kinderen leren veel van de Fransen. Ook goede oude gewoontes die Nederlandse kinderen al lang niet meer kennen. Zoals met twee woorden spreken bijvoorbeeld. Guy, zegt nooit alleen maar ja, maar altijd *oui maman* en *oui papa* Toch wel mooi.

Wij boffen maar met onze Franse buren. Ze dringen zich niet op, en toch hebben we het erg gezellig met hen. Een paar keer eten we samen, dan zijn we één grote familie. Beide keren maken Thérèse en Anna het eten klaar, terwijl de andere kinderen braaf helpen. Want Thérèse kan commanderen! En vervolgens wassen wij, de ouders, af. De omgekeerde wereld, maar wel heel inspirerend voor onze kinderen. We willen het komende jaar beslist weer terug naar deze camping, waar niemand een radio aan zet. Waar niemand luidruchtig is, waar alles kan en waar toch nooit papiertjes en andere rommel op de grond liggen. Albert en ik hebben echt vakantie. Geen kleren wassen, alleen de handdoeken waar we op zitten zo nu en dan in een sopje zetten, even uitspoelen en aan het einde van de middag zijn ze alweer droog. 'Wij worden heel luie mensen,' zeg ik tegen Albert en de kinderen. En stilletjes fluister ik in Anna's oor: 'Omdat jij ons zo goed helpt. Dankzij jou kunnen wij uitrusten!' Wij mogen van onze kinderen niet eens boodschappen in de campingwinkel doen. Ze vinden het interessant om de spullen in het Frans te bestellen, wij moeten de woorden voor hen opzoeken, maar - en dat speelt ongetwijfeld een belangrijke rol - ze krijgen van de mevrouw achter de kassa een snoepje, want ik ben beslist niet scheutig met zoetigheid.

Samen met Thérèse let Anna op Christien en Adrienne omdat die letterlijk nog niet los vertrouwd zijn. Want er zijn op het terrein twee grote vijvers, waarvan er eentje vele, vele meters diep is. Als we bootje gaan varen moeten ze beslist zwembandjes om en elke keer zeggen we heel nadrukkelijk tegen Christien dat ze nooit, maar dan ook nooit alleen bij en in deze vijver mag spelen. We zeggen het zo ernstig dat haar onderlip al begint te trillen. Er is op het strandje altijd wel een moeder die een oogje in het zeil houdt, maar met je kinderen wil je absolute zekerheid. Je moet er niet aan denken...De gedachte alleen bezorgt me hartkloppingen. Bij de visvijver komen ze sowieso niet, omdat je er toch niet mag zwemmen en bovendien zijn daar de ernstige in zichzelf gekeerde vissers, die het helemaal niet leuk vinden als kinderen de vissen met hun drukte en herrie verjagen.

Elke morgen tegen tien uur gaat de eigenaar met zijn oude trekker en een lage platte wagen oud brood en vers gras naar zijn paarden en ezels brengen in een weiland bij de derde vijver, verder weg in het bos. De kinderen mogen meerijden. Er kan niets gebeuren want de baas van de camping, hij is gekozen burgemeester van de gemeente, rijdt voorzichtig. Alleen als er oudere kinderen van de leeftijd van Thérèse en Anna bij zijn mogen er kinderen mee en ze moeten op oude jutezakken zitten, ze mogen niet staan, zodat ze niet van de wagen kunnen vallen. Hij maakt er een heel feest van. De kinderen mogen vanuit de wagen de ezels en de paarden voeren. Hij laat hen paddenstoelen, planten en bomen zien en leert hen de Franse namen. Vooral Christien leert ze snel, want ze heeft precies de leeftijd om woorden en zinnetjes in een andere taal te leren. 'Regarde maman, on peut les manger,' zegt ze op een dag in vlekkeloos Frans. En ze wijst ons eetbare paddenstoelen aan.

Behalve de campingplaatsen in het bos, waar iedereen een eigen plekje heeft, zijn er nog vele hectares maagdelijk bos, waarin kinderen hutten mogen bouwen van de takken en de droge bladeren waarvan er genoeg liggen. Onze kinderen construeren samen met de buurkinderen een uniek bouwsel. Anna en Thérèse doen wel alsof ze alleen maar meedoen om op de kleintjes te passen, maar dat is schijn. Ze balanceren op de grens tussen kind en puber. In werkelijkheid maken zij de hut. Op hoorafstand, zodat wij een oogje, in dit geval een oortje in het zeil kunnen houden. Het betekent dat wij eigenlijk geen omkijken hebben naar onze kinderen, wij kunnen luieren zoveel als we willen. We lezen de boeken die we het afgelopen jaar hadden willen lezen, we luisteren naar de muziek die we al zo lang hadden willen horen en soms, als het niet al te warm is, liggen we in de binnentent te kroelen, stil maar hartstochtelijk.

23

Soms liggen Jeanne en ik urenlang in de schaduw te babbelen. Het zijn van die gesprekjes die Albert en Jacques niet
boeien. Want Jeanne en ik praten over kleren.

'Als we terugkomen van vakantie heb ik een onverzadig-
bare trek in iets nieuws, een hesje, een bloesje, een broek,
het geeft niet wat, als het maar iets nieuws is. Eigenlijk heb
ik geen idee waarom ik die vreemde lust heb. En ik heb nog
wat, Annelies, ik koop het en vervolgens hang ik het in de
kast.'

'Bedoel je dat het niet aantrekt,' vraag ik verwonderd.
Nooit?' Ze knikt. 'Het meeste hangt al jaren in de kast, ik
heb het nog nooit aangehad. Het is een tic. Een afwijking
gaat wat ver, maar normaal is het niet.' Ze verjaagt een vlieg
van haar kuit. 'Het is het idee dat ik altijd, als de nood aan de
man komt, iets nieuws aan kan trekken. Gek hè?'

'Dan moet je wel een grote kleerkast je hebben, want
iedereen koopt ook in de loop van het jaar wat nieuws. Ik
tenminste wel.'

'Ja,' antwoordt Jeanne met een zekere gêne, 'dat is ook
zo. In de slaapkamer heb ik een dubbele kleerkast en een
halve voor Jacques. Op zolder heb ik nog zo'n dubbele kast,
ook drie meter vijftig breed. Ook alleen voor mijn kleren.'

'Goh,' zeg ik, 'dat moet je een vermogen kosten.' Ze
schudt haar hoofd. 'Ik kan niets weggooien. Behalve als het
uit de mode is en ik voor gek zou lopen als ik het aan zou
trekken. Ik koop waarschijnlijk niet zoveel méér dan iemand
anders. Soms lach ik om mezelf Annelies, een andere keer

vervloek ik mijn afwijking. Vooral in het voor- en najaar. In de zomer heb ik mijn zomerkleren beneden in de slaapkamer en de winterkleren boven op zolder. Maar in de herfst gaan alle winterkleren naar beneden en de zomerkleren naar boven. Zie je het voor je? Urenlang de trap op en af. Steeds met een stapeltje kleren over mijn arm. In het voorjaar dezelfde procedure maar dan andersom.'

'Wat vindt Jacques ervan?'

'Hij lacht erom, zo blijf je slank liefje, zegt hij.'

Ze slaat nu op haar rechterkuit met een venijnige klap een vlieg dood.

'Heb jij een verklaring voor mijn afwijking Annelies?'

'Och,' zeg ik vergoelijkend, 'zo'n verschrikkelijke afwijking vind ik het niet hoor Jeanne. Ik heb ook een flinke kleerkast. Wie niet?'

'Soms heb ik nachtmerries. Dan ben ik oud en loop ik met een stok vanwege de osteoporose. Maar ook dan moet ik die kleren de trap op en af zeulen. Zie je het voor je, Annelies? Halverwege bezwijk ik onder de last van de kleren, ik maak een misstap en ik donder van boven naar beneden op de granieten vloer en ik word badend in mijn zweet wakker, hijgend van angst...'

Ze kijkt me van terzijde aan. 'Wat zou jij doen in mijn geval Annelies?'

'Je hebt die aanvallen van een lichte koopziekte vooral na een blote vakantie, zei je?'

Ze knikt.

'In dat geval ligt de oplossing voor de hand Jeanne: In het vervolg moeten jullie naar een textielcamping gaan. Gewoon elke dag de kleren weer aan.'

'Die prijs is te hoog,' zegt ze. 'Ik ga al sinds mijn kleutertijd naturistisch kamperen.'

'Er is een andere oplossing voor je probleem: laat een lift

in je huis monteren. Op die manier kun je in je droom ook niet vallen omdat je onbewuste donders goed weet dat jullie een lift hebben. Je kunt dan alleen nog een nachtmerrie krijgen omdat de lift halverwege blijft steken.'

We lachen en ik steek een waxinelichtje aan om de vliegen te verjagen.

'Ik weet ook wel dat mijn klerenmanie niet zo erg is Annelies. Maar alle gekheid op een stokje, ik zou echt nooit op een textielcamping willen kamperen. Ik heb het trouwens ook nooit gedaan. Met al je kleren aan? Dan kun je evengoed thuis blijven.'

'Vind je het naturisme belangrijk voor je kinderen Jeanne? Jij moet er als sociologe over hebben nagedacht.'

'Ik ben eigenlijk vanaf mijn geboorte naturist. Ik kan dus ook aan introspectie doen, hoe heb ik het zelf ervaren? Welnu, één van de belangrijkste dingen voor mij persoonlijk is het leren omgaan met een ouder wordend lichaam. Zodra je kinderen krijgt zie je de sporen van de zwangerschap, bij de één meer dan bij de ander. Ga hier maar eens 's ochtends om acht uur onder de douche staan, wanneer iedereen wil douchen. Dan zie je mensen van alle leeftijden, je ziet dat die mensen met hun ouder wordend lichaam om kunnen gaan, dat ze hun rimpels en uitgezakte buiken hebben leren accepteren. Je ziet dat het een normaal proces is en dat iedereen ermee te maken krijgt. Jij later ook, als je dat als kind ziet. Begrijp je Annelies, dat bedoel ik, mijn dochters leren automatisch dat zij ook zulke borsten en zo'n buik als ik zullen krijgen en dat oma's een dikke kont krijgen en oude opa's vel over been kunnen worden. Ze leren dat het niet verontrustend is, dat je er niet bang voor hoeft te zijn. Omdat er prima mee te leven valt.'

'Niet verbergen, nooit doen alsof het niet bestaat.'

Ze knikt instemmend. 'Jezelf voor de gek houden is altijd de slechtste oplossing.'

'Er een drama van maken maakt het alleen maar erger.'

'Als je het verval van je lichaam niet wilt accepteren loopt je oude dag uit op een ramp. Je ziet weleens mensen die van alles aan hun gezicht en hun lijf laten verbouwen om maar jong te blijven. Ik geloof er niets van dat die mensen daar gelukkig van worden, want vroeg of laat zullen ze toch de strijd verliezen. En dan komt de klap des te harder aan.'

'Jezelf accepteren zoals je bent.'

'Er is geen andere oplossing. Daarom vind ik het belangrijk voor mijn kinderen om dat hier te leren Annelies. We zijn allemaal gewone mensen, niemand heeft een ideaal lichaam en als je ouder wordt gaat het tenslotte bij iedereen wat lubberen.'

Ik zet theewater op. 'Heerlijk,' zeg ik, 'die lucht en die zon op je blote bast. Weet je dat ik daar intens van geniet Jeanne? Soms heeft dat voor mij iets goddelijks. Raar hè, dat ik zo van mijn lichaam geniet. En toch ben ik met mijn gezicht en mijn arm beslist niet moeders mooiste.'

Ik vertel Jeanne het verhaal van Albert en mij, hoe we elkaar hebben leren kennen, toen we maar een paar jaar ouder waren dan Thérèse en Anna nu.

'Prachtig jouw verhaal Annelies,' zegt ze met ontroering in haar stem, 'de liefde die sterker is dan wat ook. Het is de sterkste goddelijke kracht,' zegt ze met overtuiging. Ze gaan niet meer naar de kerk. Jeanne en Jacques zijn typische Fransen, hebben we gemerkt. Fransen hebben heel weinig met de katholieke kerk, de clerus wantrouwen ze sinds de Revolutie. En God? De overgrote meerderheid blijkt uit onderzoekingen, twijfelt er niet aan dat er zoiets als een god bestaat. God een man of een vrouw? En eigenschappen van Onze-Lieve-Heer die de orthodoxe gelovigen bij ons precies weten te benoemen? De Fransen hebben geen idee. Heel gezond vinden wij. Maar de liefde dan? Fransen zijn nu eenmaal verzot op de liefde in al haar facetten. En daarom kunnen ze zich een god zonder liefde onmogelijk voorstellen.

Albert ligt in zijn stoel te slapen, Jacques is gaan boulen en de kinderen spelen in hun hut. Ik zet de thee naast ons op de grond.

'Mijn borsten zijn te lang geworden, ik zou er operatief wat aan kunnen doen. Het zou kunnen,' Jeanne blaast in haar thee, 'ik zou kleinere borsten kunnen nemen, met implantaten erin, met tepels vastgenaaid op een nieuwe plek, maar je gevoel toen je je kinderen nog aan de borst had verdwijnt. Weet je dat ik er helemaal geen zin in heb? Ik wil gewoon mezelf blijven. Als ik ga trimmen doe ik een sportbeha aan. Mijn buik hetzelfde verhaal. Desnoods doe ik zo'n speciaal strak broekje aan, zodat het bij het hollen niet heen en weer golft. Mocht ik echt een hangbuik krijgen zodat ik er last van heb bij het bewegen, ja, dan is het een ander verhaal, natuurlijk. Dan kan ik er altijd nog wat aan laten doen.'

'Je wilt je kinderen opvoeden met authentieke mensen om je heen en niet met gelikte reclamemodellen met siliconenborsten, getrimde schaamlippen en op maat gemaakte neuzen.'

'Wat hebben ze nou aan namaak? Moeten ze kunstmatige vrouwen als rolmodel?'

'Je bent een echte naturist,' zeg ik.

'Ach wat heet,' antwoordt ze. 'Op z'n tijd, ja, misschien wel. Zodra het een ideologie wordt met enge mannetjes en vrouwtjes die het allemaal zo goed weten, je weet wel van die orthodoxe gelovigen, dan haak ik onmiddellijk af. Het maakt me onpasselijk. Mensen die altijd maar naakt willen zijn. Alsof het heil van je blote kont afhangt. Dat is toch verschrikkelijk Annelies, als je zo'n eng wereldbeeld creëert?' Ze drinkt haar thee bedachtzaam. 'Ik hou beslist van mooie kleren Annelies, eigenlijk ben ik een klerenmens. Het is een beetje uit de mode, maar ik heb nog altijd een stuk of tien mantelpakjes. Ik weet precies waar ze in de klerenkast op zolder hangen. Ik heb er drie van een zacht pastelblauw, je weet wel hemelsblauw eigenlijk. Ik vind ze prachtig. Ik doe ze nog weleens aan. Alleen 's avonds als Jacques thuiskomt van zo'n saaie docentenvergadering en de kinderen naar bed zijn. Ik draag er nylons bij met een jarretelgordeltje. En dan met zo'n zwart lingeriesetje, wat je kruis nauwelijks bedekt maar wel mooi tegen je blote huid afsteekt. Ik wacht tot Jacques thuiskomt en zuchtend van vermoeidheid op de bank neerzijgt. Dan zet ik een heel klein glaasje met cognac naast hem op het tafeltje, echt een heel klein glaasje Annelies, want hij moet niet in slaap sukkelen. Vervolgens buig ik me voorover, want ik kan hem nog altijd een duizelingwekkend decolleté tonen.' Ze kijkt me verschrikkelijk ondeugend aan.

'En nu begrijp je weer een nieuw facet van het naturisme Annelies. Helemaal van boven tot onderen aangekleed is niet sexy, helemaal bloot ook niet. Maar er tussen in wél! En dan een hemelsblauw mantelpakje. Op mijn leeftijd. Zie je het vóór je? Want bij mantelpakjes is een zekere, gevorderde leeftijd in je voordeel. Kijk mij, ik heb in de loop der jaren forse dijbenen en een flinke bips ontwikkeld. Dat moet je uitbuiten Annelies!' We lachen als uitgelaten jonge meiden, ik schenk opnieuw thee in. Onze kinderen komen uit het kreupelhout tevoorschijn met vieze handen van de bosgrond, ze hebben hard gewerkt, het zweet is met de donkergele bosgrond opgedroogd tot strepen om hun mond en op hun dampende lijfjes. Ze zien er uit als oermensen. Maar spélen kunnen ze. Met alleen takken, slierten klimop en droge bladeren.

'Wat maken jullie een herrie,' zegt Anna, 'we kunnen jullie tot ver in het bos horen lachen.' Ze staan allemaal om ons heen, onze zes kinderen. Afwachtend, met blije gezichten. Ik ruik ze, opgedroogd zweet vermengd met de geur van het natuurlijke bos. Dank je wel God, zes gezonde kinderen, zinderend van levenslust. Onze kinderen, met oneindige mogelijkheden.

'En nu willen jullie wat drinken?'

We sturen ze eerst naar de douche, daarna mogen ze op de stoelen zitten, netjes op een handdoek. Als Jeanne en ik hen van boterhammen en ranja hebben voorzien, gaan ze weer terug, verder met hun bouwsel en hun onuitputtelijke fantasie.

'Mogen we komen kijken?' vraag ik.

'Straks. Als de hut klaar is roepen we jullie wel.'

Jeanne en ik worden weer ernstig. 'Je gelooft toch niet echt dat je een afwijking hebt met die kleren Jeanne?' vraag ik terwijl ik me languit neervlij op mijn ligstoel met mijn voeten op een krukje en me schurk in de halfschaduw.

'Ach wel nee,' antwoordt ze, 'maar ik heb er wél veel werk van.' Ze grinnikt.

We blijven minutenlang zwijgend liggen mijmeren, genietend van de stilte, het zachte zoemen van de vliegen en de regelmatige ademhaling van Albert. Die niet eens wakker is geworden van het drukke gebabbel van de kinderen.

'Daarom komen we hier, helemaal naar de Dordogne,' zegt ze. 'Achthonderd kilometer dwars door Frankrijk. Vooral om de kinderen. Zoals ze nu samen spelen, écht spelen, met niets eigenlijk. Dat is zo ontzettend belangrijk voor hun ontwikkeling. Ik wil geen kinderen die de hele dag computerspelletjes zitten te doen.'

Jacques komt terug van het boulen. Hij neemt een pilsje uit het draagbare koelkastje, want onze buren hebben een elektrische aansluiting via een lange kabel. Dat gaan wij volgend jaar ook doen, hebben Albert en ik al besloten.

'Als jij op de kinderen let Jacques dan ga ik even naar de winkel, ik heb nog wat nodig voor vanavond, voor het eten. Heb je zin om mee te lopen Annelies?'

Op het pad vraag ik, 'Wat vind jij als sociologe van naakt kamperen, hoe moet je het plaatsen in de maatschappelijke ontwikkeling? Is er een lijn te ontdekken of is het alleen maar gekkigheid, een voorbijgaande gril?'

'Je buiten naakt uitkleden in het bijzin van anderen werd sinds jaar en dag streng bestraft. Het gaat om één van de belangrijkste taboes die we kennen. Samen met de taboes op seksualiteit. Als dat verandert en dat doet het, is er kennelijk nogal wat aan de hand. Dan gaat het niet om een rimpeling in de vijver van maatschappelijke gebeurtenissen.'

'Akkoord Jeanne.'

'In de beleving van mensen is naakt en seksualiteit één pot nat.'

'Ook dat is duidelijk. Want men verdenkt ons, in de conservatieve hoek nog altijd van de meest verschrikkelijke orgieën.' We lopen glimlachend verder.

'De volgende vraag is Annelies, waarom er zo'n zwaar taboe op seks en naakt ligt. Het antwoord ligt voor de hand. Het taboe moet seksualiteit reguleren, zodat het geen chaos wordt. In wiens belang was dat? In het belang van ons, vrouwen, want wij willen sinds onheuglijke tijden kinderen en die willen we opvoeden samen met een man die ons daarbij kan helpen. Het gezin is al miljoenen jaren het scharnierpunt van de samenleving en dat zal natuurlijk zo blijven. Omdat het in onze genen zit.'

'Ja dat zie je goed Jeanne. Wij vrouwen hebben er werkelijk *alles* voor over om onze kinderen samen met een man op te voeden. Wat er ook veranderd is in de afgelopen eeuw, *dat* niet.

'Meisjes en jonge vrouwen moesten dus voor het huwelijk van hun seksualiteit afzien, en daarom leerden wij onze dochters dat het onderlichaam met die afschuwelijke geslachtsorganen vies was en zondig in het oog van God. Om je er dood voor te schamen. Je was een hoer als je het toch deed. Daar komt het taboe vandaan.'

We komen voorbij de Nederlanders. De auto is weg. Dan de volgende keer maar een praatje maken, denk ik.

'Soms denk ik aan Afrika waar de moeders zelf hun dochters laten besnijden en dichtnaaien. Alles ten gunste van het grote ideaal: het gezin.'

'En dan komt er een klein wit pilletje in jullie apotheek Annelies, en niets is meer zoals vroeger. Je hoeft je dochter niet meer te dreigen met hel en verdoemenis.'

Ze hebben in de campingwinkel alleen de hoogstnodige zaken. Mensen die langer kamperen gaan meestal één keer per week naar de grote winkels in Montpon of Sainte- Foy. 's Morgen halen Anna en Marijke hier brood dat ze een dag eerder hebben besteld. Ik ben hier voor het eerst. Ik glimlach in me zelf als ik langs de schappen loop. Jeanne ziet het. Ze weet dat ik voor het eerst naakt door een winkel loop, ik heb het haar zo-even verteld.

'Ik weet wat je nu denkt Annelies.'

'Eigenlijk waanzinnig,' antwoord ik, 'dat ik me vroeger absoluut niet voor kon stellen, dat ik hier nu, zo maar, zonder de geringste remming of schaamte naakt rondloop.'

'Het was slechts een taboe, meer niet Annelies.'

24

Tien dagen zijn zo voorbij. Op de voorlaatste dag, zeg ik het uitdrukkelijk tegen mijn kinderen: 'Niet schrikken, maar overmorgen gaan we weer terug naar huis. Vandaag en morgen nog.'

'Gaan we volgend jaar hier weer naartoe?' vraagt Marijke.

'Vast wel, want Albert en ik hebben hier ook een heerlijke vakantie gehad.'

We bekijken de hut die ze in het bos hebben gebouwd. We mogen binnen op onze hurken zitten. Daarna moeten we samen met Jeanne en Jacques helemaal door het bos naar beneden, naar het beekje met de gele leem. Wij zitten op de zandige rand van de oever met onze benen boven een kleine afgrond: anderhalve meter lager kabbelt een minuscuul stroompje, nauwelijks tien centimeter breed, want het heeft al weken niet meer geregend. Onze kinderen spelen met het vochtige leem. Ze kunnen hier kliederen zo veel ze willen, want er is niets dat hen tegenhoudt. Al helemaal geen moeders die gaan mopperen over kleren die vies worden. Zelfs Thérèse en Anna, die al bijna pubers zijn genieten ervan. Eerst tekenen ze driehoeken en cirkels op elkaars lijven, maar na een tijdje smeren ze elkaar in met dikke lagen kleverig leem. Ook voorzichtig elkaars gezichten. Dan moeten wij beneden komen. Wij moeten er ook aan geloven.

'Hierlangs mama,' zegt Marijke en ze wijst ons een plaats waar je af kunt dalen. Want wij doen het plechtig alsof het een ceremonie is. Ze hebben het van tevoren bekokstoofd. Wij moeten met de handen tegen de lemen wand staan en onze ruggen worden ingesmeerd. Daarna onze voorkant en onze gezichten. We worden behangen met lianen waar klimop omheen is gegroeid, ze knopen de slingers om mijn middel en om mijn hals, het kriebelt en dan krijgen wij lange stokken. 'Dat zijn jullie speren,' zegt Guy, 'want jullie zijn nu dappere krijgers.'

Achterelkaar met de kinderen voorop lopen we terug. Waar de mensen ons zien applaudisseren ze en op ons plaatsje moeten we wachten tot Thérèse haar handen heeft gewassen. Want ze mag het fototoestel van haar vader gebruiken. Ze maakt een heleboel opnamen om er zeker van te zijn dat wij er goed op staan.

De laatste nacht op Chaudeau slaap ik slecht. Ik blijf heel lang woelen, ik draai van de ene op de andere zijde. In het holst van de nacht - ik hoor de klok in het naburige Saint Géraud vier slaan - word ik met een schok wakker uit een onrustig hazenslaapje. Ik heb weer dat misselijke gevoel, alsof ik moet overgeven. De maan is nog bijna helemaal rond, ik zie het vale licht door de opengeritste ingang van onze tent. Het is even licht als een week geleden toen ik ook niet kon slapen en toen Jacques me ondersteunde, omdat ik struikelde over de grote steen die we nu allemaal kennen, links in het pad. Als ik buiten mijn slippers aanschiet, overvalt de klamme afmattende warmte mij als een dikke gewatteerde winterdeken. Ik kijk even in de tent van de kinderen, ik luister naar hun ademhaling. Ja, het zijn mijn drie kinderen. Alle drie, zeg ik nadrukkelijk in mezelf. Dan loop ik langzaam, stapje voor stapje, diep inademend naar het sanitair. Koud water op mijn voorhoofd en mijn polsen en een paar slokken. Dat doet me goed. Maar ik begrijp er niets van. Waarom ben ik zo onrustig? Er is toch niets aan de hand? Niemand van ons is ziek, er zijn geen aanwijzingen. Helemaal niets. En toch is er iets, alsof mijn hart van angst ineenkrimpt. Ik houd mijn handen bij de zachte stroom verkoelend water, ik maak een kommetje van mijn handen en drink eruit. Dwaze meid, zeg ik tegen mezelf. Maar het helpt niet. Niet deze keer. En toch is mijn pols volkomen normaal. Ik kan geen enkele afwijking constateren. Ik ga met mijn billen tegen het koude, roestvrije staal van de wasbakken staan en betast mijn buik. Nee, mevrouw, zegt de dokter in mij, u hebt echt niets mevrouw. U beeldt het u in. U weet toch mevrouw Van Zanden dat hypochondrie ernstige vormen aan kan nemen? Dat je zelfs van pure inbeelding doodziek kunt worden? Jazeker mevrouw, alleen op de lange duur. Ik doe mezelf na als glimlachende, geruststellende geneesdame. Gaat u maar rustig naast uw echtgenoot slapen mevrouw Van Zanden. Zeker mevrouw Van Zanden, als uw echtgenoot ook lust heeft, natuurlijk mevrouw Van Zanden, de natuurlijke omgang kalmeert het gemoed. Dat hebt u goed onthouden mevrouw, jazeker, het was de grote Boerhave zelf, zegt men. Ik loop naar de uitgang van het sanitair. Ik hoor iemand aan komen lopen, ik glimlach gerustgesteld. Alleen Albert loopt zo met dat typische sloffende geluid. Ik ga buiten in het volle maanlicht staan zodat hij mij ziet en hij niet zal schrikken als ik plotseling uit de donkere schaduw tevoorschijn zal komen.

'Is er wat meisje?'

'Eigenlijk niet Albert,' ik aarzel, 'ik bedoel ik weet wat er is…' Ik leg mijn hoofd op zijn schouder. Hij drukt mij tegen zijn borst die koel aanvoelt.

'Heb je verhoging?' Hij voelt mijn pols.

Ik lach zacht. 'Wat heerlijk om met een dokter getrouwd te zijn.' Ik streel zijn hoofd, zijn haren, ik laat een vinger over zijn lippen glijden en zoen hem op zijn mond. Hij fluistert in mijn oor: 'ik zou je iets voor kunnen schrijven Annelies… waardoor je weer rustig wordt.' Ik hoor en voel zijn adem, hij glimlacht onhoorbaar, ik voel het.

'Je was weer zo onrustig als verleden week.'

'Hoe weet je dat lief jongetje?'

'Je draaide en draaide, maar toen viel je in slaap. Ik ook, maar ineens was je weg…'

'Je hebt me gezocht.'

'Wie zou ik anders moeten zoeken dan jou, Annelies?'

In het maanlicht strelen we elkaars haren.

'Ik had weer die ondefinieerbare angst Albert. Ik heb geen idee waar dat afschuwelijke gevoel vandaan komt. Misschien heeft het iets met onze kinderen te maken, want ik heb een bijna onbedwingbare aandrang om naar hen te kijken, te luisteren naar hun ademen, om te weten of alles goed met hen is. Zodra ik opsta ga ik naar hun slaaptent, want ik moet hen zien. Ik moet weten of ze er alle drie nog zijn. Dat is toch overdreven Albert? Waarom doe ik dat? Ik voel dat Albert zijn schouders ophaalt. 'Waarom zou het overdreven zijn Annelies? Als jij het zo voelt, dan is het zo. We zouden ons moeten afvragen waar die bezorgdheid vandaan komt.'

'Misschien heb ik dat gevoel omdat het zo goed gaat met ons en onze kinderen. En dat het onmogelijk zo kan doorgaan. Want het leven brengt nu eenmaal nooit ononderbroken geluk.'

Albert streelt mijn blote rug, tussen mijn schouderbladen, mijn nek, tot aan de haargrens. Het is een uitnodigend gebaar om hem te zoenen.

'Zoiets zou het weleens kunnen zijn Annelies, je ervaart een onbenoembare existentiële angst, zoals mensen die bang zijn het leven te verliezen. Bij jou richt zich die angst automatisch op onze kinderen. Omdat moeders per definitie bezorgd zijn om hun kinderen.' Hij streelt mijn schouders, mijn gezicht. 'Ik zou het anders ook niet weten waar jouw angst vandaan komt. Maar voorlopig Annelies, is er geen enkele reden voor je bezorgdheid. Wij zijn kerngezond en onze kinderen ook. Waarom zouden we ons dan zorgen maken?'

'Misschien heb je wel gelijk. Het is een irreëel gevoel Albert. Met mijn verstand kon ik het niet de baas. Maar nu, met jou, wel weer. Precies als vroeger.'

'Ik begrijp je wel Annelies.'

We lopen naar binnen, naar het fonteintje. Albert drinkt en laat het water een ogenblik langs zijn polsen stromen, zoals ik, een paar minuten eerder. Dan neemt hij mij opnieuw in zijn armen. Er zijn momenten... Zijn handen, zijn mond, ik met mijn billen tegen de opwindende, koele, roestvrijstalen rand van de afwasbak. Zijn hartstocht die op me overslaat als een uitslaande brand. 'Makkelijk dat naturisme,' fluister ik, 'je hoeft je niet eens uit te kleden.' Albert is maar twee centimeter langer dan ik, hij staat tussen mijn geopende dijen. Ach, wij passen zo goed bij elkaar. Het laatste restje van mijn bezorgdheid verdwijnt, het leven keert terug en verspreidt zich in mijn hele lichaam. Later kruipen we op onze knieën onder de luifel van de reistent. 'Kijk maar Annelies, hoe heerlijk ze slapen. Onze drie kinderen.'

25

Met de kerstdagen sturen de Franse buren ons een stapeltje foto's. Jeanne heeft de mooiste opnamen laten afdrukken: Albert en ik met de 'speren' in onze hand en behangen met slingers klimop. We zien eruit als kerstbomen. Vrijwel onherkenbaar. Onze gezichten en lijven bedekt met leem. En daarop het groen. De kleurcombinatie is wonderlijk mooi. Op de achtergrond het smalle stroompje en de hoge oever, beneden in het bos. En altijd blijken Albert en ik elkaar aan te raken als we naast elkaar staan. Ik met mijn hand op zijn onderarm. Albert nog dichterbij, met een arm om mijn schouder. Onze kinderen doen het onbewust ook. We zijn een hechte familie. We hebben kennelijk een onbedwingbare lust om elkaar aan te raken, elkaar vast te houden. Er valt me nog meer op. Marijke staat, op twee foto's na, steeds direct naast me, steeds aan mijn rechterkant. Waar mijn gezonde arm is. En heel vaak staat haar schattige vriendje Guy naast haar. We hebben opgemerkt, wij en onze drie dochters, dat kleine jongetjes de duim van hun rechterhand in hun mond hebben en met hun linkerhand aan hun piemeltje staan te friemelen. Vooral als ze op de foto moeten en een ogenblik stil moeten staan. Eerst dachten we dat het toeval was, dat het een gewoonte van Guy was. Onze dochters hadden het erover onder het eten. Toen gingen ze erop letten. Alle jongetjes doen het, zei Marijke en ze glimlachte vergoelijkend, want Guy kon in haar ogen geen kwaad doen.

Thérèse heeft foto's gemaakt van de hut in het bos. Alle kinderen die meehielpen staan op de foto, naast en achter elkaar onder het groene dak van bladeren en mos. Anna staat buiten, haar ene been voor het andere en leunend tegen het primitieve bouwsel. Ze is onmiskenbaar onze oudste die op de kleinere kinderen moet letten. Samen met Thérèse zijn ze de oermoeders, vrouwen *'en herbe'* vrouwen in de dop, die intuïtief de leiding nemen. Zoals alle vrouwen altijd de leiding nemen, zei Jeanne. Als de mannen niet meer weten hoe het verder moet.

De mooiste foto's zijn van Guy en onze Marijke. Ze staan naast elkaar en ze houden elkaars hand vast. Ze hebben beiden donkerblond haar. Marijke heeft dezelfde structuur haar als mijn moeder, gemakkelijk haar, wat ze ook doen, het zit op de een of andere manier altijd goed.

Marijke en Guy zijn mini-mannetje en -vrouwtje. 'Kijk maar,' zegt Anna, 'je kunt het verschil tussen mannen en vrouwen al zien, Marijke heeft al bredere heupen.' Op één foto zijn ze verkleed als bruidje en bruidegom. Van zwart papier hebben ze voor Guy een hoge hoed gemaakt. Marijke heeft van wit papier iets op haar hoofd dat voor een bruidssluier moet doorgaan. Ik heb nooit geweten dat ze het gespeeld hebben. Ik besluit er een paar afdrukken bij te laten maken. 'Moet je eens kijken, Marijke, wat staan jullie mooi op de foto. Jij en Guy. Wat schattig.' Ik zoek een lijstje. 'Mag je op het kastje naast je bed zetten, Marijke.'

Er is ook een klein briefje bij van Guy. Je ziet onmiddellijk dat hij het geschreven moet hebben met het puntje van de tong uit zijn mond, om het zo mooi mogelijk te doen: *Marijke tu viens jouer avec moi, l'année prochaine ?* (Marijke, kom je volgend jaar met me spelen?)

26

Heel lang heb ik gezegd dat onze eerste vakantie aan de Middellandse Zee onze mooiste vakantie is geweest. Ik weet wel waarom ik dat gezegd heb. Omdat we toen nog met ons vijven waren, Albert, Anna, Marijke, Christien en ik. De laatste tijd zeg ik dat het één van onze mooiste vakanties is geweest. Niet dé mooiste vakantie, maar één van de mooiste vakanties. Het is maar een kleine nuancering, maar voor mij is het veelbetekenend. Omdat het ergens, ik weet niet precies wanneer, de grens in de tijd markeert waarop ik ben begonnen mijn verdriet meester te worden. Toen ben je weer gaan lachen, zegt Albert. Echt gaan lachen, daarna werd je weer mijn oude Annelies.

De verandering valt samen met een nieuwe plaatsbepaling in mijn leven. Ik zeg weleens dat mijn verdriet mij gedwongen heeft mijn plaats in het leven te vinden. De echte plaats, de plaats die bij mij, Annelies van der Wal, hoort.

Toen ik een jaar of vijfentwintig, zesentwintig was, in de tijd dat Albert en ik afstudeerden, hebben we beiden de kerk en alles wat ermee te maken had rigoureus aan de kant gezet. Hoogstens luisterden we met Pasen naar de Mattheus Passie van Bach. Maar uitdrukkelijk omdat het mooie muziek is, zeiden we tegen elkaar. Die Bach toch. Die kon er wat van, prachtig die aria *Erbarme Dich,* de rillingen lopen me over het lijf, zei Albert. De muziek doet me letterlijk huiveren, maar de rest kan me gestolen worden. Daar kan ik echt niets meer mee beginnen.

Ik wil er geen misverstand over laten bestaan: de wonderverhalen over Jezus als zoon van God die deze wereld met zijn lijden en sterven heeft gered, beschouwen Albert en ik als een soap uit de eerste eeuw van onze jaartelling. Het klinkt misschien wat hard voor de oude gelovigen, maar het is niet anders. De Bijbelkritiek zoals die vanaf het midden van de negentiende eeuw langzaam maar zeker het oude ideologische christendom heeft afgebroken, is onze kritiek geworden. We mogen de laatste tijd dan wel neerkijken op de fundamentalistische Islam, toen mijn ouders en wijzelf nog naar de gereformeerde kerk gingen waren we geen haar beter. Wij, en zeker onze ouders, waren de ideologen van de twintigste eeuw die de enige ware boodschap voor de hele wereld kenden. Het stond in de 'Formulieren Van Enigheid', in kleine lettertjes als op een verzekeringspolis. Wij bedreven zending in onze koloniën om 'de zwartjes' het ware geloof te brengen. Wij wisten het voor de hele wereld. Dat die hele wereld het heelal was met op z'n minst *honderden miljoenen* plaatsen waar intelligent leven voor kan komen, wisten we toen nog niet. Of we wilden het niet weten.

Maar dan nu mijn punt. Je kunt, als je zover bent als wij indertijd, zeggen: okay, geloof is dus onzin en dus blijft er alleen wetenschap en verstand over. Pats boem klaar, het is het één of het ander. Achteraf zeg je, nou dat was lekker gemakkelijk, je ruilde gewoon het ene *absolute* standpunt in voor het andere. Het is waar of niet waar, het is een nul of een één, zoals bij een computer.

Precies op dit punt zijn Albert en ik anders gaan denken. Wij weten het niet meer zo precies. Wij vragen ons af of het verstand ons altijd naar de enige absolute waarheid verwijst. Wij vragen ons af of de wereld niet véél en véél ingewikkelder is dan veel mensen menen met hun nieuwe geloof: de heilige wetenschap. Is er toch niet zoiets als geest? Is de wereld toch meer dan alleen maar materie en strikte natuurwetten? Als je zover bent, kun je zeggen - als je aanleg hebt voor radicalisme - nou dan nu ook maar die wetenschap overboord. Weg ermee. Ik vind dat nieuwe radicale onzin. Ik vind van mezelf dat ik een verlicht mens ben die uitdrukkelijk de deur openhoudt voor het spirituele en als ze tegen mij zeggen dat ik religieus ben omdat er meer is dan alleen maar verstand en wetenschap dan ben ik het daarmee eens. Ik heb geen absolute waarheid meer. Ik geloof, maar nu op mijn persoonlijke, eigen wijze.

Wij woonden aan een drukke weg. Alle vrachtverkeer van en naar Amsterdam kwam er toen nog langs. De vierbaansweg moest nog aangelegd worden. We woonden er niet slecht. We hadden een grote oude tuin, een gedeelte boomgaard en een omheinde moestuin. De vorige eigenaar, nog een ouderwetse huisarts, iemand die naar chloroform en boorwater rook, zei ons dat de tuinmuur uit de achttiende eeuw dateerde. Hij zat er een eeuw naast, bleek later. Maar een mooie muur was het wel! Want de muur gaf je privacy. Je was er alleen, niemand kon je zien en in het voorjaar als ik weer wat kleur op mijn huid wilde, ging ik er in mijn blootje onkruid wieden. Zomaar, desnoods met mijn knieën in de zwarte aarde. Heerlijk.

De eerste twee jaar waren we in het oude doktershuis nog met ons vijven. Het leek alsof ons geluk niet kapot kon. Zeker, we wisten dat er elk ogenblik iets verschrikkelijks in je leven kan gebeuren. Maar kun je daar echt rekening mee houden? Je leest er dagelijks over in de krant, je leest de overlijdensadvertenties van kinderen die plotseling weggerukt worden uit het leven, weg uit de armen van hun moeders. Waarom zou het ons treffen?

Het heeft ons getroffen, het toeval heeft ons niet overgeslagen. De dood heeft huisgehouden in onze villa uit de jaren dertig van de twintigste eeuw, in ons paleisje met het rieten dak, de dubbele garage en de zaal van een spreekkamer en al die andere kamers waar ook de kinderen van de buren kwamen spelen.

Heel lang was ik als verlamd als ik eraan dacht wat er gebeurde op die verschrikkelijke dag in het voorjaar. In dat afschuwelijke voorjaar toen de hele natuur opnieuw begon te leven. Ik had de bagage al klaargezet in de bijkeuken. We hoefden de tent en de stoelen, het komfoor en al die andere dingen die je nodig hebt alleen nog maar in de bagagewagen te laden. We reden onze auto over het knerpende grint tot aan de achterdeur. We draaiden de auto met het wagentje eraan vastgekoppeld. Het klonk ons als muziek in de oren, die banden in de dikke laag grint. Zoveel ruimte hadden we achter het huis, genoeg om nog een extra rondje te rijden, zomaar uit een soort kinderlijk plezier. Albert genoot ervan, want Albert is uitdrukkelijk het jongetje gebleven. Ergens onder de deftige laag van de huisarts. Want dat moest je zijn, dat verwachtten de patiënten van je, jij was de dokter, de autoriteit die alles wist. In die tijd hadden nog maar enkele mensen weet van mondigheid.

Ze hielpen allemaal mee, Anna, Marijke en Christien.

'Wanneer gaan we?'

'Morgen, nog maar één nachtje slapen.'

Ze inspecteerden de bagagewagen die de hele winter in de garage had gestaan.

'We hebben een mooie bagagewagen,' zei Marijke en ze klom op de dissel om het touw aan te pakken dat kruislings over het dekzeil werd gebonden, zodat het niet in de rijwind ging klapperen. 'Nu wordt niets meer nat,' zei ze, 'ook al regent het nog zo hard, hè papa?' En onze kleine Christien wilde ook op de dissel staan. Precies als haar zusje. Anna stond naast ons om aan te geven dat ze eigenlijk al bij de groten hoorde. Anna glimlachte alsof ze wilde zeggen, laat mijn kleine zusjes maar even, ze zijn nog klein, dan wil je nog op de dissel staan omdat je anders niet kunt zien hoe papa en mama het touw boven op het zeil vastknopen.

Ik zie het allemaal nog voor me. Alles wat er die laatste middag gebeurd is staat als met een stalen griffel in mijn geheugen gekerfd. Ik kan geen detail vergeten. Ik had alle boodschappen de dag tevoren al gehaald. Zodat we vroeg konden vertrekken, voor dag en dauw. Albert en ik reden om beurten en de kinderen konden op het grote bed op de achterbank slapen. Christien, de kleinste in elk geval. Misschien wel tot ver in België.

'Moet ik dan slapen?' vroeg ze met haar heldere stemmetje.

'Nee, hoor Christien, als we morgenochtend om vier uur vertrekken, hoef je niet te slapen. Je mag best wakker blijven.'

'En gaan we dan ook weer naar die camping bij Parijs waar we in dat grote zwembad hebben gezwommen? Met die grote platte, rode stenen met die spikkeltjes erin?' vroeg onze Marijke met haar scherpe geheugen voor de kleinste details.

'Als het mooi weer is en als het niet te druk is blijven we er twee nachten. Op de terugweg gaan we daar weer kamperen en misschien gaan we dan met de trein naar Parijs.'

'Met de trein? Naar Parijs papa?' vroeg ze. En vervolgens keek ze mij aan, met haar grote, levendige donkere ogen.

'Ja,' zei Albert terwijl hij haar optilde en een zoen gaf, 'met de trein kleine wijsneus, omdat het station vlakbij is in Saint-Chéron. En dan hoeven we in Parijs ook geen parkeerplaats voor de auto te zoeken. Want Parijs is een heel grote stad waar miljoenen mensen wonen.'

Ik nam haar van Albert over. Ik gaf haar ook een zoen en knuffelde haar.

Ik weet elk detail, elke bijzonderheid van die laatste middag voordat we naar het zuiden zullen vertrekken. Het is al zo vaak in mijn bewustzijn voorbijgetrokken. Als in een film, haarscherp. Elk beeld, elk geluid en elk woord is feilloos in mijn geheugen opgeslagen. En daar zal het blijven. Tot mijn laatste snik. Niets zal gewist worden, ook al zou ik het willen.

27

Je zult het altijd zien. Op de momenten waarop je het eigenlijk niet kunt gebruiken is er iets wat al je aandacht opslurpt. We hadden alles geregeld, de vervanging voor onze huisartsenpraktijk, de buren die de bloemen water geven en de juffrouw die ons helpt in de huishouding. De bagagewagen staat ingepakt klaar en dan krijg je een telefoontje van een patiënt die het benauwd heeft. Uitgerekend van een moddervette man van zesenzestig die meent stilzittend van een lang pensioen te kunnen genieten. 'Want ik heb nu lang genoeg voor mijn baas geploeterd. Nu ben ik aan de beurt,' zegt hij hijgend en puffend, als hij moeizaam op de stoel tegenover mij neerploft. En straks stapt hij in de auto als hij bij de buren op bezoek gaat, die drie huizen verder wonen, weet ik. Hij komt regelmatig op mijn spreekuur, als ik dienst heb. Waarschijnlijk komt hij bij mij, en niet bij Albert, omdat hij van mij meer toegevendheid verwacht. Dan heeft hij last van zijn heupen, dan zijn het de knieën en de laatste tijd zit het zuur hem weer dwars, ik kan wel raden waarvoor hij komt. Of ik weer een recept uit wil schrijven. De cardioloog heeft hem ook al gewaarschuwd. Maar denk maar niet dat hij zich iets van ons aantrekt. De man heeft ook nog een kort lontje, als je hem ongezouten de waarheid zegt, kan hij terplekke een aanval krijgen. 'Misschien heeft hij zich al een infarct gevreten,' zegt Albert terwijl hij naar de auto loopt. 'Ze vreten zich altijd te barsten op de ongelukkigste momenten.' Natuurlijk zeggen wij zoiets als niemand ons kan horen, ook onze kinderen niet. Maar wij denken het wel, want wij zijn ook maar mensen van vlees en bloed. Albert stapt in de auto om te kijken hoe het met onze luie en vette hartpatiënt gaat. 'Na de vakantie moeten we nog maar eens met hem gaan praten Annelies.' Ik knik. Ook nog een roker, denk ik, arm hart, arme longen.

Dan wordt er gebeld aan de deur van onze praktijk. Iemand die wij nog nooit op het spreekuur hebben gehad. Een jonge man die niet om kan gaan met een cirkelzaag. Een flinke jaap in de muis van zijn duim. Eén en al bloed. Moet ik hem doorsturen naar het ziekenhuis in de stad? Ik kijk, het valt mee, het lijkt erger dan het is. Maar ik moet wel hechten en dat komt me eigenlijk niet uit. Anna is nog bij haar vriendinnetje en Marijke en Christien zijn alleen in de woonkeuken. Uiterlijk ben ik de rust zelve. Ik geef hem een klein prikje tegen de pijn want hij lijkt me een echte kerel. Stoer met veel bravoure aan de buitenkant, maar bij het eerste hechtinkje zakken ze weg, in je behandelstoel. Als ik tenslotte zijn hand heb verbonden en de rommel opruim, hoor ik de sirene. Ik kijk door het raam. Voor ons huis staat het verkeer stil. Ik loop naar de keuken waar Christien aan tafel zit te spelen, grijp de verrekijker waarmee we de vogels in de tuin spotten en loop terug naar de spreekkamer. Tussen de weg en ons huis ligt onze tuin, honderd meter diep. Door de kijker zie ik Albert. Hij zit voorovergebogen. Iemand ligt op de weg, dan kan ik hem en het slachtoffer niet meer zien, omdat de ambulance in mijn gezichtsveld rijdt. Tien meter verder staat een vrachtauto met een loeizware aanhangwagen half in de berm. Ik verstijf, mijn hart slaat over. Waarom voor ons huis? Waar is Marijke? Ik vlieg naar de woonkeuken. 'Waar is Marijke Christien?'

'Ik weet het niet mama', zegt ze met een verschrikt stemmetje.

'Mama moet even weg,' zeg ik zo rustig als ik kan, 'je moet aan tafel blijven spelen.'

'Ja mam,' zegt ze gehoorzaam. Ik kijk snel naar het aanrecht, er staat niets op het vuur. Op een holletje loop ik naar de straatweg. Politieagenten regelen het verkeer. De vrachtauto staat er nog. De ambulance is weg. Albert is weg. Dan zie ik de plas bloed. Een politieagent komt naar me toe. Ik ken hem.

'Mevrouw,' zegt hij. Ik zie zijn gezicht…ik weet het. Ik gil, ik schreeuw, het wordt me zwart voor de ogen. Hij ondersteunt me. Hij weet niet wat hij moet zeggen. 'Ik begrijp het,' fluister ik, zo'n grote plas bloed, die grote dubbele banden. Schokkend en trillend sta ik met mijn hoofd tegen zijn schouder geleund.

'Is ze dood?' vraag ik. Hij kan niets zeggen, de tranen stromen over zijn wangen. Hij schudt zijn hoofd. 'Nee mevrouw,' fluistert hij, 'ze was niet dood.'

Ik probeer mijn tranen te drogen, onze buren komen aanlopen.

'Ik let wel op Christien en Anna,' zegt de buurvrouw.

De agent brengt me naar zijn auto, we rijden naar het ziekenhuis in de stad. De rit duurt een eeuwigheid, ik kan alleen maar huilen. Bij de ingang neemt iemand me in de arm. In een waas zie ik de trap, de balie, de lift en dan verder door de hal. Ze brengen me naar de gang tegenover de operatiekamer. Ik ken het ziekenhuis, want ik kom er vaak. En daar zit Albert, voorovergebogen met zijn hoofd in zijn handen. We slaan de armen om elkaars schouders en we huilen, want we weten het. We blijven zitten. Albert beeft. Ik streel zijn haar tot hij rustig wordt.

'Het is erg hè,' fluister ik tenslotte.

'Heel erg,' zegt hij na lange tijd. 'Ons kind.' Albert kan alleen maar knikken.

Ze wachten tot wij weer enigszins bij onze positieven zijn. De verpleegkundigen kennen ons, omdat we regelmatig onze patiënten komen bezoeken. Ze brengen ons zwarte koffie. Ze vragen ons wat ze nog meer kunnen doen. Dan worden we geroepen, we zitten we tegenover de internist die we zo goed kennen.

'Nu overkomt het jullie,' zegt hij en hij gaat naast ons staan. Hij legt zijn hand op onze schouders.

'We hebben gedaan wat we konden,' zegt hij zacht. We knikken. Het is lange tijd stil. De airco ruist, de stilte is verschrikkelijk want ze zegt meer dan duizend woorden. 'Is ze er niet meer?' fluister ik, terwijl ik hem door mijn tranen aankijk.

'Ze is er nog,' zegt hij zacht met gebroken stem. Het gaat hem aan het hart, we voelen het, we horen het aan zijn stem. Onze Marijke is niet een anoniem kind. We zijn niet bevriend maar we kennen hem en zijn vrouw wel persoonlijk. Ze hebben kinderen in dezelfde leeftijd als wij, ze spelen weleens met elkaar.

Hij geeft mij een bekertje koud water. 'Probeer nu kalm te zijn Annelies,' zegt hij. En nog eens nadrukkelijk 'Je moet nu voor je kind kalm zijn, want ze heeft om jou geroepen, ze wacht op jou.'

Er komt een ijselijke rust over me. Voor je kind kun je alles. Ook ijselijk kalm worden als het moet. Marijke heeft me nu nodig. Ik weet intuïtief dat het voor de laatste keer zal zijn. Ze ligt in een kamer vlakbij. Twee deuren verder. Als ik binnenkom zie ik het kleine hoofdje ingepakt in wit verband en haar donkere ogen die gaan glimmen als ze mij ziet. Ik zoen voorzichtig haar wang en kijk haar aan. Ze wil iets zeggen, ze fluistert iets, ik houd mijn oor bij haar bleke lippen. 'Mama niet huilen, ik ga met engeltjes spelen.' Ik zie een vage glimlach op haar lippen, haar ogen staan vrolijk en dan zegt ze nauwelijks hoorbaar: 'Ze zijn er al mama.' Haar bleke gezichtje verstrakt, ze wordt nog bleker. Ik voel wanhopig haar pols, het is stil. Ze beweegt niet meer, haar pols is weg. Het apparaat naast het bed piept drie maal en er verschijnt een lange groene lijn op het scherm.

Albert staat naast me, 'Ze heeft op ons gewacht Annelies.' Hij drukt voor de laatste maal zijn lippen op het witte gezichtje. Ik weet niet meer hoe lang wij naast ons kind staan.

'Heeft ze geleden?' vraag ik toonloos op de gang aan Henk, de internist. Hij zwijgt en kijkt me hulpeloos aan.

'Je moet het me zeggen,' dring ik aan.

'Haar rugje was gebroken, ze heeft niets kunnen voelen.'

28

Een halfjaar later ben ik nog verdoofd. Als een robot doe ik mijn werk. Ik doe mijn best voor Albert, Anna en Christien, maar mijn hart is niet meer bij hen. Ik weet het, ik voel het en ik wil anders. Het moet zijn tijd hebben zegt Albert, het moet slijten Annelies. Ik zeg ongeveer hetzelfde tegen hem. Want Albert heeft het ook moeilijk. Hij heeft haar ook nog gevonden op de weg toen die zware banden over haar benen waren gereden. Duizend keer heeft Albert het gezegd, zelfs in zijn halfslaap. Hoe is het mogelijk dat ons arme kind nog leefde toen we in het ziekenhuis aankwamen Annelies zegt hij, hoe was het mogelijk. Onze arme Marijke. Ik wil de details niet weten. Maar Albert heeft het moeten zien. We moeten blij zijn dat ze niets heeft kunnen voelen, zegt hij. Ze heeft in elk geval niet geleden. En ze heeft nog tegen je gelachen Annelies. Zulke dingen zegt Albert. Het is zo goed bedoeld.

Gelukkig heb ik mijn werk nog. En ik moet er zijn voor Anna en Christien. Ze doen hun uiterste best. Ik ook en ik denk dat ze het begrijpen, maar soms bekruipt me een schuldgevoel. Diep vanuit mijn hart, uit het gevoel dat mijn leven inhoud zou moeten geven.

Soms schrik ik als ik in de spiegel kijk. Mijn ongeschonden gezichtshelft is doods geworden, ook daar zie ik de contouren van een doodshoofd. Vroeger, als ik met half afgewend gezicht in de spiegel keek had ik daar nog een levendig uiterlijk, ik was daar nog bewegelijk, nog vrolijk en opgewekt. Ik was er trots op. En dankbaar voor mijn innerlijke kracht die daar naar buiten trad. Met onze Marijke is mijn levenszin begraven. De dood heeft bezit van me genomen. Ik heb verloren.

Albert en ik liggen roerloos naast elkaar in bed. Ik kan er niet meer toe komen mij om te draaien. In zijn richting. Mijn hand glijdt niet door de lakens naar hem van wie ik nog altijd zielsveel houd. Ik durf hem niet meer aan te raken. De lust is weg. Alsof ik me voor hem schaam.

Als het voorjaar aanbreekt met uitbundig mooi weer, begin ik niet over de vakantie. Ik wacht tot Anna en Christien ernaar vragen. Christien met haar heldere stemmetje, Anna met een wijze opmerking. Maar ik betwijfel of ik ooit nog de bagagewagen samen met Albert uit de schuur zal durven trekken.

Ik tel de maanden die voorbij zijn gegaan. Ergens in mijn agenda schrijf ik met een dun potlood, nauwelijks zichtbaar, de cijfers, alleen ik weet wat ze betekenen. Kille cijfers, de som van die verschrikkelijke maanden die voorbij zijn gegaan na haar begrafenis. Ik ga me zorgen te maken. Mijn verstand zegt me dat ik in de gevarenzone kom. Er moeten rode lichten gaan branden, zeg ik tegen mezelf. De pijn zou nu minder moeten worden. Oude patiënten, grootmoeders en moeders zien het, ik merk het wel. Natuurlijk doet het me goed, het is een troost, maar ze durven er niet met mij over te praten, want dat doe je niet met mevrouw de dokter. Er is er eentje, ze is al ver in de negentig, mager en verdroogd, die me op een heel subtiele manier probeert te helpen. Ze is van gereformeerde huize, zoals bij ons thuis. Haar kamer is behangen met tegeltjeswijsheid. Een tekst op een eikenhouten schijfje hangt boven haar bed. *God is liefde.* Ik zie het al jaren en al jaren zeg ik in mezelf, wat moet je daar nou mee, welke troost zit daar nou in? Dan, als ik weer eens langskom om naar haar been te kijken, ligt het houten prul op de stapel medicijnen die ik altijd even controleer. 'Ach,' zegt ze, 'wat spijt me dat nou mevrouw dat u er last van heeft. Ik zal direct vragen of ze het weer op willen hangen.' Ik kijk een seconde in haar oude, door staar aangetaste ogen. En dan weet ik het, ze heeft het kitscherige ding daar met opzet neergelegd. Ze heeft de werkster van de thuiszorg gevraagd de tekst van de muur te nemen. En toen heeft ze het op de stapel medicijnen gelegd. Ze wil dat ik die drie woorden lees. Ik sta een ogenblik met het oude stoffige ding in mijn hand en mijn ogen vullen zich als vanzelf met tranen. Ze vallen op het houten bordje. Hoorbaar en zichtbaar. Ik voel haar knokige hand op de mijne, ik druk haar oude gerimpelde gezicht voorzichtig tegen me aan. Als ik terugloop naar de auto zit er een grote natte vlek op mijn jasje. Zo heeft ze voor mij gehuild. In de auto achter het zonnescherm zodat niemand me kan zien huil ik met lange uithalen. Ik laat me gaan en ik jank als een gewond dier.

Soms weet je onbewust hoe het verder gaat met je leven. Soms verricht je lichaam zelfs handelingen die daarbij horen. En je weet het niet. Dat overkwam mij in dat mooie warme voorjaar, *als alle Knospen sprangen,* zoals Goethe eens dichtte. *Im wunderschönen Monat Mai, als alle Knospen sprangen, da ist in meinem Herzen die Liebe aufgegangen,* herinner ik me. En verder nog: *Himmelhoch jauchzend, zum Tode betrübt, glücklich alleine ist die Seele die liebt.* Ik schaam me voor die regels, die ik me niet zou mogen herinneren. Want dan zie ik Marijke's gezicht. Het is voor het eerst dat ik haar naam weer in gedachten uitspreek en mij haar gelaatstrekken weer durf te herinneren. Ik zie de lach op haar stervende gezichtje en weer huil ik. Zoals zo vaak. Maar mijn hand heeft een nummer gedraaid. Ik schrik van mezelf als ik hem zijn naam hoor noemen. Het is iemand die we allang kennen. De psychiater uit het ziekenhuis waar Marijke gestorven is. 'Mag ik een ogenblik met je komen praten?' vraag ik bijna automatisch. Natuurlijk vindt hij het goed, we kennen elkaar immers al jaren. We komen elkaar geregeld tegen bij herdenkingen en feestjes. Soms praten we vijf minuten met elkaar. Je weet hoe dat gaat en na die korte ogenblikken ken je elkaar toch al redelijk goed.

We maken een afspraak. De volgende dag al.

'Een merkwaardige coïncidentie,' zegt hij als ik tegenover hem zit. 'Ik had jou ook willen bellen.'

'Waarom?' vraag ik verbaasd.

'Omdat we elkaar toch al wat beter hebben leren kennen in de afgelopen jaren en ik jou een paar keer zo in het voorbijgaan heb kunnen observeren, als je één van je patiënten bezocht.'

'En?' vraag ik.

'Omdat je vastzat in je verdriet, daarom wilde ik je bellen.'

Ik realiseer me terdege dat hij de verleden tijd gebruikt.

'Zat?' vraag ik nog eens voor de zekerheid.

'Je komt weer terug Annelies, je zoekt hulp. Dat is het eerste teken. Ik had trouwens ook niet anders verwacht. Ik zeg het je maar ronduit. Mensen als jij met een rijk gevoelsleven gaan door diepe dalen als ze een kind verliezen.'

Ik knik alleen maar.

Hij kijkt me lang aan.

'Eigenlijk kan ik weinig voor je doen Annelies.'

'Dat weet ik zelf ook wel, maar ik heb je toch gebeld voor een praktische raad.' En ik vertel hem dat ik er niet toe kan komen weer met Albert te gaan vrijen. 'Ik durf het gewoon niet, alsof ik me schaam. Jij bent een kerel Hendrik, misschien kun jij me raden.'

'Heb je er al over nagedacht waarom je het niet durft Annelies?'

Ik schud ontkennend mijn hoofd.

'Denk er nu over na. Nu op dit moment Annelies.'

'Het is natuurlijk omdat wij ons dan gelukkig zouden voelen en dat mag niet van ons. Niet van mij en niet van Albert, wij mogen ons niet gelukkig voelen omdat Marijke er niet meer is,' antwoord ik en ik hoor een zekere opluchting in mijn stem.

'Zo simpel is het. Maak het verhaal nu eens af Annelies,' zegt hij, terwijl hij me doordringend aankijkt.

'Afmaken?' vraag ik verbaasd.

Hendrik staat op en gaat met zijn rug naar me toe voor het raam staan. 'Denk rustig na Annelies, Wat kan er volgen op jouw laatste constatering, dat jullie niet gelukkig mogen zijn omdat jullie kind er niet meer is?'

Het is omdat Hendrik aandringt, want ik denk nooit *verder* als het over de dood van Marijke gaat. Omdat het te pijnlijk voor me is. Nu doe ik het, omdat Hendrik het vraagt. Ik voel tranen prikken. Ik droog mijn ogen. Dan weet ik het, ik heb het natuurlijk altijd geweten, maar ik heb het nooit bewust *willen* weten, omdat het niet van mezelf mocht.

'Je wilt natuurlijk zeggen, Hendrik, dat ons kind als het groter geweest zou zijn, gewild zou hebben dat wij weer gelukkig zouden zijn, Albert, Anna, Christien en ik.'

Hendrik knikt.

Hij schrijft een naam en een adres op. En terwijl hij mij het papiertje aanreikt, zegt hij: 'Je vertelde mij een paar maanden geleden over Marijke, en wat ze tegen jou zei, vlak voor ze stierf. Over engeltjes waarmee ze ging spelen en dat ze gelukkig was in die laatste ogenblikken.'

Hij wacht even, kijkt me vragend aan.

'Ja?' vraag ik, niet begrijpend waar hij heen wil.

'Dit is het adres van een collega van me. Ik tref hem een enkele keer op vergaderingen en congressen. Hij heeft een paar jaar geleden een hartaanval gehad met een bijna-doodervaring. Ik zal hem bellen en zeggen dat je een afspraak met hem gaat maken.'

Hij kijkt even op. 'Als je het zelf wilt natuurlijk Annelies.'

'Jij denkt dat het zinvol is?' vraag ik terwijl ik tegelijk weet dat de vraag zinloos is, want mijn nieuwsgierigheid is al gewekt.

'Mensen met deze ervaring zijn in de regel voorzichtig. Ze maken niet publiekelijk bekend wat ze hebben ervaren. Want voor je het weet zegt de goegemeente, dat ze die psychiater niet moeten omdat hij daast. Hij heeft het over leven na de dood, over engelen en meer van die onzin. Begrijp je Annelies? Dus mondje dicht.'

Ik bedank Hendrik, trek plagend aan zijn oor en geef hem een zoen op zijn wang als ik naar de deur van zijn spreekkamer loop.

'Ik stuur je de rekening wel,' zegt hij met zijn kwajongensogen, terwijl hij met een diepe buiging de deur voor me opent. Hendrik lijkt wel wat op mijn Albert, het zijn mensen in wie het kind altijd is blijven leven. Ja, durf ik verder te denken, in wie het kind nooit is *gestorven*.

29

Klaas de Boer ontvangt me bij hem thuis. In een buitenwijk, mooi in het groen. Zijn vrouw, een hippe tante, type
eeuwige jeugd, komt aan de deur. Ze is wel hartelijk

'Kom er in, meid,' zegt ze alsof we elkaar al jaren kennen. Ze weet kennelijk wie ik ben en waarvoor ik kom. Ze
is erg familiair, zo direct, zo in het begin. Ik vind het niet
erg, niet bij deze vrouw en niet bij Klaas, een wat moeilijk
te definiëren vrij forse man, bijna kaal met een groot eivor-
mig hoofd en matte bruine ogen. Ik had in die slierten, de
resten van wat eens een ruige bos haar geweest moet zijn,
allang de schaar gezet, denk ik. Maar zij zal wel van hem
houden, want zo gaan ze met elkaar om. Bij dit stel zie je
het, je ruikt het en als je een hand op hun blote lichaam
zou leggen zou je het gezamenlijke pulseren van hun aderen voelen. En je hoort het natuurlijk ook. Hun stemmen
hebben een speciaal warm timbre als ze met elkaar praten.
Heel mooi, heel roerend. Ik ben verzot op zulke mensen,
omdat ik het herken.

We gaan met ons drieën in de living zitten, met weids
uitzicht op de tuin met waterpartij.

'Hendrik heeft je al verteld Annelies waarom ik niet
met mijn bijna-doodervaring te koop loop.'

Ik knik. 'En jij weet dus waarom ik hier ben,' zeg ik.

We lachen even kort. We praten over de woonkamer,
het uitzicht op de tuin en het weer. Melanie brengt thee en
dan komt het doel van mijn bezoek ter sprake.

'Ik vertel je eerst wat ik heb meegemaakt. Voor mij gaat

het om feiten Annelies.' Hij kijkt me een ogenblik met zijn opvallend bruine ogen onderzoekend aan.

'Ik begrijp je Klaas,' antwoord ik.

'Welke conclusies je eraan wilt verbinden, laat ik aan jou over. Jij zult mijn woorden nooit kunnen verifiëren en ik kan niets bewijzen. Je zult me dus letterlijk op mijn woord moeten geloven Annelies.' Zijn ogen glinsteren ondeugend. 'Je moet er dus aan geloven.'

Ik neem een slok van de thee want ik heb een droge keel.

'Tien jaar geleden kreeg ik, pats boem, een hartaanval. Niet zo'n kleintje waar veel mensen mee beginnen, maar gelijk eentje van het zwaardere kaliber. Het overkwam me tijdens mijn werk, zodat ze gelijk met mij aan de slag konden. En nu komt mijn verhaal Annelies, ik ging door een donkere tunnel naar het licht.'

Hij kijkt me aan met zijn kwajongensogen, waar de zon in schijnt. Hij glimlacht, z'n glimlach verandert in een diepe, warme lach, als hij me aankijkt alsof ik zijn patiënt was. Hij maakt er een grapje van. Heerlijke man, niks mis mee, denk ik.

'Want,' zegt hij ernstig, 'het is geen straf als ik het aan iemand als jij moet vertellen, iemand die me serieus neemt. Integendeel, ik praat er graag over omdat het,' hij zwijgt enkele tellen, 'omdat het alles overweldigend was. Er zijn geen woorden om het te beschrijven Annelies. En geen gevoelens waarmee je het kunt vergelijken. Ik zeg weleens tegen Melanie, denk aan een hevige vorm van verliefdheid, maar dan duizend keer sterker. Je bevindt je in een onbeschrijflijk warm licht, waar volmaakte vreugde en liefde uitstralen. En ik maakte daar deel van uit. Ik was er graag gebleven, maar ik moest terug. Ik viel terug door de tunnel en ineens zweefde ik boven mijn eigen lichaam. Ik heb later alles tot in details kunnen beschrijven, bijvoorbeeld hoe mijn collega's in de weer waren om mijn hart aan de praat te krijgen. En wat ze daarbij zeiden.' Hij zwijgt en drinkt zijn thee 'Geloof je mij?' vraagt hij.

'Ja natuurlijk,' antwoord ik zonder aarzeling.

'Waarom?'

'Omdat je niet een man bent die liegt. Zo'n type ben je niet. Je wilt ook niet opscheppen of mij overdonderen. Kortom ik kan niets bedenken waarom je mij zou willen bedotten.'

Hij knikt. 'Dat zie je goed Annelies.'

'Is het nu een mooie herinnering voor je Klaas?' vraag ik toch wel nieuwsgierig.

'Veel meer, het is nu de basis van mijn leven. Het is de absolute zekerheid: mij kan niets meer gebeuren. Want ik zal tenslotte altijd daar weer terugkomen.' Hij begint weer te lachen.

'Jij weet nog wat van de kerk en die dingen, ja toch?'

'Ze waren bij ons thuis gereformeerd en in mijn jonge jaren ben ik trouw naar de kerk gegaan.'

'Dan moet je de uitdrukking, 'ik ben in Gods hand' kennen.'

'Natuurlijk ken ik die,' antwoord ik.

'Zo voel ik dat Annelies, ik ben in Gods hand, wat er ook gebeurt. Toegegeven het is een gedateerde uitdrukking. Ik gebruik de uitdrukking alleen om je te laten weten in welke orde van grootte je moet denken, begrijp je?'

'Je gelooft dus niet in de God van vroeger?' vraag ik om zeker te zijn dat ik hem begrijp.

'Welnee Annelies, ik geloof al lang niet meer niet in dat antieke godsbeeld. Nee, niet in die superman die jouw belangen verdedigt en je vijanden in mootjes hakt, die God die ze vroeger uit konden tekenen heeft er niets mee te maken. Het is een gevoel, iets uit je hart. Een bezieling, zo je wilt. Maar wel verdomd echt Annelies.'

Ik knik, maar zeg niets omdat ik niet weet, wát ik zou moeten zeggen. O ja, geen twijfel mogelijk, het is hartstikke echt bij hem, het straalt van zijn gezicht. En dat zeg ik hem ook. Nog een keer. Ten overvloede misschien. 'Jij belazert me niet Klaas.'

Hij maakt een afwerend gebaar. 'Dat zou toch schandalig zijn Annelies. Jij komt hier voor je kind dat je op een afschuwelijk manier is afgepakt en zou ik jou dan wat op de mouw spelden?'

Het is een uur of drie, Melanie vraagt of ik wat wil drinken. Een glaasje wijn? Ik wimpel zo beleefd mogelijk af. Ik mompel iets dat ik nog moet rijden en niet tegen alcohol kan. Het is trouwens nog waar ook.

'Hendrik heeft mij verteld wat je kind, wat Marijke heeft gefluisterd, over engeltjes waar ze mee ging spelen en dat je niet moest huilen.'

'Ja,' zeg ik met een droge mond. Ik slik, maar ik huil niet meer. 'Ja dat heeft ze gezegd en daarna was ze weg. Wij denken dat ze op ons heeft gewacht. De internist zegt dat het heel bijzonder is dat Marijke nog zo lang heeft geleefd. Wij denken dat trouwens ook. Gezien de verwondingen.'

We lopen naar buiten, het is een mooie middag, windstil, half bewolkt en twintig graden. Klaas laat me zijn goudvissen zien. En het waterfilter met de pomp, dat hij ingenieus heeft weggewerkt in een rotspartij. 'Mooi,' zeg ik waarderend, 'mooi zonder dat het kitscherig is geworden.'

Klaas lacht. 'Wat wil je Annelies, als Onze-Lieve-Heer je zijn hemel heeft laten zien, dan kan ik er hier toch geen rotzooi van maken?' Klaas is goedlachs, ik begin erover. 'Altijd geweest,' zegt hij, 'daarvoor ook al.'

Ik wil opstappen, maar Melanie wil me nog koffie geven, 'Het is nog altijd tachtig kilometer terug naar je mooie oude doktershuis,' zegt ze.

'Je denkt dus dat Marijke, hoe klein ze ook was, zo'n ervaring heeft gehad als jijzelf Klaas?' Ik wil er toch nog even met hem over praten. 'Volgens mij wel,' zegt hij zonder aarzelen.

'Waarom hou je toch zoveel slagen om je arm, als je over je ervaring praat?' vraag ik.

'Ik begrijp je vraag,' en hij knikt nog eens. 'Ik heb er eigenlijk drie gegronde redenen voor Annelies. Punt één, de meeste mensen, nemen je niet echt serieus, vooral mannen die een wetenschappelijke opleiding hebben gehad denken dat je een halfzachte bent die een punt wil maken. Ze denken onmiddellijk dat je weer zo'n oude gereformeerde rakker bent geworden. Punt twee, je hebt begrepen Annelies, hoe ontzettend heilig mij deze ervaring is, voor mij is het een geschenk dat alles overtreft, en je wordt ontzettend op je hart getrapt als ze daar grapjes over maken.'

Hij kijkt me vragend aan. 'Begrijp je dat Annelies?'

'Zonder meer.'

'En ten derde, als het toch niets uithaalt, als ze jou toch niet geloven waarom zou ik dan mijn integriteit als psychiater op het spel zetten?'

'Is dat echt zo?' vraag ik.

'Kijk nou es naar die Van Lommel, je weet wel die cardioloog die een prachtig boek over bijna-doodervaringen heeft geschreven. Je wilt niet weten Annelies, wat die man over zich heen heeft gekregen. Terwijl hij toch, als je het wetenschappelijk-filosofisch bekijkt volkomen te goeder trouw is. Goed, hij vraagt zich hardop af of er toch niet meer is dan alleen maar materie en natuurwetten. Of er toch niet zoiets is als een hemel, of wat daarop lijkt. Op zulke terechte vragen pakken ze hem aan.' Klaas schudt verontwaardigd zijn hoofd

'Het lijkt me juist typisch wetenschappelijk om geen enkele vraag bij voorbaat uit te sluiten.'

Thuis, waar ik aan de beurt ben om eten te koken en een salade klaar maak, vraagt Anna: 'Waar was je toch de hele middag mam?'

'O, ik was even in een tuincentrum,' antwoord ik als ik tegenover haar en Christien aan tafel ga zitten.

'Een tuincentrum?' vraagt nu ook Albert. Ik geef hem een knipoog, hij begrijpt me. Want hij weet waar ik geweest ben. Anna en Christien hoeven niet alles te weten.

'Ik heb er heel mooie rozen gezien,' zeg ik tegen Albert.

'Aha,' zegt hij, nog niet geïnteresseerd. 'We zouden ze tegen de tuinmuur kunnen planten, in de zon,' zeg ik, terwijl ik wellustig het puntje van mijn tong langs mijn lippen laat glijden. Ik kijk Albert diep in zijn ogen. 'Het is een heel bijzondere roos Albert. Als de zon de blaadjes streelt, vouwen de lipjes zich vanzelf naar buiten open.' Albert zucht nauwelijks hoorbaar maar een glimlach krult om zijn lippen. Hij bloost. Ik kan hem wel opvreten. We kijken even naar onze kinderen, ze hebben niets in de gaten. 'Heb je toevallig een afbeelding van die roos bij de hand Annelies?'

'Als Anna en Christien naar bed zijn, zal ik je mijn roos laten zien. Alleen aan jou', en ik knijp even in zijn hand. 'Je bent een lieverd,' zegt hij. Ik kijk in zijn ogen die me maar een ding willen zeggen. Maar ik lees er ook een oneindig aantal spannende verhalen in. In die spiegels van de ziel die schitteren als sterren in een warme zomernacht.

30

Weken later als ik de kinderen naar bed breng en nog even naast Anna op haar bed zit, slaat ze ineens haar armen om me heen, ze drukt haar gezicht tegen mijn buik en ze kijkt me vervolgens aan. Ze heeft tranen in haar ogen. Ze is verlegen. Dat is ze nooit bij mij en dan zegt ze: 'Je bent een lieve mama.' Ik ben verwonderd en ontroerd, ik knuffel haar en kroel in haar lange donkere haren.

'Je wordt een grote meid,' zeg ik. Mijn woorden komen eruit als in een reflex, omdat ik eigenlijk niet weet wat ik moet zeggen. Omdat Anna me verwart. Want zo intens, zo diep gemeend heeft ze nog nooit gezegd dat ze me lief vindt. 'Waarom zeg je dat Anna?'

'Omdat je weer bij me bent,' en ze drukt opnieuw haar gezicht tegen me aan. Ze snikt.

'Ik ben toch nooit weggeweest Anna?' Ik streel haar haren, ik druk mijn lippen op haar voorhoofd, ik knuffel haar. 'Ik was weg Anna. Ik begrijp je wel, ik had verdriet om Marijke en daarom leek het alsof ik er niet meer voor jou was.'

Met mijn armen om haar heen voel ik het bonzen van haar hart. Anna heeft sterke emoties van Albert en mij geerfd. In onze oudste dochter leven wij beiden voort, zegt Albert. Onze jongste, Christien, is veel afstandelijker. Wij denken dat Christien heel intelligent is. We zijn voorzichtig met zulke conclusies omdat we weten dat je als ouders bevooroordeeld bent als het om je eigen kinderen gaat. Veel ouders denken immers dat hun kinderen hoogbegaafd zijn, terwijl ze blij mogen zijn als ze de mavo aankunnen. Anna gaat rechtop naast me zitten. Ze droogt haar tranen met de papieren zakdoek die ze uit mijn mouw trekt. 'Je moet je niet meer schuldig voelen mama.'

'Hoe kom je daar nou bij meid?'

'Dat heeft beppe tegen me gezegd. Toen ik in de grote vakantie bij hen heb gelogeerd. Dat jij verschrikkelijk veel verdriet had om Marijke en dat jij je schuldig voelde omdat je niet goed op haar had gepast.'

'Zei beppe dat?'

Ze knikt alleen maar. Een ogenblik denk ik, waar bemoeit mijn moeder zich mee. Maar dan herinner ik mij wat Albert en ik er al eens over hebben gezegd, dat mijn moeder Anna's grootmoeder is en dat ze daarom tegen Anna moet kunnen zeggen wat zij als grootmoeder meent te moeten zeggen. Want Anna is niet ons persoonlijk eigendom.

'Ik voel me niet meer schuldig Anna,' zeg ik zacht. Ik fluister het bijna.

Terwijl ik haar instop zoals vroeger zegt ze: 'Beppe zegt dat Marijke in de hemel is. En dat we daarom niet meer verdrietig hoeven te zijn.'

Ik zoen haar en wil snel weglopen omdat de tranen me in de ogen springen, maar ze pakt me bij mijn mouw en vraagt: 'Dat is toch zo hè mam, Marijke is toch in de hemel?'

'Ja natuurlijk Anna.' Terwijl ik haar opnieuw zoen, realiseer ik mij dat er geen spoor van twijfel in mijn stem is.

Een paar dagen later, onder het eten, zegt Christien die de hele middag bij ons buurmeisje Claudia heeft gespeeld: 'Bij Claudia zeggen ze dat jullie intellectuelen zijn.' Ze kijkt ons beiden even op en neer aan en voegt eraan toe: 'Ik dacht altijd dat jullie gewoon dokter waren.'

We lachen uitbundig en Albert zegt: 'Intellectuelen zijn

mensen Christien, die heel veel geleerd hebben en een grote kast vol boeken hebben.'

'Nou dat heb je toch papa. Dan ben je toch een intellectueel?'

Ze ziet dat wij doen alsof we verlegen zijn. Ze heeft ons door. 'Waarom zeggen jullie niet ronduit dat jullie intellectuelen zijn? Waarom schamen jullie je daarvoor?'

'Omdat het opschepperig is als je het van jezelf zegt,' antwoord ik. Ze eet haar bord leeg, en zegt: 'Ik wil later intellectueel worden, want ik wil alles weten.' Albert en ik lachen opnieuw en we zien onze kinderen denken. We zien dat ze opgelucht zijn. Ze weten intuïtief dat we weer helemaal bij hen zijn. Voor hen en voor onszelf.

'Waarom wil je weten of we intellectuelen zijn?' vraagt Albert.

'Omdat ze bij Claudia zeggen dat intellectuelen niet meer in God geloven.'

'Als ze dat zeggen, dan moet je terug zeggen dat wij wél ergens in geloven, maar dat wij er een andere naam voor hebben, en dat we beslist in iets geloven. Zeg maar dat wij ook in de hemel geloven.'

'Omdat Marijke er is?' vraagt ze.

'Ja, omdat Marijke er is.'

'En omdat er al een heleboel mensen zijn geweest die door een kier een blik in de hemel hebben geworpen.'

'Weten jullie hoe de hemel eruitziet?' vraagt Christien die altijd het naadje van de kous wil weten.

'Ik zal je het in het kort uitleggen Christien,' zegt Albert. 'Er zijn vaak mensen die heel erg ziek zijn en dan zien ze iets heel moois. Wat ze precies zien weten ze niet, want ze hebben er geen woorden voor, maar het is zo mooi dat ze later als ze weer beter zijn er graag weer naartoe zouden willen. Zulke mensen zijn nooit meer bang om dood te gaan.'

'Die mensen zijn dus nooit echt dood geweest.'

'Nee. Echt in de hemel zijn ze niet geweest. Ze hebben alleen maar een glimp van de hemel gezien. Maar dat was genoeg om voor de rest van hun leven blij te zijn.'

Christien is tevreden met het antwoord. Maar Anna vraagt waarom er een hemel is.

Albert en ik halen tegelijk onze schouders op, alsof we het zo hadden afgesproken.

'We weten het niet,' antwoordt Albert. 'Er zijn zoveel dingen die we niet weten Anna. Waarom er een wereld is en waarom er mensen zijn en waarom ze van elkaar houden.' Albert haalt opnieuw zijn schouders op. 'Niemand die het weet Anna. Misschien is de hemel wel alle liefde van alle mensen die ooit voor ons hebben geleefd. Op andere planeten of in andere heelallen. Misschien is de hemel daarom zo mooi.'

'Hoe is de wereld begonnen?'

We hoeven geen antwoord te geven, ze leest het antwoord op onze gezichten.

'Jammer,' zegt ze, 'maar zodra ik het weet zal ik het jullie vertellen.'

31

Met de kerstdagen zijn we in Friesland. We hebben vervangers kunnen krijgen. En mijn moeder heeft een kerstboom gekocht. Een grote omdat een kleintje niet past in de grote woonkeuken. Ze heeft kosten noch moeite gespaard. Ze heeft de fris geurende takken behangen met nieuwe ballen en elektrische lampjes. En hartjes en engeltjes van suikergoed. Omdat wij komen.

De katten komen ons gedag zeggen en de kinderen willen direct naar de kalfjes kijken. Christien en Anna vertederen mijn vader elke keer weer. Hij zou voor zijn kleinkinderen de sterren van de hemel plukken als het kon.

'We zijn blij dat jullie er zijn,' zegt mijn moeder en elke keer moet ze zich inhouden, omdat ze een paar jaar geleden zei, 'dat jullie er *allemaal* zijn.' Het zal nooit wennen. Niemand van ons wil eraan wennen. Zelfs Christien begrijpt dat.

Mijn moeder stopt mijn kinderen vol met lekkers wat ze van mij niet mogen hebben. Ik zie ze verstolen naar me kijken.

'Bij uitzondering mag het,' zeg ik, 'dan is het niet erg.'

'Moet dat nou?' zegt mijn moeder, 'Moet je zo streng zijn voor je kinderen Annelies?'

'Ja mam,' antwoord ik, 'ik moet echt zo streng zijn. Omdat wij dagelijks op ons spreekuur de gevolgen zien van verkeerd en te veel eten. We zouden de helft van de mensen niet op ons spreekuur hebben, als de mensen zich wat konden inhouden en gewoon dagelijks een flink stuk gingen wandelen.'

'Je wilt niet weten moeder, wat mensen zichzelf aandoen,' zegt Albert, 'suikerziekte, wonden op benen die niet dichtgaan, last van het hart en ga maar door. De lijst is eindeloos. Als ze dan ook nog roken als ketters en zuipen als tempeliers, tja dan is het nog een wonder als ze de zestig halen.'

Mijn moeder kijkt naar Anna en Christien. 'Ik wil later ook dokter worden,' zegt Anna. 'Ik ook.' Christien wil niet achterblijven.

'Nou,' zegt mijn vader, 'dan is het maar goed dat jullie nu verstandig eten Anna en Christien, want je moet wel goed gezond zijn om al die zieke mensen te behandelen, als ik je vader hoor.' En mijn vader lacht. Niet om de zieken maar om ons. Omdat hij vertrouwen in ons heeft. En heel trots is.

Na de koffie laat mijn vader ons de koeien en de nieuwe stier zien. Als we achter het beest staan en de stier ons nieuwsgierig en niet onwelwillend aankijkt, zegt Anna: 'En denk erom stier, dat je goed je best doet, want we willen volgend jaar allemaal lieve kalfjes hebben.' We glimlachen en mijn vader zegt: 'Je zou ook wel boerin kunnen worden Anna, want je weet alles van het boerenbedrijf.'

Op eerste kerstdag gaan we met de hele familie naar de kerk. Mijn ouders zijn opgetogen, ik merk het aan alles. Vooral omdat mijn vader ook nog ouderling is geworden. Mijn moeder loopt trots voor ons uit door het middenpad. Ik weet haast letterlijk wat ze denkt: Kijk maar eens naar mijn dochter. Die kan alles ondanks haar handicap. En kijk maar eens naar mijn schoonzoon en mijn twee kleinkinderen. Want ze weet nog donders goed dat er iemand gezegd heeft, dat zo'n mismaakt kind als ik bij de geboorte een spuitje had moeten hebben.

Anna zit aan de ene kant en Christien aan de andere kant van mijn moeder en dan Albert en ik. Mijn moeder heeft er kennelijk op gerekend dat we mee zouden gaan want ze heeft twee rollen pepermunt en kleingeld voor ons allemaal in haar zondagse tasje. Albert en ik zijn verbaasd als er gezongen wordt, want Anna kent alle melodieën ook die welke wij allang vergeten waren.

Thuis is er koffie met gebak. Met dikke klodders slagroom erop. Anna en Christien smullen als nooit tevoren. Mijn vader schenkt voor Albert en zichzelf een glaasje brandewijn in, waarvan Anna en Christien een theelepeltje mogen proeven. Mijn moeder en ik scheppen een bokaaltje vol met krenten in een likeurtje. 'Dat zijn boerenjongens,' zegt mijn moeder. 'Later vinden jullie die heel lekker,' en ze geeft haar kleinkinderen twee piepkleine glaasjes met miniatuurlepeltjes. Ik weet zeker dat ze die speciaal voor deze gelegenheid heeft gekocht. Ik hoor mijn vader van genoegen zuchten. 'En wat de kerk betreft, Albert en Annelies, het is allang niet meer zoals vroeger. Uiteindelijk moeten de mensen zelf uitmaken wat ze willen geloven.'

'Van die beweterij van vroeger is niets goeds gekomen,' zegt mijn moeder.

Toch ben ik blij als we thuis zijn en we het dagelijkse werk weer oppakken. Ergens diep in mijn binnenste weet ik dat de kerstdagen in Friesland veel van me gevraagd hebben. Zonder erover te praten weet ik dat Albert het ook zo gevoeld heeft. Als ik een paar dagen na onze thuiskomst met mijn moeder bel, gaat ze totaal onverwachts huilen. 'We hebben ons best gedaan Annelies, om te vergeten, maar ik kan het niet zomaar van me afzetten.' Ik ga van de weeromstuit ook staan snikken.

'Sorry Annelies dat ik je aan het huilen heb gebracht.'

'Je moet niet sorry zeggen mam,' zeg ik minuten later als ik mijn verdriet zo goed mogelijk weggeslikt heb. 'Eigenlijk ben ik blij dat je belt en dat je om Marijke huilt.' Ze zegt niets. 'Waarom?' vraagt ze tenslotte. 'Omdat we allemaal zo ons best hebben gedaan om er een gewone Kerst van te maken, mam. We hebben allemaal geprobeerd er niet meer over te praten.'

Ik kan niet verder praten. Na een lange pauze, als ik mezelf weer onder controle heb: 'Omdat je om Marijke huilt mam. Dat troost me meer dan ik je kan zeggen.'

'Ja.' zegt ze alleen maar. 'Ja, dat is zo, jij bent haar moeder, maar ik haar grootmoeder.'

'Maar toch is het goed mam dat jij geprobeerd hebt er weer een gewone en normale Kerst van te maken.'

'We moeten dat toch ook doen voor Christien en Anna?'

'Precies mam, want voor hen gaat de tijd sneller, voor Christien en Anna is er ondertussen al weer zoveel gebeurd. Ze zijn Marijke niet vergeten, maar ze zijn in een andere ontwikkelingsfase. Ze beleven de gebeurtenissen anders dan wij.'

'Ja,' zegt ze langzaam, 'dat vind ik ook en daarom is het goed dat wij geprobeerd hebben er een gewone Kerst van te maken.'

Ik hoor haar zuchten.

'Toch is het heel goed mam dat me nu belt. Echt heel goed van je, want je kunt alleen verder als je niet vergeet. Alles mag een mens vergeten, maar niet mijn kind,' herhaal ik.

32

Op onze vrije morgen, als Albert en ik koffie zitten te drinken, belt onze oude huisarts Dijkstra. Of hij langs mag komen. Hij heeft gehoord van het overlijden van onze Marijke
en nu wil hij zijn medeleven betuigen.

'Alleen maar even bijpraten,' zegt hij. Hij klinkt aangedaan, zijn stem trilt.

'Dat stellen we op prijs,' antwoord ik. Het telefoontje
overvalt me. Ik weet zo gauw niet wat verder te zeggen. De
herinnering aan Marijke verwart me nog altijd. Als anderen
over haar praten.

'Ik wil jullie niet onnodig lastigvallen Annelies, ik kom
maar een ogenblik bij jullie binnenvallen.'

'Is niet erg dokter,' probeer ik zo neutraal mogelijk te
zeggen.

Het blijft enkele ogenblikken ongemakkelijk stil. Dan
zegt hij, alsof hij moed heeft verzameld: 'Jullie weten het
waarschijnlijk niet Annelies, maar ik woon tegenwoordig
maar een kilometer of twintig bij jullie vandaan.'

We spreken voor de volgende week dinsdag af. Zijn
vrouw is de hele week weg en dinsdag is onze vrije dag. Dat
komt goed uit. Albert neemt de telefoon van mij over en
zet het toestel op onze geluidsinstallatie zodat ik mee kan
luisteren.

'Gezellig, dat u langskomt,' zegt hij. 'Als u in de morgen
komt, zo om een uur of elf, blijft u dan mee-eten? Past u dat?
Ik ben op dinsdag de kok. Durft u dat aan dokter?'

We horen Dijkstra zacht lachen.

'Dan zal ik je dat 'u' en 'dokter' afleren Albert, want we zijn immers al jaren collega's beste kerel.'

'Ik zal mijn best doen meneer Dijkstra,' antwoord Albert, nu ook glimlachend.

'Ik heb hem altijd een aardige man gevonden,' zeg ik nadat Albert de telefoon heeft neergelegd. 'Soms denk ik nog weleens aan hem. Hoe hij met zijn patiënten omging en zo. En dat hij eigenlijk een verlegen man was. Zoals jij Albert.'

'Weet je dat ik me hem nauwelijks voor de geest kan halen? Wat voor haar had hij eigenlijk, blond, grijs of donker? Weet jij dat nog?'

'Blond Albert, hetzelfde soort haar als jij, ook met zo'n eigenwijs kuifje.'

Ik verheug mij op zijn bezoek. Want ik ken Dijkstra heel goed. In de jaren voordat ik Albert ontmoette toen ik grote problemen met mijn mismaakte gezicht had ben ik ontelbare keren met mijn moeder op zijn spreekuur geweest. De arme man moet een punthoofd van ons hebben gekregen.

'Ik denk dat jij Dijkstra nauwelijks kent Albert. Want ik heb je er nooit over gehoord dat je als kind ziek bent geweest.'

'Maar ik heb hem toch wel een paar keer ontmoet. Bijvoorbeeld die keer toen het verschrikkelijk regende en hij me een lift heeft gegeven. Hij reed toen in zo'n grote amerikaan, een Ford geloof ik, met een enorme kofferbak, waar mijn fiets zó in ging. De tweede keer dat ik hem ontmoet heb, was toen ik ziek van liefdesverdriet was en de derde keer zijn jij en ik samen bij hem geweest voor de pil.'

'Als ik het goed heb was hij ongeveer even groot als ik nu ben. Dat klopt toch Annelies?'

Ik lach. 'Ja dat klopt Albert, en ik kan het weten want ik heb een oog voor mensen zoals jij en dokter Dijkstra. Jullie lijken op elkaar, wist je dat wel?

's Middags, onder het eten, vertelt Albert onze kinderen dat onze oude huisarts ons komt bezoeken. Anna is op slag één en al aandacht. Albert en ik knipogen tegen elkaar. Twee weken geleden heeft Anna een spreekbeurt gehouden. Ze heeft de kinderen in haar klas verteld over het werk van een huisarts. De laatste dagen overstelpt ze ons met vragen, over kwalen en medicijnen het geeft niet wat, als het maar over ons beroep gaat.

'Wat leuk,' zegt ze, 'dat jullie oude huisarts komt, dan kan ik hem vragen waarom hij dokter is geworden. Blijft hij lang?'

'We hebben hem gevraagd of hij blijft eten.'

'Dat komt dan mooi uit,' zegt onze oudste dochter op de haar eigen, wat ouwelijke wijze.

'Wil je nog altijd dokter worden zoals wij?' vraagt Albert.

Anna knikt en kijkt haar vader verstoord aan. 'Ik héb jullie toch gezegd dat ik dokter wil worden. Als jullie het kunnen dan kan ik het toch óók?'

We glimlachen.

'Natuurlijk kun jij dokter worden Anna,' antwoord ik. 'Je bent er slim genoeg voor. En we zullen heel trots op je zijn. Maar misschien wil je over een tijdje iets anders worden. Misschien ontdek je iets wat je nog beter ligt. Want je bent nog hartstikke jong.'

Maar Anna schudt haar hoofd. 'Ik weet wel zeker dat ik niet van gedachte zal veranderen.'

Ze wil alles over Dijkstra weten, hoe oud hij nu is, of hij getrouwd is en of we tevreden over hem waren.

'We hebben hem in jaren niet gezien Anna. Alleen ik ken hem goed, omdat ik problemen had met mijn gezicht en mijn arm.'

Ik heb het er met Anna al uitvoerig over gehad. Hoe ik er vroeger op school om werd gepest en hoe ik ermee heb leren leven. En natuurlijk wilde ze weten waarom haar vader toch verliefd op me is geworden. Soms heeft Anna iets van een grijs kind. Zo'n kind waarvan je zegt dat ze al eens eerder geleefd moet hebben, omdat ze dingen weet die ze eigenlijk niet zou kunnen weten. Ze doet Albert en mij regelmatig versteld staan. Natuurlijk houden we er onze mond over tegenover anderen. Want mensen zeggen in zo'n geval - niet geheel en al ten onrechte - dat ouders de neiging hebben hun kinderen te overschatten.

'Anna, je mag dokter Dijkstra alles vragen, maar je moet de man niet in verlegenheid brengen,' zegt Albert, 'je mag hem niet al te intieme vragen stellen. Dat hoort niet als je iemand pas kent.'

Anna schudt ernstig haar hoofd. 'Nee papa, wees maar niet bang. Je hebt me een goede opvoeding gegeven.'

'Onze Anna is voorlijk voor haar leeftijd, hè papa?' zegt onze Christien ook al zo'n bijdehante tante.

We lachen allemaal.

'Wat moeten we toch met zulke kinderen?' zucht ik quasi verongelijkt en terwijl ik opsta streel ik hen over hun donkerblonde haren.

Een paar weken geleden vroeg Anna hoe het eigenlijk zat met de vader van Albert. Waarom we nooit naar hem toe gingen. En hoe het met zijn broers ging. Want ze meende dat wij weleens over die broers hadden gesproken toen ze nog klein was. 'Mijn vader is allang geleden overleden Anna. Jij was nog niet geboren. En mijn broers zijn op een verschrikkelijke manier om het leven gekomen. Ze zijn tegen een boom gereden. Op een zaterdagavond toen ze uit de stad terugkwamen. Ze waren op slag dood.'

Anna keek Albert enkele ogenblikken doordringend aan.

'Waarom ben je nooit meer teruggegaan toen je bij mama en pake en beppe Van der Wal ging wonen papa?'

'Eigenlijk weet ik dat niet goed Anna. Misschien omdat ik niet van mijn vader en mijn broers hield en zij niet van mij. Zoiets moet het geweest zijn. Alsof we helemaal geen familie van elkaar waren. Zoiets moet het geweest zijn.'

'Jij was nog klein hè pap, toen je echte moeder overleed.'

Albert knikte zwijgend. 'Het is al heel lang geleden Anna, toen mijn moeder is overleden. Soms weet ik niet meer hoe mijn moeder er precies uitzag. Soms weet ik niet meer hoe de stem van mijn moeder klonk.'

's Avonds in bed zegt Albert: 'Anna begrijpt alles.'

'En jij,' vraag ik, 'begrijp jij waarom jij zo gemakkelijk jouw vader en broers kon verlaten? Van Zanden was toch je vader?'

'Om jou natuurlijk.'

'Maar je had toch ook zo nu en dan weer eens terug kunnen gaan?'

'Er was eenvoudig niets tussen mij en de anderen Annelies. Nu ik ouder ben en zelf kinderen heb, ga ik het steeds vreemder vinden. Eigenlijk was het absurd, dat ik niemand van hen ook maar één seconde heb gemist. Iedereen heeft toch iets met zijn vader en zijn broers? Waarom ik niet? Waarom niet een klein beetje?'

'Je broers waren ouder dan jij. Was je bang voor hen?'

'Als kind wilde ik dat niet toegeven.'

'Waarom niet?'

'Omdat ik immers bij hen woonde. Waar had ik naartoe moeten gaan? Mijn vader was toch mijn vader? Ik had toch geen keus Annelies?'

Albert blijft nog lang woelen voor hij in slaap valt. Ik sta op, ik ben klaarwakker en ga beneden op de bank zitten. Het bezoek van dokter Dijkstra over enkele dagen haalt veel naar boven, wat ik meende te hebben vergeten. Nu vraag ik me opnieuw af wat er aan de hand was met Alberts familie. Waarom zijn vader nooit meer contact heeft gezocht. En ik vraag me af of ik Dijkstra ermee lastig kan vallen. Of zijn vrouw Titia. Ik heb mijn moeder weleens over haar horen praten. Zij en Marije, Alberts moeder zaten in één of andere commissie van de kerk. Samen met Titia.

33

Precies op de afgesproken tijd parkeert Dijkstra zijn glanzende hemelsblauwe oldtimer achter ons huis in het knerpende grint.

'Wat een bakbeest,' hoor ik Albert mompelen als we op de stoep staan als een officieel ontvangstcomité. Dan stapt hij uit. Ik krijg een schok. Die donkere blazer, die grijze broek met de messcherpe vouw en die modieuze bruinleren schoenen. Alsof ik hem gisteren voor het laatst gezien heb. Alleen zijn haar is spierwit, maar hij heeft nog altijd een eigenwijs kuifje waardoor hij iets jongensachtigs heeft, bijna iets ondeugends. Ik herinner het mij allemaal. Hij is nog even kwiek als vroeger, zie ik als hij uitstapt en we krijgen een ferme hand. Ook dat herinner ik me, die stevige handdruk en die innemende glimlach.

'Hoe lang hebben we elkaar niet meer van zo nabij gezien?' vraagt hij, terwijl hij ons afwisselend aankijkt en vervolgens zijn handen op mijn schouders legt om me van top tot teen te inspecteren.

'Jullie zien er goed uit,' zegt hij dan ernstig, 'ondanks alle verdriet van de laatste jaren.'

Ik loop voorop naar de grote woonkeuken waar de koffie al staat te pruttelen.

'Hoeveel kilometer rijdt u nou met één liter benzine?' vraagt Albert en ik hoor onmiddellijk dat hij gespannen is. Ik ben het ook. Is het omdat we weer iets voelen van vroeger, toen we kinderen waren en tegen hem opzagen omdat hij meneer de dokter was?

'O, dat vertel ik je later nog wel, dan zal ik je alles vertellen over mijn hobby, oude gereviseerde Amerikanen,' hoor ik Dijkstra zeggen als ik de koffie inschenk. En dan stokt het gesprek, er valt een ongemakkelijke stilte. Terwijl ik met het dienblad naar de grote keukentafel loop, zie ik ze daar zitten. Zwijgend, niet wetend hoe verder en ik besluit de koe bij de hoorns te vatten. 'Weet je wat het is, dokter, we zien jou zoals we jou vroeger zagen, omdat je nog zo weinig veranderd bent. Vroeger was je de dokter, we zagen huizenhoog tegen je op. Weet je dat wel?' Ik kijk Dijkstra en Albert afwisselend aan en terwijl ik achter hen ga staan, trek ik ondeugend aan hun oren. Het helpt. Ik zie ze letterlijk ontspannen. Ik weet het van mezelf, soms doe ik zulke dwaze dingen.

'Goed zo mevrouw de dokter,' zegt Dijkstra. En direct erachteraan: 'Ik heet Sybren Albert Dijkstra, zeg dus maar Sybren.' Dan zwijgt hij weer. O, o, denk ik, wat kunnen mannen toch houterig doen. En tegelijk realiseer ik me dat er meer moet zijn. Er staat iets tussen ons in, maar ik weet niet wat.

'Je was een voorbeeld voor ons, weet je dat wel Sybren? Toen Albert en ik deze praktijk overnamen heb ik vaak aan jou gedacht. Hoe zou dokter Dijkstra het gedaan hebben? Wat zou hij gezegd hebben tegen die oude mevrouw? Zulke dingen. Begrijp je Sybren? Misschien doen of zeggen we nog steeds dingen die we van jou hebben afgekeken.' Sybren en Albert glimlachen beiden.

'Lust je een tompoes Sybren, zo'n kleverig zoet ding? Of ben je iemand die alleen gezond wil eten?' Ik zet de tompoes alvast naast zijn kopje want ik weet zeker dat Sybren van zoet houdt. Alle mannen van zijn type houden ervan. Ik heb goed geraden.

'Alleen in uitzonderlijke gevallen eet ik een tompoes Annelies. Op verjaardagen drink ik bij uitzondering een borrel, maar roken doe ik allang niet meer. Weet je dat ik vroeger, in de auto weleens een sigaret opstak als ik na een visite terug naar huis reed? Nu kun je je dat niet meer voorstellen, maar toen was het gewoon dat ook de dokter rookte.

Ik haal messen en vorken, omdat de mannen gaan zitten knoeien met de kleverige lekkernij. We eten zwijgend. Echt vlotten wil het nog niet. Ik schenk een tweede kop koffie in.

Dan begint hij. 'Vorige week hoorde ik pas van het overlijden van jullie Marijke.' Ik meen tranen in de ogen van Sybren te zien. Hij neemt een papieren zakdoek uit de binnenzak van zijn colbertje en droogt zijn ogen. Ik heb me niet vergist. Sybren is ontroerd, het troost me.

'Nee,' zegt hij, 'dit zijn geen tranen van een oude seniele man. Het is ook geen vorm van vroegtijdige dementie. Toch heeft mijn verdriet over de dood van jullie Marijke wel degelijk met mijn leeftijd te maken. Mensen van mijn leeftijd zijn nu eenmaal verzot op kleinkinderen. Jullie Marijke viel in die leeftijdscategorie. Ze had mijn kleinkind kunnen zijn. Begrijpen jullie? En dan nog iets, iets wat jullie ongetwijfeld onmiddellijk zullen herkennen, je komt als huisarts altijd in aanraking met mensen zoals jullie die een kind verliezen en dan weet je hoe erg dat voor de betrokken ouders is. Dat is met geen pen te beschrijven. Ik weet dus bij benadering hoe zwaar jullie het hebben.' Dat is het dus, denk ik. Dat zat Sybren dwars. Daarom kwam het gesprek zo-even zo moeilijk op gang. Maar Sybren schudt zijn hoofd, alsof hij mijn gedachten heeft geraden.

'Er is meer lieve mensen. Véél meer,' en hij droogt opnieuw zijn ogen. 'Jullie zijn heel veel in mijn gedachten geweest. Ik heb jullie vaak samen gezien. Vroeger, toen jullie naar school fietsten en ik jullie passeerde.' Sybren glimlacht nu ontspannen. Gelukkig denk ik, want ik zou het jammer hebben gevonden als onze oude huisarts zich bij ons niet op zijn gemak had gevoeld.

'Romeo en Julia, dacht ik als ik jullie in de achteruit-kijkspiegel zag. Op de honderdduizend paren kan er hooguit één paartje zijn zoals Albert en Annelies. Twee mensen die uitzonderlijk goed bij elkaar passen.'

Sybren kijkt ons één voor één aan. 'Dat is zo,' zeg ik, 'dat heb je goed gezien Sybren. Albert en ik hebben inderdaad veel geluk gehad. Het toeval was ons gunstig gezind. Want een relatie zoals wij die hebben kun je niet maken. Die krijg je cadeau.'

'Ik ken jullie nu al vele jaren,' gaat Sybren verder, 'van jullie type relatie zijn er hoogstens één of twee promille, schatten deskundigen. Aan het andere einde van de kromme van Gauss vind je jullie tegenvoeters. Paren die al na enkele uren beginnen te vechten en het na een paar dagen voor gezien houden. Dan zijn er vijf tot vijftien procent heel goede en heel slechte relaties en ergens in het midden van de kromme van Gauss vind je vijftig tot tachtig procent paren die goed tot redelijk met elkaar kunnen opschieten. Als jullie geïnteresseerd zijn, kan ik jullie de desbetreffende literatuur wel even sturen.'

'Waren Albert en ik de oorzaak van je onderzoek Sybren?' vraag ik. 'Zo intensief was dat onderzoek nou ook weer niet, hoor Annelies. Je kunt deze onderzoekingen gemakkelijk vinden. Als je er trouwens over nadenkt dan liggen zulke cijfers voor de hand, omdat je immers enorm veel gegevens over het menselijke gedrag kwijt kunt in de kromme van Gauss.'

'Wat aardig dat je dat allemaal hebt opgezocht en dat wij de oorzaak ervan waren Sybren,' zeg ik. 'Je was echt in ons geïnteresseerd.'

'Maar ik ben in de eerste plaats gekomen vanwege het overlijden van jullie kind. Ik heb gehoord wat ze vlak voor haar overlijden heeft gezegd. En precies dat is de reden waarom ik beslist met jullie wilde praten. Ik heb een hartaanval gehad, nu vijf jaar geleden en toen heb ik een bijna-doodervaring gehad. Ik heb beleefd wat Van Lommel in zijn boek beschrijft over de overweldigende ervaring die je leven op zijn kop zet. Anders gezegd, voor mij is de dood een aantrekkelijk einde van mijn leven geworden. Meer wil ik er niet over zeggen. Als mensen me voor gek verslijten, ook goed. Maar voor mij persoonlijk is het zeker dat jullie kind met een heel mooie ervaring is heengegaan. Dat wilde ik jullie zeggen. Misschien vinden jullie er troost in.'

We zijn een ogenblik stil. Ik merk dat Albert ook onder de indruk is.

'Je bent niet de eerste die ons dit vertelt Sybren,' zeg ik. 'Een psychiater, een kennis van ons, hebben ze ook eens gereanimeerd en die zegt precies hetzelfde. Hij heeft geen sluitende verklaring of een bewijs. Heb jij dat wel Sybren?' Sybren schudt zijn hoofd. 'Het gebeurt en omdat steeds meer mensen een bijna-doodervaring hebben, omdat er tegenwoordig immers veel mensen gereanimeerd worden, kun je er met goed fatsoen niet omheen. Je kunt het ontkennen en zeggen dat het om een tekort aan zuurstof in de hersenen gaat. Dat het daarom heel verklaarbaar is en dat er verder niets aan de hand is, maar iedereen die deze ervaring heeft gehad, weet beter. Het gaat om een ervaring die je leven een nieuwe inhoud en een nieuw doel geeft. Ik zal bijvoorbeeld nooit meer bang zijn om dood te gaan.'

Sybren kijkt ons een ogenblik aan en vraagt dan rechtstreeks: 'Wat heeft jullie Marijke precies gezegd voor ze stierf?' Ik moet mijn ontroering wegslikken, omdat het de laatste woorden van onze Marijke zijn. 'Mama, niet huilen, ik ga met engeltjes spelen. Ze zijn er al.' Ik zeg het fluisterend terwijl de ontroering mijn keel dichtknijpt. Als ik mezelf weer onder controle heb, zegt Sybren: 'Een kind dat sterft verzint zoiets niet.'

'Denk je dat Marijke gelukkig was in haar laatste momenten?' vraagt Albert.

Sybren knikt. 'Ik weet het wel zeker.'

We zitten enkele minuten stil voor ons uit te kijken. Dan sta ik op en ik geef Sybren een zoen op de kale plek van zijn achterhoofd. 'Ik ben heel blij dat je de moeite hebt genomen om naar ons toe te komen Sybren.' De spanning tussen ons ebt weg. Nu weten we waarom dokter Dijkstra naar ons toe is gekomen.

'Vroeger zou ik voor geen goud onze huisarts op zijn hoofd hebben durven kussen.'

'Dat kon vroeger ook niet Annelies. Want toen was ik daar nog niet kaal.'

'Waar wij het nu over hebben, is dat de hemel volgens jou Sybren?' vraagt Albert.

'Christenen en moslims hebben het over de hemel en het paradijs. En ze hebben daarbij allerlei voorstellingen. Ik kan je niet zeggen of die voorstellingen overeenkomen met een bijna-doodervaring. Ik kan alleen maar over mijn eigen ervaring spreken.' Na een ogenblik stilte zegt hij zacht: 'Ik heb geen woorden voor mijn ervaring, Albert en Annelies. Het was er. Zoals het leven er was bij onze geboorte.'

Na een lange pauze praten we over ons werk. We laten Sybren onze praktijkruimte zien, we vertellen over ons patiëntenbestand en over de mondigheid van de patiënten en de overlast die het geeft als mensen de grenzen van het fatsoen overschrijden. 'Ik had het gemakkelijker dan jullie. Jullie hebben te maken met grote veranderingen in de gezondheidszorg. Dat brengt veel onzekerheid en extra werk met zich mee. Totdat er weer rust komt en er nieuwe gedragscodes ontstaan.'

Albert en ik doen ons best om het gesprek zo informeel mogelijk te laten zijn. Ik voel dat ook Sybren zijn uiterste best doet. We tutoyeren elkaar, we kijken elkaar regelmatig recht in de ogen als   het zo uitkomt. We willen het gesprek niet laten verzanden in oppervlakkig gekeuvel. Maar na een halfuur ga ik me ongemakkelijk voelen. Heb ik teveel van het bezoek verwacht? Omdat dokter Dijkstra ook maar een gewone man is en we onbewust nog het beeld voor ons hebben van de notabele die met eerbied en zelfs onderdanigheid werd bejegend?

34

Onze kinderen komen thuis uit school. Ik ben opgelucht. Want ik had beslist niet geweten waar we het verder over hadden moeten hebben. Ik begrijp het niet. Wij zijn beslist geen saaie pieten. Albert en ik kunnen met anderen gemakkelijk een gezellig gesprek op gang brengen en houden. Waarom kunnen we dat niet met Sybren? Ook Sybren is beslist geen stijve hark. Vroeger roemde iedereen hem om de warme en hartelijk manier waarmee hij zijn patiënten behandelde.

'Jij bent Anna,' zegt Sybren als Anna hem een hand geeft, 'en dan ben jij Christien, dat kan niet anders.' Ik zie dat onze kinderen Sybren wel mogen. Waarschijnlijk ziet hij eruit zoals wij hem in grote lijnen hebben geschetst. Vooral Anna is een open boek.

'Wat leuk,' zegt ze terwijl ze tegenover Sybren aan tafel gaat zitten, 'dat papa en mama vroeger uw patiënten waren. Hebt u ze vaak medicijnen moeten voorschrijven?'

'Nou Anna, als alle mensen zo gezond waren als je ouders, dan hadden we weinig huisartsen nodig in dit land. Je ouders zijn ijzersterk.'

'Ja,' zegt Anna terwijl ze Sybren strak aankijkt. Meer zegt ze niet. Haar ogen staan ernstig terwijl ze Sybren letterlijk fixeert. Enkele ogenblikken is het merkwaardig stil. Het is maar kort, hoogstens vijf of zes seconden maar wel zo lang dat wij ons ervan bewust zijn. Het is dat Anna nog maar een kind is, anders zou het gênant geweest zijn. Dan zegt ze: 'We zijn heel blij dat u bent gekomen dokter, u zult nu wel vaker bij ons op bezoek komen.' Albert en ik glimlachen, maar we voelen ons niet op ons gemak. Anna mag dan nog een kind zijn, toch heeft haar manier van doen iets in mij geraakt. Ik kan het bij benadering niet duiden. Maar ik weet zeker dat ook Albert en Sybren het gevoeld hebben. Ik neem me voor er later voorzichtig met Anna over te praten, omdat ze met haar opmerkingen andere mensen kan bruuskeren ook al is ze nog maar een kind.

Terwijl Sybren vertelt over zijn grote amerikaan, dat hij er alleen kleine stukjes in rijdt als het mooi weer is omdat zijn auto eigenlijk een museumstuk is, denk ik aan de woorden van Anna. Hoe komt zo'n kind erbij? Waarom zou Sybren ons vaker gaan bezoeken? En waarom zei ze het op zo'n indringende wijze terwijl ze tegelijk de indruk wekte dat het buiten haar om ging? Was het een ingeving of had ze er bewust over nagedacht? Wil ze Sybren als een soort substituut-opa?

'Wat wil jij worden?' hoor ik Sybren aan Christien vragen, 'óók dokter zoals je ouders?'

Onze Christien schudt haar hoofd. Want Christien is bedachtzaam. 'Dat weet ik nog niet meneer Dijkstra,' zegt ze met haar allerliefste stemmetje waarmee ze iedereen om haar vinger windt. Er is geen twijfel mogelijk, Sybren is weg van onze kinderen. Ze pakken hem in waar hij bijzit. En hij laat het maar wat graag gebeuren.

'En wat ga jij later worden, Anna?'

'Ik ga medicijnen studeren en daarna neonatologie.' Nu gaat Sybren helemaal voor de bijl, denk ik. Ik denk nog meer, hoe mooi het voor Sybren geweest zou zijn een kleinkind als Anna te hebben dat in zijn voetsporen treedt en ook huisarts wordt. Want ik ken mijn oudste dochter, het moet al heel gek komen wil ze geen medicijnen gaan studeren.

'Waarom neonatologie Anna?'

'Omdat kinderen als ik van baby's houden. Van kleine poesjes en kalfjes en zo.'

Anna, Anna, denk ik, wat ben je toch een duvelse meid. Nu relativeer je heel sluw je voorlijkheid door je uitdrukkelijk als kind te afficheren. Sybren heeft het door, zie ik aan zijn gezicht. Maar Anna kan geen kwaad meer bij hem doen. Nooit meer. En ik voel me trots als een pauw en ik schaam me er niet voor.

'Bij je beppe Antje en je grootvader Jan in Friesland heb je natuurlijk al eens gezien hoe een kalfje werd geboren.'

'O ja,' zegt ze glimlachend, 'en ook hoe de stier de koe heeft bevrucht.'

Sybren knipoogt in mijn richting. 'Ze maken jouw dochter niets meer wijs Annelies.'

We gaan aan tafel. Albert is een handige man. Hij heeft en passant de tafel gedekt en zijn befaamde chèvre chaud klaargemaakt. Als we aan tafel zitten weet ik eigenlijk niet of we Sybren moeten vragen of hij voor het eten wil bidden. Wij zijn dat niet meer gewend, maar Sybren en zijn vrouw waren vroeger trouwe kerkgangers. Klassieke gereformeerden zelfs. Ik kijk hem een ogenblik vragend aan, hij schudt nauwelijks waarneembaar zijn hoofd. Hebben ze het geloof der vaderen afgeschreven? vraag ik me af. Misschien een onderwerp als we vanmiddag, als de kinderen naar school zijn, niet meer weten waar over te praten.

'Jullie vader heeft een heerlijke salade gemaakt,' zegt Sybren tegen onze kinderen die tegenover hem aan tafel zitten. 'Echt Frans.'

'Maak jij ook weleens zo'n salade Sybren?' Ik vind het eigenlijk te gek dat Christien Sybren tutoyeert, maar Sybren heeft er enkele minuten eerder uitdrukkelijk om gevraagd. 'Je zult het niet geloven Christien, maar ik maak ongeveer dezelfde soort salades omdat we vroeger altijd naar Frankrijk gingen. Maar mijn vrouw maakt het echte eten klaar. Dat vertrouwt ze mij niet toe, zegt ze.'

'Bij ons gaat het precies zo.' Christien kijkt me een tel van terzijde aan. En dan gaat het alweer over de amerikaan, het slagschip met de grote vinnen op de kofferbak die niet meer op de auto's van tegenwoordig lijkt. Anna en Christien spelen met mijn oude speelgoed en daar is een barbiepop bij die in een auto kan zitten. En dat is precies zo'n auto als Sybren heeft.

'Vroeger, toen het eens verschrikkelijk hard regende is je vader eens met mij meegelift. Ik had toen ook al zo'n grote auto. De fiets van je vader kon zó in de kofferbak. Weet je dat nog wel Albert?'

'Natuurlijk weet ik dat nog als de dag van gisteren Sybren. Wie zou vergeten dat hij door meneer de dokter persoonlijk naar huis werd gereden?'

'Je kende mijn vader dus toen al,' constateert Anna.

'Natuurlijk, want je vader zat in mijn patiëntenbestand.'

'Maar je vertelde dat hij nooit op je spreekuur kwam omdat hij nooit ziek was. Hoe kon hij dan in je patiëntenbestand zitten?'

'Omdat ik bij de geboorte van je vader was. Eigenlijk hoefde ik niets te doen omdat het een gemakkelijke bevalling was, ik hoefde alleen de navelstreng door te knippen. Dus is het logisch dat ik wist wie je vader was. Tevreden met het antwoord jonge dame?'

'Mag ik nog wat vragen?' Anna kijkt mij van terzijde aan en dan Albert. 'Alleen als Sybren het goedvindt,' zegt Albert. 'Ook van mij mag je nog wat vragen.' Aan alles merk ik dat Sybren geniet van Anna en haar interesse in ons beroep. 'Ben je ook bij de geboorte van mijn moeder geweest?'

'Ja, ook.'

'Was dat ook een gemakkelijke bevalling?'

'Op zich wel. Jouw moeder was het eerste en enige kind van je grootmoeder Antje. Die eerste bevallingen duren in de regel wat langer.'

Anna kijkt me enkele tellen aan. Het is om mijn gezicht en mijn arm. Ik knik. 'Vraag maar Anna.'

'Schrok je, toen je mijn moeder voor het eerst zag?'

'We schrokken alle drie, Jan, je grootvader, de baker Jantje Bergsma en ik. Maar ik zag al gauw dat je moeder verder kerngezond was. Je moeder was een sterke baby die gelijk begon te huilen.'

'En toen?'

'Je grootmoeder maakte een afwerend gebaar, maar toen de baby weer begon te huilen, was haar schrik voorbij. Je moeder begon direct te drinken toen ze aan de borst werd gelegd. Meestal doen pasgeborenen dat niet direct, maar je moeder wel. Ze was nog geen drie minuten op de wereld of ze had de tepel al gevonden.'

'En verder?'

Ik weet wat Anna wil vragen. Ze heeft ons al eens horen praten over het incident met de baker. Nu wil ze het van Sybren horen. Anna wil, zoals altijd, het naadje van de kous weten.

'Mag ik het vertellen Annelies?'

'Van mij wel, hoor Sybren.'

'Je grootmoeder wist dus van het gezicht en het armpje, dat had ze al gezien. Maar ze wilde er zeker van zijn dat je moeder verder gaaf en gezond was en daarom stond ze op en zette ze het wiegje naast haar bed. Juist op het moment dat je grootmoeder haar baby uit het wiegje tilde, kwam de baker binnen. Wat zullen we nou hebben, riep die. Dat is mijn werk, en ze stak haar handen al uit om de baby uit de armen van je grootmoeder te grissen. En toen gebeurde er iets Anna en Christien, wat je grootmoeder eigenlijk niet had gewild. Voor ze er erg in had schoot haar hand uit en ze gaf de baker een harde klap recht in het gezicht.' Sybren wacht enkele seconden en kijkt onze kinderen aan.

'Beppe wilde haar kind beschermen,' zegt Christien.

'Het was een natuurlijke reactie van een moeder,' voegt Anna eraan toe.

'Alsjeblieft,' zegt Sybren, 'jullie hebben het helemaal door. Maar de baker had wel een paar gebroken tanden en ze liep kwaad weg. Gelukkig waren het tanden van een kunstgebit, die kon je zo weer vastlijmen. De volgende dag is de baker teruggekomen, want ze begreep wel dat er geen boze opzet in het spel was. Precies zoals jullie al zeiden, het was een onbewuste en natuurlijke reactie van jullie grootmoeder. En voor mij was het een teken dat je grootmoeder haar kind accepteerde.'

'Wat was nou het zwaarste aan je beroep?'

'Maart Anna toch,' antwoordt Sybren oprecht verbaasd, 'waar haal je op jouw leeftijd de volwassenheid vandaan om mij zulke vragen te stellen.'

'Ik denk dat het komt omdat Anna in een gezin opgroeit waarin regelmatig over zulke dingen wordt gesproken,' zeg ik. 'Persoonlijke dingen van onze patiënten bespreken we niet aan tafel, maar de meer algemene zaken horen ze natuurlijk wel van ons. Dat zal overal wel zo gaan, denk ik.'

Sybren knikt en zegt tegen onze kinderen: 'Zo leren jullie eigenlijk vanzelf al heel wat dingen, dat geeft jullie een voorsprong.'

'Ja,' zegt Christien, 'daardoor worden wij wijsneuzen, zegt mama.' We grinniken, ook Christien.

'Okay, dan hier het antwoord Anna. Ik weet al van tevoren dat mijn antwoord niet af zal wijken van het antwoord van je ouders. Het moeilijkste in ons beroep is de verantwoordelijkheid. Jij als arts moet soms beslissen in zaken van leven en dood. En dan zul je je altijd af blijven vragen of je de juiste diagnose hebt gesteld. Heb je de patiënt op tijd doorgestuurd? Heb je de juiste medicijnen voorgeschreven? Dat maakt ons beroep zwaar Anna. De meeste mensen denken dat wij alwetend zijn en dat wij uit hoofde van onze opleiding en ervaring automatisch de juiste beslissing nemen. Was dat maar zo. Patiënten zijn mensen en mensen zijn uniek. Neem nou een bevalling waarin jij nu geïnteresseerd bent Anna. Wanneer moet je de patiënt naar een ziekenhuis te sturen? Soms is dat heel moeilijk uit te maken, zodat je gemakkelijk in de situatie terecht kunt komen waarin je er zeker van bent de juiste beslissing te nemen om later te moeten ervaren dat je ernaast zat. En als er dan zaken gebeuren die je niet meer terug kunt draaien, bijvoorbeeld omdat een kind sterft of te weinig zuurstof krijgt. Ja, dan heb je veel tijd nodig om daaroverheen te komen.'

Sybren brengt Anna en Christien met zijn geruisloze achtcilinder naar school, hoewel het maar anderhalve kilometer lopen is over een verhard zandpad. Anna en Christien hebben er niet om gevraagd – dat mogen ze niet van ons – maar Sybren doet het graag. Hij voelt zich wel thuis in de rol van substituut-grootvader.

'En word maar niet zeeziek,' zeg ik tegen mijn dochters als ze zich als prinsesjes op de reusachtige achterbank installeren. 'Zeeziek?' vraagt Christien verbaasd.

'Ja, zeeziek, omdat deze auto's een zachte vering hebben, ga je schommelen als je door een kuil rijdt.'

Dan start Sybren de motor. Je hoort hem nauwelijks. Eigenlijk is het een zacht fluisteren, ergens onder de immense motorkap. 'Wat wil je, acht cilinders,' zegt Sybren. 'Zoals ik hem berijd, wordt hoogstens vijfentwintig procent van het motorvermogen aangesproken. Ik heb de motor laten reviseren, maar eigenlijk was het niet nodig, zeiden ze in de garage, want hij heeft nog maar honderdvijftigduizend kilometer gelopen. Kun je nagaan,' zegt hij trots.

'En het verbruik?'

'Valt wel mee,' antwoordt Sybren. 'Als ik rustig rij, zo om de tachtig met de wind in de rug, kan ik wel één op zeven en een half halen.'

35

Alleen het grint knerpt onder de banden als Sybren achter ons huis parkeert. Binnen hebben we de motor niet gehoord. Met die grote vleugels op de achterklep is het net een spook op wielen, denk ik.

'Wil je de motor zien Albert, het is een monster.'

Met hun tweeën tillen ze de motorkap op. Ik heb weleens gehoord dat er in die oude amerikanen een zee van ruimte is onder de motorkap. Maar dit slaat alles. Hoewel het om een v-acht gaat met een automatische versnellingsbak, is er behalve een grote accu, een radiator en nog wat dingen waarvan ik niet weet waarvoor ze zijn – het interesseert me trouwens voor geen cent – een zee van ruimte in het motorcompartiment. Ik weet zeker dat ze de auto wel een halve meter korter hadden kunnen maken. Maar dan zou de auto veel kleiner hebben geoogd en dat wilden de Amerikanen uit de sixties natuurlijk niet, die wilden *a very big car*. Om de buren de ogen uit te steken.

'Zie je dat er heel weinig isolatiemateriaal is gebruikt Annelies?' Sybren probeert me enthousiast te maken. 'En toch is de auto geruisloos. Omdat het vermogen over acht cilinders is verdeeld. De Europese auto's hebben tegenwoordig bijna altijd vier cilinders, begrijp je? Dan heb je dus bij één omwenteling van de krukas de helft van het aantal arbeidsslagen, dus moeten de cilinders groter zijn en met een turbo worden geladen om hetzelfde effect te krijgen als bij een achtcilinder en dus trillen die moderne motoren meer en geven ze ook meer herrie. En daarom zitten die auto's vol isolatiemateriaal.'

'Bij een viercilinder moet één cilinder dus het werk doen van twee cilinders in deze amerikaan.'

'Já, já, goed zo Annelies, je hebt het helemaal door.'

Ik schater en Sybren begrijpt dat autotechniek me bitter weinig interesseert.

'Maar ik wil wel even de binnenkant van de auto zien Sybren.' Het is prachtig, alles is nieuw of opnieuw verchroomd en eerlijk is eerlijk, je zit vorstelijk. 'Kijk Annelies, airco. Hadden ze al in de zestiger jaren en natuurlijk is alles bekrachtigd, het stuur, de remmen, alles. En kijk eens, wat dacht je hiervan: cruisecontrole! Daar droomden ze hier in Europa alleen maar van. De radio is speelgoed met twee petieterige speakertjes. Maar wat wil je, er zaten nog buizen in. Maar het rijcomfort meid! Op die lange rechte wegen in Amerika! Fenomenaal. Op de cruisecontrole, negentig kilometer per uur, staat in, staat uit, met de blik op oneindig. Alleen zo nu en dan een sloot benzine tanken voor een paar dollar. En rijden maar. Zweven over de route 66. In de zuidelijke staten waar het klimaat gortdroog is, roestten deze wagens niet. Er was eigenlijk maar één reden om een nieuwe auto te kopen: de mode en later natuurlijk de stijgende benzineprijzen. Want feitelijk zijn deze auto's onverwoestbaar.' Sybren laat zijn hand teder over het glimmend gepoetste chroom van de daklijst glijden.

De zon verschuilt zich achter grijze wolken, een koude windvlaag doet de laatste bladeren ritselen. Sybren neemt een aktetas mee naar binnen. 'Ik wil jullie nog wat laten zien.'

Als de thee staat te trekken, spreidt hij een aantal foto's op de keukentafel uit. Albert en ik gaan naast hem zitten, ieder aan een kant.

'Ik heb eigenlijk twee hobby's, Amerikaanse auto's restaureren en fotograferen. Kijk, hier sta jij met je moeder

Albert. Je was toen een jaar of twee.' We bekijken de foto's met grote interesse, want Albert heeft maar één foto van zijn moeder toen ze al ziek was, meer heeft hij niet. Toen hij bij ons kwam wonen hebben zijn broers een paar weken later twee koffers met kleren en wat persoonlijke dingen gebracht, maar er was geen enkele foto bij. Albert denkt dat zijn stiefmoeder ze allemaal in de kachel heeft gegooid. Uit jaloezie.

'Ik fotografeerde met een telelens,' vertelt hij. 'Zo'n joekel van een kachelpijp. Kijk Albert, hier zit je op je vlot.' Het is een grofkorrelige foto omdat Sybren de foto extra vergroot heeft. Maar ik herken Albert onmiddellijk. Ik weet nog dat hij een lichtblauwe spijkerbroek droeg en een blauw geruit overhemd.

'Ik heb duizenden foto's. Later maakte ik dia's. Ik heb nog dozen vol op zolder staan.' Als hij merkt dat Albert en ik met grote belangstelling elke foto afzonderlijk bekijken, haalt hij nog een paar stapeltjes uit zijn tas. Allemaal met Albert en zijn moeder, enkele met zijn broers en zijn vader. Maar er is geen foto bij waar Alberts stiefmoeder op staat. 'Ik kwam toen niet meer bij jullie Albert, omdat jullie nooit ziek waren. Zo gaat dat.' Sybren zucht.

'Waarom heb je zoveel foto's van Albert en zijn moeder gemaakt?' vraag ik.

'Alberts moeder had iets met haar lever, voordat ze kanker kreeg. Ik zal je er alles over vertellen als je geïnteresseerd bent.'

'Ik heb dat nooit geweten,' zegt Albert.

'Je moeder had het toen jij anderhalf was.'

'Je kwam dus regelmatig haar bloed controleren.'

'Precies. Dat deed je toen nog voor patiënten die bezwaarlijk naar je spreekuur toe konden komen. Bijna niemand had toen een auto.' We bekijken de rest van de foto's.'

Er zijn er ook enkele met Annelies in haar bootje met de witte biezen. 'Wat dacht je toen je ontdekte dat wij een stelletje waren?' We kijken hem beiden van terzijde aan. 'Ik heb het van je moeder gehoord Annelies. Ze is bij me geweest om mijn raad te vragen. Omdat jullie immers erg jong waren. 'Wat dacht je toen Sybren?'

'Dus toch, zoiets moet ik toen gedacht hebben. Want ik had al een vermoeden. Omdat jullie immers beiden dezelfde symptomen hadden.' Zijn stem trilt. Sybren is ontroerd om ons. 'Er waren nogal wat mensen die er schande van spraken. Jullie waren te jong, dat hoorde niet. Mijn vrouw zat toen in de kerkenraad en zelfs daar is het ter sprake gekomen. Het was pure jaloezie Annelies.'

'Dat weet ik wel,' antwoord ik en ik herinner me onze eerste auto omdat mijn moeder een erfenis had gehad van haar ouders. 'Je kunt je niet voorstellen wat mensen kapotmaken met hun jaloezie. Relaties tussen broer en zus, ouders en kinderen, neven en nichten en noem maar op. Mensen verliezen al hun goede eigenschappen door jaloezie. Edel sei der Mensch, hilfreich und gut, denn das unterscheidet ihn von allen anderen Wesen die wir kennen, schreef Goethe. Nou vergeet die mooie eigenschappen maar als de jaloezie haar verwoestend werk doet.'

Sybren krijgt een afkeurende trek om zijn mond. 'Weet je dat er kerkenraadsleden zijn geweest die jullie wilden aangeven? Omdat ze dachten dat jullie seks hadden en dat de wet dat volgens hen verbood omdat jullie te jong waren?' Sybren kijkt ons aan met nog altijd die misprijzende trek om zijn mond. 'Jaloezie maakt mensen kwaadaardig en gemeen.' Dan kijkt hij op zijn horloge. 'Ik heb Christien en Anna beloofd dat ik ze met de auto uit school zal halen.' Sybren staat op en even later glijdt de gevleugelde amerikaan geruisloos over de oprijlaan naar de weg. Als een spook, denk ik.

'Wat een onwezenlijke auto,' zeg ik achteloos.

'Onwezenlijk?' vraagt Albert verbaasd.

'Omdat het ding anders is dan het zou moeten zijn.'

'O, nu begrijp ik je,' zegt hij lachend, 'zoals jaloerse mensen anders zijn dan Onze-Lieve-Heer ze heeft bedoeld.'

Onze kinderen zijn razend enthousiast over Sybren's amerikaan. 'Je zweeft over de weg, ik zou er ook wel in kunnen rijden, want je hoeft niets te doen. Alleen maar het gaspedaal indrukken en sturen en verder gaat alles automatisch,' Anna doet met een hemels gebaar het portier voorzichtig dicht.

'Moet je zó doen,' zegt Sybren en hij gooit het portier met kracht in het slot. 'Hoor je Anna,' zegt hij, 'het klinkt alsof je de deur van een kluis dichtgooit. Mooi hè? Doe het ook maar eens.'

Anna gooit met een daverende knal het portier dicht. Ze mag alles.

Sybren wil weer instappen, maar Albert haalt hem over nog even binnen te komen voor een kop koffie. 'Je moest toch pas om zes uur weer thuis zijn Sybren?' Wat mijn kinderen precies met Sybren hebben, weet ik niet, maar ze zijn blij dat hij nog even binnenkomt. Vooral Anna lust wel pap van Sybren. Waarschijnlijk ziet ze in hem een substituut opa, iemand die alleen maar aardig is. Als ik de koffie inschenk en we niet zo een twee drie weten wat te zeggen, vult Anna onmiddellijk het gat in de conversatie op: 'Wat doet je vrouw Sybren?' vraagt ze mij iets te vrijpostig. Maar ik zie aan Sybren wat ik al eerder heb opgemerkt: Mijn kinderen kunnen werkelijk geen kwaad bij hem doen.

'Mijn vrouw is advocate. Dat is iemand die mensen helpt als ze naar de rechtbank moeten. Omdat ze ergens van verdacht worden.'

'Heeft ze dan ook zo'n lange zwarte jurk aan?' wil Christien weten.

'Meestal wel Christien.'

'Heeft ze ook hobby's?'

'Ze is nog altijd druk in de weer met de kerk.'

'Wat doet ze dan?'

'Allerlei dingen organiseren.'

'Is ze dan ook dominee?'

'Als Anna en Christien bij mijn ouders logeren, gaan ze altijd met hen naar de kerk Sybren. En daarom interesseren Anna en Christien zich voor de kerk,' zeg ik.

'Mooi,' zegt hij tegen Anna en Christien en tegen ons: 'Even kort door de bocht: In de plaats waar we nu wonen wilde men de kerk afbreken. Wij, mijn vrouw Titia en ik, hebben met nog een aantal anderen dat weten te verhinderen en nu gebruiken we het gebouw voor allerlei activiteiten die met religiositeit te maken hebben.'

'Zoals?' vraagt Albert.

'Lezingen over allerlei godsdiensten en religieuze gebruiken, bijvoorbeeld.'

'Ook wel traditionele gereformeerde diensten?'

'Ja, behalve als het om groeperingen gaat die menen de wijsheid in pacht te hebben en anderen voor onbesneden filistijnen uitmaken.'

'Maar jullie zijn dus altijd nog gelovig.'

Sybren glimlacht. 'Er is nu eenmaal méér dan alleen maar materie en natuurwetten.' Hij kijkt hij op zijn horloge en staat op. 'Mijn vrouw komt vanavond terug.'

Wij krijgen een hand, maar Sybren knuffelt en zoent onze kinderen dat het een lieve lust is. Nou ja, denk ik, ze vinden het niet erg en wij zijn erbij.

Als Sybren al in de auto zit, zeg ik: 'Wacht even Sybren, je vergeet je foto's,' en ik wil al teruglopen. 'Nee, laat maar

Annelies, ik heb de negatieven nog. Ik maak in een hand-omdraai nieuwe afdrukken.'

Onze kinderen lopen een eind de oprijlaan op, zodat ze hem na kunnen zwaaien als hij de rijksweg al is opge-draaid.

Anna sorteert de foto's en maakt er stapeltjes van. Alsof het kostbare schatten zijn. 'Wanneer komt Sybren weer?' vraagt ze terwijl ik de tafel dek voor de avondbo-terham. Ik kijk haar verbaasd aan. 'We hebben geen af-spraak gemaakt Anna.'

'Geen afspraak?' Ik zie mijn dochter schrikken.

'Sybren is alleen gekomen om ons te troosten,' en ik vertel haar van zijn bijna-doodervaring en dat hij denkt dat Marijke gelukkig is geweest in de ogenblikken voor ze stierf. Anna hoort de ontroering in mijn stem en ze zwijgt. Na een tijdje: 'Maar jullie kunnen toch goed op-schieten, jullie zijn toch allemaal dokter?'

'Maar daarom hoef je toch geen vrienden te zijn? Bovendien zijn Sybren en zijn vrouw een generatie ou-der dan wij Anna. Ze hadden bij wijze van spreken jouw grootouders kunnen zijn.'

'Dat weet ik wel,' zegt ze zacht. Ik hoor de teleurstel-ling in haar stem. 'Sybren is nu bij ons geweest. Als hij langer met ons had willen praten, dan had hij ons wel uit-genodigd bij hen op bezoek te komen.'

Ze knikt. 'Ik begrijp je wel mama,' zegt ze timide. 'Wij kunnen ons niet opdringen Anna,' probeer ik de pil voor haar te vergulden. 'Zij hebben hun kennissen en vrienden en wij de onze.'

's Avonds in bed heb ik het er met Albert over. 'Alsof Sybren een geheim met zich meedraagt.' Albert lacht. 'Welnee Annelies. Sybren was vroeger de man tegen wie op we opkeken en dat speelt nog altijd mee in ons onder-

bewuste en daarom heb je het gevoel van iets geheimzinnigs dat als een waas om de oude baas heen hangt.'

'Zou het dat zijn?'

'Ik weet het wel zeker.'

36

Een paar weken later belt mijn vader. Midden op de dag. 'Ik bel je nu even Annelies, op deze ongebruikelijke tijd. Je moeder is boodschappen gaan doen.'

'Is ze depressief?' vraag ik.

'Daarover wilde ik je spreken. Ze is met de auto naar het dorp gegaan. Ze wilde beslist alleen gaan winkelen. Ze was een beetje dwars Annelies.'

'Ik begrijp het wel papa. Moeder heeft nog nooit iets gehad. Ze is erg geschrokken, maar het gaat wel weer voorbij, maak je maar geen zorgen. Ze hebben haar in het ziekenhuis goed onderzocht en ze krijgt nu de juiste medicijnen. Albert en ik hebben alles ook nog eens nagelopen. Volgens ons is de kans op herhaling in het geval van moeder, niet erg groot. Het is gelukkig geen alzheimer en ook geen parkinson, hoor papa.'

'Je hebt me er al voor gewaarschuwd Annelies dat ze een lichte mentale terugslag zou kunnen krijgen.' Ik glimlach onhoorbaar. Sinds de tijd dat Albert en ik medicijnen zijn gaan studeren, heeft mijn vader zich op het medische jargon toegelegd. 'Wil je dat we in het weekend komen?'

'Het moet jullie wel passen meid.'

'Ik zal met Albert overleggen en dan bel ik je vanmiddag of vanavond terug. En maak je maar geen zorgen omdat ze alleen met de auto weg is. Eigenlijk mag ze niet autorijden, maar ze is in het dorp, nog geen kilometer van huis waar niemand harder dan vijftig rijdt. Maar probeer haar toch maar uit de auto te houden.'

's Avonds onder het eten vertellen we wat er met mijn moeder aan de hand is. 'Heeft ze alzheimer?' vraagt Anna. 'Nee gelukkig niet. Je beppe heeft een verstopping in een hersenbloedvat gehad. Meer niet. Ze hebben haar in het ziekenhuis onderzocht en ze krijgt nu de juiste medicijnen. Dat is heel belangrijk in haar geval. Misschien wordt ze wat vergeetachtig, dat weet je nooit.'

'Beppe is nog niet oud,' zegt Christien.

'Maar wel oud genoeg om zulke kwalen te krijgen. En daar moet ze aan wennen.'

'We gaan zaterdagmorgen naar Friesland.'

Onze kinderen zijn altijd uitgelaten en blij als we naar Friesland gaan, maar deze keer zijn ze bedrukt. Ze weten wel ongeveer wat er met beppe aan de hand is. Ze horen ons aan tafel vaak genoeg over verschillende kwalen spreken. 'Heeft ze het in ernstige mate?' vraagt Anna, die zich aangewend heeft over ziekten in deftige taal te spreken. 'Nee, beslist niet Anna. Het valt wel mee, maak je maar geen zorgen.'

Als we Utrecht gepasseerd zijn op onze reis naar het noorden, praat ik met onze kinderen over onze plannen. 'Albert en ik hebben al weken over pake en beppe nagedacht. Nu kunnen beppe en pake nog best alleen in de boerderij wonen, zo erg is de aandoening van beppe niet. Maar ze worden wel ouder, misschien gaat beppe veel vergeten. Je weet dat nooit met oudere mensen Anna. 'Mogen we er met beppe over praten?' vraagt Christien.

'Alleen als ze er zelf over begint Christien. En dan kun je zeggen: beppe het is niet erg als je iets vergeet, want je blijft toch dezelfde beppe zoals altijd.'

'Waarom moet je dat zeggen mama?'

'Omdat mensen die wat gaan vergeten, denken dat met

hun geheugen een stuk van henzelf verdwijnt. Ze denken dat ze daarom onbelangrijk worden en andere mensen minder van hen houden.'

'Maar dat is toch niet zo?'

'Natuurlijk niet. Een goed geheugen maakt geen goed mens van je.'

'Het is je goede hart, hè mama?'

'Natuurlijk Christien.'

Ik zwijg een tijdje en laat de kinderen nadenken. Terwijl de bossen van de Veluwe voorbij glijden, heb hetzelfde gevoel als toen met Marijke. Zeker, het is niet zo pijnlijk als toen, het is minder scherp, want mijn moeder is er nog. En eigenlijk is zo'n kleine CVA helemaal niet zo erg, dat wil zeggen, het hoeft niet erg te zijn. Maar het treft nu mijn moeder. Al die keren dat ik mensen heb moeten vertellen dat hun levenseinde nadert, hebben me niet kunnen vrijwaren van dit gevoel dat ik nu heb. Ik heb eelt op mijn ziel gekregen, maar het is eelt voor de pijn van anderen. Nu gaat het om mijn eigen moeder. Moeders zijn dichtbij, ook al gaat het om een TIA.

'Wat zijn jullie plannen?' vraagt Anna tenslotte op de haar eigen, plechtige toon.

'We zouden wel willen dat pake en beppe bij ons komen wonen.'

Het is een ogenblik stil. 'Ik zou het heel mooi vinden,' zegt Anna.

'Ik ook.' In de stem van onze jongste klinkt de warmte, ze ménen het.

'Maar zo ver is het nog lang niet,' zegt Albert. 'We willen pake en beppe alvast aan het idee laten wennen. Want de boerderij moet eerst nog verkocht worden en ons huis moet verbouwd worden, zodat pake en beppe een appartement voor zichzelf hebben, met een woonkamer, een slaapkamer en een badkamer.'

'We hebben ruimte genoeg,' zegt Anna en ze legt haar kin op mijn stoelleuning, naast de hoofdsteun. 'Gelukkig zien jullie het wel zitten.'

'Begin er maar niet over Anna, als we bij pake en beppe zijn. Dat doen wij wel. Afgesproken?'

Ze knikt alleen maar.

Op de rondweg van Zwolle laat Anna haar zusje op de wegenkaart zien waar we zijn. Anna speelt graag de behulpzame onderwijzeres. Volgens mij doet ze dat heel goed. Ze zegt nooit wat Christien fout doet of niet weet. Ze doet precies het omgekeerde: ze prijst haar zusje voor alles wat ze wél weet en daardoor krijgt Christien steeds meer zelfvertrouwen. Daarom wil Christien alles weten. Leren koppelt ze automatisch aan positieve gevoelens. Zouden ze wat meer in het onderwijs moeten doen. En ik denk aan mijn nichtje met haar nieuwe manie: ze schrijft. Laatst belde ze, ze was helemaal enthousiast, want ze had een uitgever gevonden die vond dat ze veel moest schrappen. Och meid, wel de hélft! Dat is niet zo mooi, zei ik, al je werk voor noppes. Ben je niet teleurgesteld? Nee, je begrijpt het niet Annelies, ze legt de nadruk op wat wel goed is. Hm, zei ik. Je begrijpt het nog steeds niet Annelies, ik hoor het aan je stem. Hoe bedoel je, vroeg ik, want ik wil niet graag voor domoor uitgemaakt worden. Nou, zei ze, je moet voorzichtig zijn met mensen als ik, want wat je schrijft, ben je zelf. Eigenlijk kun je alleen maar schrijven wat bij jezelf past. Een lul schrijft lullig, en een depressief iemand schrijft boeken, zoals De Avonden. O, bedoel je het zo, antwoordde ik. Jij zou dus nooit een zwartgallige roman kunnen schrijven Annigje of een detective, omdat jij je niet in smeerlappen kunt en wilt verplaatsen, bedoel je dat? Zoiets. Eigenlijk is het een handicap Annelies, als je als schrijver een opgewekt karakter hebt en nooit half dood bent geslagen door je ouders. Hoezo Annigje, vroeg ik, waarom is dat zo? Heel eenvoudig Annelies. Mensen willen lezen over zwarte stinkende gal, over ellende, over meedogenloze moordenaars en ongelukkige sloebers, over stakkers die ze de ogen hebben uitgestoken en die ze levend begraven. Kijk maar in de krant die staat vol met het ongeluk van anderen. Daar smullen de lezers van en ze denken onbewust: dank je wel lieve God, ik ben er gelukkig nog, ze hebben mij nog niet met een ijzeren staaf voor mijn kop geslagen. Want ik ben braaf en ze lopen opgelucht naar de koelkast om de derde tompoes van die dag te verslinden. Want wat is nou één tompoes in vergelijking tot hen die gaan sterven?

Onze kinderen kijken zwijgend naar buiten. Als ik me omdraai glimlachen ze, maar aan hun ogen zie ik dat ze diep in gedachten verzonken zijn. Ze denken aan beppe.

'Eigenlijk is het heel mooi wat jullie doen. Want veel mensen dumpen hun ouders in een bejaardentehuis. Als ze niet meer kunnen lopen of dement worden gaan ze linea recta naar een verpleeghuis waar het de hele dag naar poep stinkt.'

'Ho, ho, Anna, nu oordeel je te gemakkelijk over anderen,' onderbreekt Albert zijn dochter. 'Je vergeet dat wij het ook kúnnen. Wij hebben een groot huis en wij kunnen het ook allemaal betálen. Bovendien hebben we twee dochters die ons helpen het pake en beppe naar hun zin te maken.'

'Je vader heeft gelijk,' zeg ik, 'we hebben jullie nodig, want we zullen alle zeilen bij moeten zetten om pake en beppe te laten wennen bij ons in Holland. Ze hebben hun hele leven een boerderij gehad, ze hebben altijd in het weidse landschap van Friesland gewoond. En dan moeten ze ineens naar Holland verhuizen. Voor hun gevoel naar een andere wereld, alsof ze gaan emigreren. Misschien willen ze niet eens bij ons komen wonen. Niet om ons, maar omdat de verandering te groot voor hen is. Omdat ze weten dat ze nooit zullen wennen.'

We rijden met gemengde gevoelens verder.

Anna kent alle plaatsen die we voorbij komen: Steenwijk, Wolvega, Heerenveen en dan verder richting Lemmer. Daar waar de meren zijn en waar we weleens met onze kinderen hebben gezeild.

'Eigenlijk kun je beter hier wonen dan bij ons in Holland. Hier is nog ruimte,' zegt Anna.

'Jij kunt bovendien Fries praten Anna.'

'Eigenlijk liggen hier mijn roots.' Christien trekt aan mijn mouw. 'Waarom praat onze Anna toch zo deftig mama. Is dat ook een ziekte?'

We gieren het uit van het lachen. Anna gelukkig ook.

37

Mijn ouders staan al op de uitkijk als wij het erf oprijden. Ik heb de gewoonte om even te bellen als wij vertrekken. Als we onderweg niet in een file blijven steken, weet mijn vader bijna op de minuut af wanneer we het hek indraaien. Want wij rijden altijd met dezelfde snelheid, geen kilometer harder dan mag, want wij zijn brave mensen. Omdat je de kinderen het goede voorbeeld moet geven. Eerste regel uit het eerste hoofdstuk van de opvoeding.

In de grote woonkeuken staat de koffie al te pruttelen. Het is er warm en gezellig. Onze kinderen voelen zich onmiddellijk thuis bij hun pake en beppe. Anna aait de poes en Christien het kleine keffertje. Altijd hetzelfde ritueel. Ik ben trots op mijn twee dochters, want ze doen precies zoals anders. Ze laten op geen enkele manier merken dat ze van beppe's kwaal weten.

Na de koffie laat mijn vader ons de stal zien die ik nog nooit zo schoon heb gezien.

'De laatste koeien zijn verkocht.' Ik hoor aan zijn stem dat het hem zwaar is gevallen, want hij heeft zijn hele leven koeien gehad. Zijn vader, de grootvader die we alleen kennen van een grote, ingelijste zwart-wit foto in de mooie kamer, was hier al boer. Mijn vader is hier geboren, en daarom heeft hij als klein jongetje hier al koeien gezien. De namen van de koeien staan nog op de balken van de zoldering. Geschreven met een krijtje en met mooie schuine letters. Annelies lees ik en Antje. Verderop Anna en Christien. Marijke ook nog altijd zie ik met een schok. Ik

kijk snel naar iets anders, want ik wil niet dat ze mijn ontroering zien.

De afscheidingen tussen de koeien zijn geschuurd en opnieuw groen geverfd. De betonnen vloer is schoon en droog,
de gaten zijn opgevuld met cement en de koe raampjes zijn
glanzend schoon. Nergens een spoor van spinrag. De leren riemen die de koeien om hun hals hebben als ze op stal
staan, hangen glanzend als nieuw aan de houten wand. Voor
de laatste keer met liefde ingevet. Mijn vader treuzelt een
beetje en kijkt zwijgend naar de lege stal. Dan zegt hij bijna
onhoorbaar: 'En zo gaat alles voorbij Annelies en Albert.
Nog twee maanden en dan ben ik vijfenzestig, dan krijg ik
van Drees. Hij loopt naar de deur aan de achterzijde van de
stal. Zijn gezicht staat al weer opgewekt. 'Kom eens kijken.'
Hij loopt voor ons uit over het opgeruimde erf, over de plek
waar een halfjaar geleden de mestvaalt was en waar nu alweer dunne grassprietjes groeien.

'Het lijkt wel een ingezaaid gazon,' zegt Anna. 'Nee, dat
bedoel ik niet, Anna, ik zal je iets veel mooiers laten zien,'
en hij loopt met grote passen voor ons uit, om de wagenschuur heen.

'Kijk eens, Christien en Anna, wat zeg je hiervan?' Hij
steekt zijn hand uit en onmiddellijk komen er vijf schapen
aanlopen die gulzig vee brokjes uit zijn hand eten. 'Geef ze
ook maar een paar, voor de schapen zijn dat snoepjes.' En
hij geeft Anna en Christien elk een brokje dat hij speciaal
daarvoor in zijn zak heeft gestopt. Want zo is mijn vader, hij
heeft zich al dagen lang voorgesteld hoe zijn kleinkinderen
van de schapen zullen genieten en dat ze de schapen ook
willen voeren. Hij tilt ze over het hek, zodat ze de schapen
kunnen aaien. 'Ze hebben al dikke winterjassen aan, voel
maar Christien. Ook al vriest het tien graden dan hebben ze
het nog niet koud.'

'Wat hebben ze grote ogen. Bijna mensenogen. Kunnen schapen denken, pake?'

'Een beetje wel natuurlijk, Christien. Nu denken ze dat jullie lieve kinderen zijn omdat jullie hun snoepjes geven. Zie je die rode strepen op de rug van de schapen? De ram, het mannetjesschaap, hebben we een blok kleurkrijt onder zijn buik gebonden en toen hij op de schappen sprong om ze te dekken, heeft hij die rode strepen op de rug van de schapen gemaakt. Zo kunnen we zien dat alle schapen zijn gedekt.'

'Wat is dekken?' vraagt Christien.

'Dan doet de ram zaadjes in de buik van het schaap.'

'O, ja, dat weet ik wel pake, dan gaan er lammetjes in de buik van het schaap groeien.' Ze kijkt met nog meer interesse naar de schapen, maar ze kan geen ram vinden. Want een ram heeft toch hoorns?

Mijn vader lacht. 'De ram van de Hooisma 's heeft een paar dagen bij ons gelogeerd Christien. De schapen en de ram hebben het reuze naar hun zin gehad. Volgend jaar moet de ram maar weer komen logeren boer, zeiden de schapen tegen me.' Onze kinderen lachen en Christien zegt: 'Handig.' Maar Anna lacht besmuikt.

'Nu staan de schapen nog onder een afdak, maar in de winter als het vriest is dat te koud, vind ik. En daarom ga ik een echte schaapskooi bouwen met een rieten dak. Ik heb een tekening gemaakt, dan kunnen jullie zien hoe het wordt.'

Aan de andere kant van de schuur is het kippenhok. Die wil pake groter en mooier maken. Want hij wil een haan kopen, zodat er kuikentjes geboren kunnen worden. Tenslotte gaan we nog even bij het paard kijken. Hij komt direct, want hij weet dat hij van mijn vader een suikerklontje krijgt. 'Het paard blijft bij ons, ik ga hem niet verkopen, want dan wordt hij geslacht en dat kan ik niet over mijn hart krijgen. Ik moet er niet aan denken. Het paard mag bij ons blijven zolang hij leeft, omdat hij ons altijd zo trouw heeft geholpen.'

Ik voel tranen achter mijn oogleden prikken. En wij maar denken dat onze ouders bij ons in het verre Holland zouden kunnen wennen. Hoe hebben we zulke dwaze plannen kunnen maken, denk ik. Mijn vader de hele dag opgeprikt op een stoel. Tussen Hollanders die geen woord Fries kennen. Mijn vader zou er gek worden. En mijn moeder erbij.

Mijn vader heeft groentesoep gemaakt. Met lekkere balletjes. Onze kinderen smullen. En dan is er stamppot met rookworst. En als toetje ijs met zoete slagroom. Véél slagroom. Zoveel als ze maar willen. Mijn moeder kijkt me ondeugend aan. 'Mijn kleinkinderen moeten weten dat ze bij hun beppe op bezoek zijn Annelies.'

'Voor één keer mag het.'

Na het eten, als mijn vader een stuk uit de Bijbel heeft voorgelezen en onze kinderen naar de schapen zijn gaan kijken, vertel ik hen van Dijkstra. Dat hij ons bezocht heeft om ons te troosten. 'Wij zijn altijd erg op hem gesteld geweest Annelies. Ook op zijn vrouw trouwens, ze heeft veel voor de kerk gedaan. Weet je dat nog Annelies?' Mijn moeder wil alles weten, of hij er nog zo uitziet als vroeger.

'Wist je dat hij en zijn vrouw een heel goed huwelijk hadden?'

'Och, dat zal wel,' antwoord ik. 'Hij is een aardige kerel en zij zal ook wel niet erg lastig in de omgang zijn geweest.'

En dan vertel ik hen dat we plannen hebben gemaakt. Dat ze wel bij ons zouden kunnen wonen, nu vader de koeien weg heeft gedaan. Voordat mijn moeder bezwaren kan maken - ik zie het al aan haar gezicht - zeg ik dat we al hebben begrepen dat vader onmogelijk hier weg kan. Mijn vader glimlacht. 'Maar het is wel heel erg aardig van jullie

Annelies en Albert. Echt buitengewoon aardig,' en hij veegt even langs zijn ogen.

'Was het om mij?' vraagt mijn moeder. Ik haal mijn schouders op. 'Ook wel natuurlijk, maar jullie worden ouder. En wij hebben in onze onnozelheid gedacht dat jullie dan alvast konden wennen, bij ons.'

Mijn moeder kijkt me onderzoekend aan.

'Nee mam, je ziet er perfect uit, echt waar en wij zijn dokter,' zeg ik er met een knipoog achteraan.

'Jij bent iemand die er niet veel last van zal hebben. Want je bent opgewekt en wij zijn er toch?'

'Woonden jullie maar wat dichterbij,' zegt mijn moeder zacht. Als ze naar het aanrecht loopt om water op te zetten, lijkt ze kleiner dan anders. Het moet verbeelding zijn, denk ik.

Mijn vader haalt de tekening van de schaapskooi uit de voorkamer. Als Anna en Christien met rode wangen van de kille herfstwind binnenkomen, gaan ze naast hem zitten, ieder aan een kant.

'Kijk, dit wordt de schaapskooi. Wat vinden jullie ervan?'

'Mooi,' zegt Christien, 'maar de muren zijn wel laag. Hoort dat zo pake?'

'Ja, dat hoort zo Christien. Want de muren, zoals jij ze noemde, zijn geen echte muren van steen, maar opgestapelde graszoden. Ik maak ze wel een meter breed. Dan komen er balken op te liggen en daarop bouw ik de dakconstructie. Van bomen die achter in het bos van ons land groeien.'

'Heb je dat zelf bedacht pake?' vraagt Anna. Mijn vader schudt zijn hoofd. 'Ik heb gelezen dat ze vroeger, in de middeleeuwen, al zo bouwden. Toen waren de boeren arm. Ze konden geen stenen en mooie geschaafde balken kopen en daarom maakten ze hun schuren van het materiaal dat ze zelf hadden, begrijp je? Want het dak maak ik ook van riet dat in mijn eigen sloot groeit.'

'Hoe hoog wordt het dak?' vraagt Albert. 'Vijf meter, misschien ietsje meer. Ik maak een speciale constructie zodat ik het alleen kan maken.' Mijn vader heeft iets uitgedacht, wat kinderlijk eenvoudig is, zegt hij. Volgens de traditie. Altijd goed. 'Maar je moet wel op een ladder staan,' zegt Albert. Mijn vader begrijpt waar Albert heen wil. 'Ik ben heel voorzichtig Albert.' Albert schudt zijn hoofd. 'Nee, dat moet je niet doen pa. Als je op jouw leeftijd valt, breek je snel iets en het duurt langer voor het geneest. Je moet geen onnodige risico's nemen, ook al ben je nog maar vijfenzestig.' Albert neemt zijn agenda. 'Als we in de komende vakantie probeerden ruimte te maken Annelies.' We bekijken samen onze mogelijkheden. Of we vervanging kunnen regelen. 'In principe kunnen we tien dagen komen. Dat kunnen we wel regelen,' zeg ik. 'En dan maken we samen die dakconstructie.'

'Lief van je Albert,' zegt mijn moeder, 'want ik heb me eerlijk gezegd al zorgen gemaakt om je vader. Ik heb precies hetzelfde gezegd, man je kunt je de benen wel breken. In zijn hoofd is hij nog altijd dertig, zegt hij.' Mijn vader lacht wat schaapachtig.

Albert bestudeert met mijn vader uitvoering de werktekening. Albert krijgt er steeds meer aardigheid in. Want zoals mijn vader de schaapskooi wil bouwen, wordt het een echte replica van de oude schuren van vroeger.

'Van wel duizenden jaren geleden,' zeg ik tegen mijn kinderen. Die vooral blij zijn om met de feestdagen hier te kunnen zijn. Misschien zijn de oudste kleinkinderen van de Hooisma 's er. Een meisje en twee jongetjes. 'Het wordt een historisch project,' zegt Albert met bijna kinderlijk enthousiasme. 'Je kunt tegenwoordig houten pennen kant-enklaar bestellen, dan kunnen we pengatverbindingen maken, dat gaat even snel als met moderne metalen schroeven. Die moet je eerst ook voorboren.' En hij vertelt dat hij dat vroeger al deed toen hij het vlot bouwde.

'Ik had alleen aan de voorkant originele pengatverbindingen willen maken. Daar waar je het ziet, maar als het zo gemakkelijk is, volgens jou Albert, dan gebruiken we die houten pennen overal.'

'Dan betalen wij de dakdekker,' zegt Albert. 'Dan krijg je het netjes voor elkaar. Want als je een echte replica wilt maken, dan moet je niet op die paar dubbeltjes willen beknibbelen. In een dag of twee heeft een geroutineerde dakdekker het voor elkaar. Zo groot wordt die schaapskooi nou ook weer niet.'

Anna bekijkt de tekening, ze laat haar vinger over de tekening glijden, zoals mijn vader het eerder deed. 'Komt er een deur in?' vraagt ze. 'Ja, kijk hier Anna. Ze maakten er vroeger deuren in, omdat er toen nog wolven waren.'

'Maar dan heb je geen ventilatie.'

'Je denkt ook aan alles Anna,' zegt mijn vader. En hij laat zijn oudste kleindochter zien dat er in het dak aan de uiteinden van de nok openingen komen. 'Dat zijn de plaatsen waar tegenwoordig bij boerderijen de uilenborden zitten. In de middeleeuwen en daarvoor waren het openingen, waar de rook naar buiten kon omdat men in het gedeelte van de boerderij waar men woonde een open vuur stookte. Zonder schoorsteen.'

Als de kinderen boven zijn gaan spelen, wil mijn vader weten wat Dijkstra precies heeft gezegd. Ik vertel van zijn bijna-doodervaring, van de laatste woorden van Marijke en wat Dijkstra ervan vond. We zijn ontroerd. Mijn vader schudt alleen maar zijn hoofd en mijn moeder gaat water opzetten hoewel het nog lang geen theetijd is. Na een lange stilte zegt mijn vader: 'Wat moet je daar nou van denken?'

Als we niet direct antwoorden, vraagt hij opnieuw: 'Wat denken jullie daar nou van Albert en Annelies? Jullie zijn toch dokter?'

Ik glimlach. 'Ach papa, wat maakt dat nou uit, dat beetje wat wij méér hebben geleerd dan jij? Denk je echt dat wij nu weten hoe de wereld in elkaar zit?'

'Ja dat weet ik wel Annelies, maar wat vind jij er nou zélf van, dát wilde ik weten.'

'In de eerste plaats zijn het bijna-doodervaringen, het gaat dus om mensen die niet dood waren. Dat is één en twee, je kunt er van alles bij denken en fantaseren, over de hemel, het paradijs en ga maar door. Of dat het alleen maar een kwestie is van hersenen die een tekort aan zuurstof hebben.'

'Wat is er dan zo bijzonder aan, volgens jou Annelies?'

'Dat mensen die het beleefd hebben er zo door veranderen. Daar hebben ze het allemaal over. Dat hun leven sinds die ervaring honderdtachtig graden anders is geworden. Zulke mensen zijn niet meer bang om dood te gaan. Integendeel. Ze zeggen dat het met afstand de belangrijkste ervaring van hun leven is. Ook al is het twintig of dertig jaar geleden.'

'Jullie hebben er geen verklaring voor.'

'Niemand heeft er een verklaring voor.'

Mijn vader kijkt mij nog eens doordringend aan. Ik zie aan zijn ogen dat hij er zich niet van bewust is dat hij wel in mijn ziel zou willen kijken.

'Geen verklaring wil niet zeggen dat het niet bestaat,' zegt Albert. 'Als alleen dat bestond wat we wetenschappelijk kunnen verklaren, dan was er geen wereld. Laat je maar niets wijsmaken, we weten nog niet eens wat een stofje is dat in een zonnestraal zweeft.'

's Avonds, als we na de boterham, als het al schemerig

wordt, weer op huis aan gaan, vraagt Anna, als we de weg opdraaien of we even verder een ogenblik kunnen stoppen voor het huis van de dokter. 'Want daar heeft Sybren ook gewoond,' zegt ze, 'toen hij jullie dokter nog was.'

'Nou vooruit dan maar,' zegt Albert die stuurt. En vierhonderd meter verder – want onze ouders wonen vlak buiten het dorp – parkeert Albert aan de overzijde van de straat, waar een speciale parkeerhaven is voor de bezoekers van de dokter. Hij laat de motor draaien, want we willen niet al te laat weer thuis zijn.

'Daar is de voordeur van het woongedeelte en rechts is de praktijk.'

'Klopt,' zeg ik.

'Ik heb het nu wel gezien,' zegt ze. Ik keer me om en kijk haar aan. Ze heeft een dromerige blik in haar ogen. 'Waarom wil je toch met alle geweld naar dat huis kijken Anna?' vraag ik.

'Omdat ik me ervoor interesseer,' zegt ze, 'omdat ik me de hele middag al afvraag, hoe het huis van de dokter er precies uitzag. Ik wist niet meer of de deur van de praktijk links of rechts was.' Dan lacht ze. 'Elke gek zijn gebrek mama.' We lachen allemaal met haar mee. 'Het was toch niet erg dat je even moest wachten hè papa?' 'Welnee Anna.'

38

Ruim een week later komt Anna na het avondeten triomfantelijk met het fotoalbum beneden. Ik heb haar het album gegeven om er de foto's van Sybren in te plakken.

'Kijk mama, ik heb alle foto's met plastic hoekjes vastgeplakt en Christien heeft er tekeningen bij gemaakt.' Albert legt zijn krant neer en komt ook kijken. 'Mooi,' zeggen we, 'vooral dat jullie het samen hebben gedaan. Dat maakt het extra mooi.'

Mijn vader op zijn vlot. De boerderij waar vader is geboren. Vader met onze grootmoeder, toen hij twee jaar was. Onder elke foto heeft Anna wat geschreven. En waar ruimte over is, heeft Christien getekend. Bloemen en vogels. 'Dat maakt het extra feestelijk,' zegt Albert.

'Er zijn nog tien lege bladzijden,' Anna laat ze ons één voor één zien. We kijken haar vragend aan.

'Ik zou eigenlijk meer foto's van jullie moeten hebben,' zegt ze. 'Dan moeten we morgen maar op de foto,' zeg ik. 'Nee, het moeten foto's van vroeger zijn, omdat dit een fotoalbum is van jullie, van vroeger. Kunnen jullie Sybren niet bellen en vragen of ik nog meer foto's van vroeger mag?'

'Nou ja,' begin ik aarzelend. 'Hij heeft toch ook al deze foto's aan ons gegeven?'

'We willen ons niet opdringen Anna. We hebben het heel fijn gevonden dat Sybren bij ons is geweest om ons te troosten.' Ik aarzel. 'Misschien willen Sybren en zijn vrouw verder geen contact. Misschien hebben ze al genoeg vrienden en kennissen. Wij zijn bovendien veel jonger Anna.'

Anna schudt haar hoofd. 'Nee mams, het is precies omgekeerd. Sybren wacht erop tot wij iets van ons laten horen. Want *hij* wil zich juist niet aan ons opdringen.' Albert en ik kijken elkaar glimlachend aan. En dan trek ik Anna tegen me aan. 'Je bent een dondersteen,' zeg ik. 'Wat zeg jij ervan Albert?'

'In zekere zin heeft Anna wel gelijk Annelies. Want het is een feit dat Sybren ons met veel genoegen al die foto's heeft gegeven. Dat doe je niet als wij hem onverschillig lieten.'

'Hij vond het ook heel fijn om ons zijn auto te laten zien.'

'Ik denk dat hij zo op jou en Christien gesteld is omdat hij en zijn vrouw geen kleinkinderen hebben. Denk je ook niet Albert?' Albert knikt. 'Heel goed mogelijk.'

'Wat denk je er zelf van Anna?'

'Ik kan toch ook bellen?' Ik kijk Albert aan. 'Ja, waarom eigenlijk niet Annelies.' En tegen Anna: 'Het is niet omdat wij niet zouden durven Anna. Maar wij willen ons niet opdringen, begrijp je Anna? Daar gaat het om.'

'Ach Albert,' zeg ik, 'we moeten er niet zo'n punt van maken. Als de Dijkstra's echt geen contact met ons willen, dan zijn ze oud en wijs genoeg om dat op een fatsoenlijke manier te laten merken.'

Albert knikt. 'Bel maar gerust Anna.' Ze gaat boven op haar kamer bellen. Ik kijk Albert een ogenblik aan als ze naar boven holt. We begrijpen elkaar.

Na een kwartiertje komt Anna de trap afstormen. Christien die aan de grote tafel zit te tekenen schrikt ervan. 'O, o,' zegt ze met haar heldere stemmetje dat me aan een zilveren kannetje uit de achttiende eeuw doet denken. 'Moet dat echt zo luid, Anna, met donder en geweld?'

Maar Anna hoort het niet. 'Is het goed dat Christien en ik volgende week woensdagmiddag naar hen toe gaan? Als jullie het goed vinden mogen we 's avonds ook blijven eten.'

'Toe maar,' zeg ik. 'De prinsesjes worden uitgenodigd. Maar eerlijk is eerlijk Anna. Je hebt gelijk gehad, hoor meid. De Dijkstra's zijn echt op jullie gesteld. Anders hadden ze jullie nooit uitgenodigd om te blijven eten. Jullie kunnen met een gerust hart naar hen toe gaan. Moeten we jullie halen en brengen?'

'Sybren haalt ons op met zijn amerikaan.'

'Dat overkomt alleen koningskinderen in een sprookje,' zegt Albert.

'Tatjana wil ons ook leren kennen.'

'Ze heet Titia.'

'Weet je het zeker mam?'

'Absoluut zeker, Titia of Tietsje in het Fries. Een heel mooie naam want in het Fries doet het je denken aan een kristallen wijnglas dat je voorzichtig met je mes aantikt.' Maar Anna luistert al niet meer. Zodra ik uitgesproken ben, zegt ze: 'Sybren heeft me gevraagd wat Christien en ik lekker vinden en dat gaan ze voor ons koken.'

'Dat is heel lief van ze Anna. En wat gaan ze voor jullie koken?'

'Dat wordt een verrassing want ik heb een heleboel dingen genoemd en daaruit gaan ze kiezen.'

'Heb je het gehoord Christien?' vraag ik. 'Wil je wel mee?'

'Natuurlijk mama, ik ga toch met Anna? Ik hoef toch niet alleen?'

De volgende drie dagen gaan de gesprekken aan tafel voornamelijk over het bezoek. Het bezoek met hoofdletters. Albert en ik hebben er niets tegen, waarom zouden we, maar het verwondert ons wel. Ikzelf denk dat Anna het contact met Sybren en Titia zo op prijs stelt, omdat Sybren ook dokter is. En precies dat wil ze worden. Christien laat zich het enthousiasme van haar grote zus graag aanleunen. Ze maakt ijverig tekeningen die ook ingekleurd moeten worden. 's Avonds na het eten leg ik een groot stuk plastic op de keukentafel en dan kan ze een uur haar gang gaan met waterverf. 'Want,' zegt ze – niet geheel onlogisch – 'als ze bij Sybren en Titia van foto's houden, zullen ze gekleurde tekeningen ook wel mooi vinden.' Christien krijgt Albert zo ver dat hij passe-partouts uit dik wit karton snijdt. Met een speciaal mesje en een zware ijzeren liniaal, op een zinken plaat. Een paar dagen later, kiest ze uit de tien schilderijen die ze gemaakt heeft de twee mooiste. Wij zitten ook in de jury. Als we tenslotte na veel wikken en wegen tot een keuze zijn gekomen en de passe-partouts op de kunstwerken leggen, bobbelt het papier.

'Geeft niet,' zegt Albert, 'daar weet ik wel wat op,' en hij maakt met een speciale lijm de achterkant van de tekeningen nat. We moeten een uur wachten en dan legt hij ze op een zwaar stuk karton, met dikke boeken erop. 'Nu moeten we tot morgenochtend wachten Christien.'

Voor wij wakker zijn, heeft Christien al stilletjes gekeken. Als de wekker afloopt, staat ze naast ons bed. Met de tekeningen. Helemaal glad. 'Ze zijn prachtig geworden met die mooie passe-partouts. '

'Echt mam?'

'Ja, ik meen het echt hoor Christien, je moet ook voor ons een paar schilderijen maken voor boven de keukentafel.'

39

Mijn moeder belt me sinds haar TIA – want meer is het gelukkig niet – om de dag. Soms aan het einde van de morgen of onder etenstijd. We vinden het niet erg. Omdat we het begrijpen. Moeder is wat onrustig, ze moet weer een nieuw evenwicht vinden en accepteren dat haar gezondheid een deukje heeft opgelopen. Meer niet.

Op de grote dag van Anna en Christien, de dag van Het Bezoek, belt ze om één uur. We eten warm en ik heb de tafel al gedekt, Albert is nog in de spreekkamer. Het gaat over koetjes en kalfjes. Waar het over gaat, is niet belangrijk als mijn moeder maar even met mij kan kleppen. Ze hangt aan mij. En ik aan haar. Soms hoor je over rivaliteit tussen moeder en dochter. Dat hebben wij nooit gehad. Misschien omdat wij samen zoveel hebben meegemaakt, zoals mijn ernstige depressiviteit en de bezoeken aan de psychiater. We hebben beiden geen jaloers karakter en we zijn opgewekt van aard. Dat zal ook wel een rol spelen.

'Ze zijn vandaag naar Sybren en Titia mam.'

'Ja, dat weet ik wel Annelies.'

'Nou, dan is je geheugen er ook niet zoveel op achteruitgegaan.' Ik hoor haar zachtjes lachen. 'Zulke dingen vergeet je toch niet Annelies. Dat ze bij onze oude dokter en mevrouw op bezoek gaan.'

'Sybren heeft ze met zijn grote amerikaan opgehaald. Maar mam, nog iets anders, Albert en ik hebben het er nog steeds over. Dat jullie bij ons zouden kunnen wonen. Nee niet hier in Holland, dat wordt niks. Jullie zouden hier nooit kunnen wennen, jij misschien wel maar papa niet. Die zou hier doodgaan van verveling. Papa is vergroeid met de boerderij.'

Ik hoor niets, maar in gedachten zie ik mijn moeder knikken, zodat er een grijze lok van haar nog altijd stevige haar op haar voorhoofd valt.

'Weet je dat je vader erom gehuild heeft Annelies?'

'Hoe bedoel je?' vraag ik verwonderd.

'Nou van ontroering. Je vader was ontroerd en ik ook Annelies.'

'Maar jullie zijn toch onze ouders?'

'Er zijn er genoeg die hun ouders linea recta naar een bejaardenhuis sturen en nooit meer naar hen omkijken.'

Even houd ik mijn adem in. Anna zei ook linea recta. Toen het over kinderen ging die hun ouders dumpen.

'Als je in Frankrijk komt, ontdek je dat ze daar op het platteland vaak hun ouders in huis nemen. Of bij hun ouders gaan wonen in die loeigrote huizen. Het heeft trouwens ook een praktische reden. Veel Franse vrouwen werken en als je dan je moeder thuis hebt, kan die mooi op de kinderen passen.'

'Dat deden ze hier vroeger ook, Annelies.' Albert komt binnen. Ik geef hem de telefoon. 'Praat nog maar even met Albert mam, dan kan ik het eten afmaken.' Ik giet de aardappelen af. Het is stil, Albert drentelt door de keuken en luistert. Na een lange tijd: 'Maar moeder, toen ik bij jullie kwam, hebben jullie me opgevangen alsof ik jullie zoon was. Dat zal ik nooit vergeten. Weet je nog dat jij dezelfde week met Annelies en mij naar de stad bent geweest omdat mijn broeken eigenlijk te kort waren en dat je ook een colbertjasje voor me gekocht hebt? Donkerblauw met een lichte broek? Voor de zondag? Met een das en twee nieuwe overhemden?'

Dan is het weer een tijd stil. Ik geef Albert een wenk en

neem de telefoon van hem over. 'Ik moet het gesprek afbreken mam. Want het eten staat op tafel. Zal ik je straks terugbellen, over een uurtje? Albert heeft vandaag dienst, ik heb straks alle tijd.'

'Doe maar,' zegt ze.

Het is vreemd stil onder het eten. Zonder kinderen. Alsof het vakantie is en ze bij hun grootouders in Friesland logeren.

'We zouden dichterbij moeten wonen, dat zou al een stuk schelen.'

Albert knikt. Hij weet dat ik wel wil verhuizen. Omdat de drukke rijksweg voor het huis me aan Marijke herinnert. Pas dit voorjaar is door de vorst en het vele zout dat ze deze winter hebben gestrooid de bruine vlek in de tegels van het fietspad verdwenen. De vlek van haar bloed. We hebben ons verwonderd dat je het zo lang kon zien. Nu markeren alleen de vergeet-mij-nietjes van onze buurkinderen de plaats waar het is gebeurd. Er is zoveel wat me aan die verschrikkelijke plek herinnert. Als ik in de voorkamer moet zijn wordt mijn blik als vanzelf naar de zesde eik, rechts van onze inrit, getrokken. Dan zie ik daar Albert weer op zijn knieën naast Marijke.

Gelukkig staat ons huis een eind van de weg zodat we weinig last van het drukke verkeer hebben dat richting Amsterdam dendert. Onze woonkeuken en onze slaapkamers bevinden zich aan de achterzijde van het huis, dat scheelt ook een stuk. Eigenlijk wonen we wel mooi, met uitzicht op de grote tuin en verderop de uitgestrekte weilanden...

'Als we iets anders willen, moeten we niet te lang wachten,' zeg ik zacht terwijl ik zijn hand vastpak.

'Zullen we uitkijken naar iets anders?'

'Waar?' vraag ik. 'Met een F?' Hij lacht me toe. 'We willen toch dichterbij gaan wonen?' We blijven enkele ogenblik-ken roerloos zitten, naar buiten starend, naar de herfstnevels en de verre wazige horizon. Onze hoofden vol gedachten. Dan rolt er ineens een traan over mijn wang, en nog één.

'Alsof we haar hier achterlaten.'

Albert legt zijn arm beschermend om mijn schouder. Ik huil weer zoals toen. Het gaat maar door.

Albert zwijgt maar trekt mij tegen zich aan, hij neemt me in zijn armen.

'Als ik me maar niet zo schuldig voelde'

'Ik had beter moeten opletten.'

'Ze was geen kleuter meer Annelies. En je kon toch niet weg toen je die wond hechtte?'

'Ik had door het raam kunnen kijken, dan had ik moeten zien dat ze naar de weg liep. Eén seconde maar.'

'Je had al je aandacht nodig.'

'Ik had even kunnen roepen, de deur naar de gang stond op een kier. Ze zou mij gehoord hebben.'

'Je had haar toch niet vast kunnen binden?'

'Onze kinderen zijn nooit zomaar de weg overgestoken. Ze doen het nog niet. Zelfs Anna zegt het altijd als ze bij de kinderen van de buren gaat spelen.'

'Waarom is ze ineens weggelopen Albert? En dan zomaar die verschrikkelijke weg over met al dat zware vrachtver-keer.'

Als Albert visites rijdt, bel ik mijn moeder. Ze neemt direct op. Ze heeft natuurlijk naast de telefoon zitten wachten. Ik zie haar voor het raam zitten dat uitzicht geeft op het hek. Met de hand al bij de telefoon.

'We gaan verkassen mam.' Als ze niet direct begrijpt wat ik bedoel, zeg ik het nog eens met andere woorden. 'We denken erover om te gaan verhuizen. Als we deze praktijk kunnen verkopen en als we iets anders kunnen vinden. We willen wat dichter bij jullie in de buurt komen wonen.' Ik wacht op haar reactie, het duurt lang. 'Als dat zou kunnen Annelies.'

'We proberen het mam. Want het is geen kleinigheid om een dokterspraktijk te verkopen in deze tijd. En we moeten natuurlijk ook iets vinden wat ons aanstaat. Je moet er maar niet op rekenen dat we over een halfjaar al dichterbij wonen.'

'Willen jullie iets in Friesland zoeken?'

'Als het kan.' Er valt weer een stilte. 'Jullie hebben veel meegemaakt Annelies, waar jullie nu wonen.' Ik verman me. 'Voor Anna en Christien zal het geen probleem zijn. Die maken gemakkelijk nieuwe vrienden en over enkele jaren moeten ze sowieso van school veranderen. Ze spreken ook Fries.'

'Het zou mooi zijn,' herhaalt mijn moeder.

'Nu kan het nog mam.'

'Hoe bedoel je dat Annelies?'

'Zoals ik al zei mam, het is een hele heisa als je van standplaats wilt veranderen. Dat doe je alleen als je niet al te oud bent.'

'Jullie wonen daar nog niet zo lang.'

'Ach mam, al weer zoveel jaren.'

Ze zegt niets maar ik weet wat ze denkt. Dat de jaren zo snel voorbijgaan. Alle oude mensen zeggen het. Juist als ik iets aardigs bedenk om het gesprek af te sluiten, zegt ze: 'Gelukkig hebben jullie je geloof.'

Ik blijf een ogenblik verwonderd met de telefoon in mijn hand staan.

'Vind je dan dat wij gelovig zijn?'

'Ik ben maar een eenvoudige boerenvrouw Annelies.'

'Mam, hou op met die onzin,' zeg ik streng. 'Hoe kom je erbij om jezelf zo naar beneden te halen. Als het om het geloof gaat zijn we allemaal eenvoudige mensen.'

Ik hoor haar lachen, gelukkig, het valt goed, denk ik.

'Vroeger toen jullie in Groningen studeerden, weet je nog wel Annelies, dat jullie het toen altijd over de wetenschap hadden en dat je alles moest kunnen bewijzen?'

'Dat ligt al weer zo ver achter ons mam.'

'Dat bedoel ik nou Annelies. Toen jullie laatst bij ons waren, zei je dat wetenschap alleen ook niet alles was.'

'Zei ik dat?'

'Ja, dat zei je en volgens mij ben je gelovig als je dat zegt.'

'Dat er meer is dan alleen wetenschap?'

'Ja dat bedoel ik.'

40

Om zeven uur, als het allang donker is, horen we het grint achter het huis knarsen. De grote Amerikaanse slee met onze kinderen komt schommelend tot stilstand. Anna en Christien hebben rode blosjes op de wangen. Ze torsen ieder een grote plastic zak.

'Omdat we voor het eerst bij Sybren en Titia op bezoek waren,' zegt onze jongste. Ze omhelzen Sybren nadat die ons een hand heeft gegeven en gelijk weer instapt, omdat hij z'n vrouw niet de hele avond alleen wil laten. En voor we er erg in hebben is de auto alweer gedraaid, een zwaaiende hand uit het geopende raam en weg is het Amerikaanse slagschip.

'Nou vertel maar eens,' zeggen we oprecht nieuwsgierig.' 'Hoe was het bij Sybren en mevrouw Dijkstra?'

'Prachtig,' zegt Anna.

'Je weet niet wat je ziet,' voegt Christien er enthousiast aan toe. 'Ze zijn rijk, want ze wonen in een heel mooi huis in een prachtige tuin.'

We glimlachen. De Dijkstra's hebben nooit krap gezeten, ze zijn altijd flinke tweeverdieners geweest. Zij had een advocatenkantoor in Leeuwarden, ergens bij het Fries museum.

'Viel mevrouw Dijkstra bij jullie in de smaak?'

'We moesten Titia zeggen, mama.'

'Ze heeft ons haar zwarte jurken laten zien die ze aan heeft als ze naar de rechtbank gaat.'

'Wij mochten ze ook even aan hebben en toen heeft Sybren foto's van ons gemaakt, die na een paar minuten al klaar zijn.' Anna zoekt in haar plastic tas en ze legt een aantal polaroidfoto's op tafel.

'O, wat mooi,' zeg ik, 'met die robes om jullie schouders. En dat ze zo om jullie heen gedrapeerd zijn tot op de vloer. Prachtig, alsof jullie sprookjesfiguren zijn.'

'Het zijn kunstzinnige foto's,' zegt Albert bewonderend. 'Sybren kan heel mooi fotograferen.'

'Wat vonden ze van jouw schilderijen Christien?'

'Die hebben ze dadelijk opgehangen naast een appel.'

'Naast een appel?' vraag ik quasi onnozel. 'Wie hangt er nou appels aan de muur?'

Ze schateren. 'Nee mama, er is ook een schilder die Appel heet.'

'Alsjeblieft,' zegt Albert, 'toe maar, een echte appel, was het een schilderij op papier, een gouache, een waterverf-schilderij?'

'Nee, een echt schilderij van olieverf. Zo groot en met zulke dikke klodders.' Christien maakt weidse gebaren. 'En dat hangt daar zo maar aan de muur?' vraagt Albert.

'Aan een draadje,' zegt Christien.

'Aan een draadje?'

'Nee dat bedoel ik niet papa, het schilderij hangt wel aan een soort spijker, maar achter het schilderij zit een klein draadje.'

'Waarom?'

'Als er dieven komen om het schilderij te stelen, gaat er een stroompje door het draadje naar het politiebureau en dan komt de politie om de dieven te arresteren.'

'O, o,' zegt Albert en hij *doet* niet alleen of hij verbaasd is. Anna en Christien kijken hem lachend aan en Anna vraagt: 'Is zo'n schilderij van Appel erg duur?'

'Minstens zo duur als een grote Mercedes.'

'Hé?' zeggen ze met grote verbazing. 'Zó duur papa?'

Het is een ogenblik stil. Want dat hadden ze niet gedacht. 'Mijn schilderijen hangen nu naast de appel,' zegt Christien tenslotte. Met glimmende ogen van trots. Anna houdt zich in, ze laat Christien eerst vertellen. Je bent een schat Anna, denk ik.

'Na het eten heb ik met Titia geschilderd. Ze heeft haar atelier op zolder. Met een groot raam op het noorden, want dat moet, zegt ze. Vanwege het licht. We hebben met acrylverf geschilderd.'

Dan is Anna aan de beurt.

'Sybren heeft me zijn donkere kamer laten zien en hoe hij vroeger foto's ontwikkelde. Met chemicaliën. Nu maakt hij foto's met digitale camera's. En 's middags heb ik hem in de keuken geholpen en hij heeft me, toen het droog was, de tuin laten zien. Ondertussen hebben we thee gedronken en gepraat.

'Jij hebt het dus ook naar je zin gehad?' vraag ik aan Anna. 'O ja en we hebben gebakken aardappeltjes gegeten met appelmoes en gekookte appeltjes. Die mocht ik klaarmaken met Titia. Ook de gehaktballen.'

'Jullie hebben ons nog niet laten zien wat er in die grote plastic tassen zit.'

'Je bent nieuwsgierig, hè mamma?' zegt Christien.

'Wie zou niet nieuwsgierig zijn, als je kinderen met tassen thuiskomen die ze nauwelijks kunnen tillen?'

'Jij mag eerst uitpakken, ' zegt Anna genereus tegen haar zus.

Christien stalt haar schatten uit: een doos met acrylverf. Kwasten en penselen. Een grote speelgoedbeer. Kleine poppen in een miniatuur poppenhuis, zakken met pepernoten, puzzels kleurpotloden, het houdt maar niet op. Ik sta versteld omdat Titia en Sybren zoveel dingen voor Christien hebben uitgezocht die zo goed bij haar leeftijd passen. 'Je hebt ze toch wel bedankt Christien?'

Ze knikt en ze haalt de rest uit de grote plastictas. De halve tafel staat vol.

Anna heeft een camera gekregen. 'Dat is te gek,' zegt Albert. 'Ik mocht hem hebben omdat Sybren hem over heeft. Als ik weer kom zullen we de foto's die ik gemaakt heb afdrukken.'

Albert en ik kijken elkaar aan. We denken hetzelfde. Ik zie het aan zijn ogen. Ik schuif de spullen van Christien bij elkaar om ruimte te maken voor de uitstalling van Anna. Alles past ook perfect bij haar leeftijd, ze is er minstens zo verguld mee als Christien. 'Sybren en Titia hebben zich voor jullie het vuur uit de sloffen gelopen. Ze moeten een hele dag speciaal voor jullie hebben gewinkeld. Morgen moeten jullie maar een briefje schrijven om hen te bedanken.' Ik laat ze een halfuur langer opblijven. En ik maak warme chocola. Albert en ik komen ook al in sinterklaasstemming. 'Vooruit met de geit,' zeg ik. 'De oude man uit Spanje komt ook maar één keer per jaar en ik verras ons allemaal met handenvol pepernoten. Op schotels. Want niet iedereen is er van gecharmeerd als ik zomaar handenvol pepernoten door de kamer smijt.

Als de kinderen naar bed zijn, zegt Albert: 'Ik weet eigenlijk niet wat ik ervan moet denken. En jij?' Ik haal mijn schouders op. 'Wij hebben niet om al die cadeaus gevraagd, onze kinderen ook niet. Sybren en Titia hebben er kennelijk plezier in om onze kinderen te verwennen. Dat is hun beslissing Albert en ze doen het uit vrije wil.'

'Sybren is wel een oude man. En dan met twee jonge meisjes in die grote slee?'

'Albert hoe kom je erbij, foei!' Ik schud mijn hoofd .'Weet je nog van dat gesprek?'

'Welk gesprek?'

'Je weet wel, een paar weken geleden met die mevrouw uit

Leeuwarden, die verdwaald was. Ik heb een tijd met haar op de oprijlaan staan praten.' Ik trek Albert ondeugend aan zijn oorlel. 'Kom jongetje, even die grijze cellen activeren, ik bedoel die dame die alles van literatuur wist.'

'O die!'

'Ja die.'

'Kende ze Sybren Dijkstra?'

'Toen ze jou zag, zei ze: sprekend dokter Dijkstra. Weet je het weer Albert?'

'Natuurlijk herinner ik mij die dame Annelies. Ze had vroeger aan de trekvaart gekampeerd, bij ons in Friesland. Zij was ziek geworden, maag overstuur, die bedoel je toch?'

'Geweldig Albert, aan je geheugen mankeert niets. Nou, zij vertelde me dat ze zulke goede herinneringen had aan die Friese huisarts, aan die dokter Dijkstra. Zo vertrouwd en tegelijk zo gewoon. Helemaal niet zo'n haantje met kapsones.'

'Weet je wat het is Annelies? Iedereen heeft het de laatste tijd over misbruik van kinderen, je wordt ermee doodgegooid. In alle oude mannen zien ze potentiële kinderverkrachters. En dan begin ik ook nog onze arme Sybren Dijkstra te verdenken. Hoe haal ik het in mijn hoofd.'

Ik ga met Albert kroelen, we zijn alleen. Ik laat mijn tong in zijn oorschelp verdwalen en ik fluister: 'Vind je het niet grappig dat jij, volgens die dame uit Leeuwarden, op Sybren Dijkstra lijkt?'

41

Als de volgende ochtend de telefoon overgaat, weet ik wie er belt. Geen patiënt, maar mijn moeder. Het is mijn zesde zintuig. Ze is nieuwsgierig hoe onze kinderen het gehad hebben. Want ze zijn toch maar bij onze oude huisarts op bezoek geweest. Voor mijn moeder is dat nog altijd iets bijzonders. Alsof je bij de commissaris van de Koningin mag komen om het eerste kievitsei aan te bieden. In die orde van grootte. Ik geef wat details om haar in de stemming te brengen. 'Ze zijn altijd tweeverdieners geweest Annelies en zijn vader en grootvader waren grote boeren boven Leeuwarden. Op de klei.'

'Hoe weet je dat?'

'Iedereen weet dat Annelies. Iedereen van mijn leeftijd. Maar toch aardige mensen, hoor. Ook goed kerks. Een oudoom van Dijkstra was dominee, nou dan weet je het wel. Als die op de stoel stond, was de kerk afgeladen vol.' Ik ga er maar niet op in en vertel wat ze allemaal hebben gekregen. 'Twee grote plastic zakken vol. Wat vind jij daar nou van mam?'

'Anna en Christien waren er toch blij mee?'

'Natuurlijk, maar ik bedoel wat anders. Albert en ik vragen ons af waarom Sybren en zijn vrouw zoveel moeite hebben gedaan. Want het zijn toch niet hun eigen kleinkinderen. Ze kennen ze nog maar pas en voor Titia was het zelfs de eerste keer dat ze Anna en Christien ontmoette.'

Het blijft enkele tellen stil aan de andere kant van de lijn.

'Wat moet ik daar nou van denken, mam?' herhaal ik

mijn vraag. 'Je moet er niets achter zoeken Annelies. Ze hebben zelf geen kleinkinderen, dat is het. En dan is er nog iets. Weet je eigenlijk wel dat ik een keer bij Dijkstra ben geweest, toen jullie pas bij elkaar waren?'

'Er staat me vaag iets voor de geest.'

'Nou ja, ik kan je het ook wel vertellen Annelies, het is ook al zo lang geleden. En bovendien is er niks mis mee.'

Ik hoor een geruis, ik weet wat ze nu doet. Ze is ontroerd en ze zoekt haar zakdoek. Dan gaat ze verder: 'Ik hoef je niet te vertellen hoe blij wij met Albert waren. Toen wij hem voor het eerst zagen op die middag toen Marianne Hooisma was begraven, toen jullie bij het hek afscheid namen... Ik zie jullie nog voor me Annelies. Jij en Albert. Allebei nog zo jong. Zo mooi. Jij hield zijn hand vast, maar je vader zei: 'Antje, dit zal nooit wat worden, zo'n aardige knappe jongen wil toch een gaaf meisje. Niet een gehandicapt meisje als onze Annelies.' Ik hoor het knisperen van de gestreken kanten zakdoek en het zachte geruis als ze haar ogen droogt.

'Ik zeg maar precies wat we toen zeiden Annelies.'

'Zo was het toch ook mam?'

'En toen trok je zijn hoofd naar je toe, en je kuste hem op zijn mond.'

Het is stil, de telefoon ruist zacht en ik zie mijn moeder voor me, vechtend tegen haar ontroering. Nog altijd, na al die jaren.

'Jullie stonden er langer Annelies, het was niet zomaar een afscheidskusje. Jouw vader en ik voelden dat het echt was. Als ouders weet je die dingen... Jullie zullen het ook wel hebben met jullie kinderen. Een moederhart weet het Annelies en ik zei tegen Jan: 'Albert komt morgen weer, het is echte liefde tussen die twee Jan, hoe jong ze ook zijn.' Ik wist het zo zeker. En toen Albert definitief bij ons kwam wonen, hield ik van hem alsof hij mijn eigen zoon was. Maar jullie waren wel een jongen en een meisje en toen ik jullie op die eerste morgen riep en jullie niet antwoordden, heb ik even door de kier van de deur van jouw kamer gekeken. Ik wist dat jij bij hem was. Jullie sliepen nog, in elkaars armen. Helemaal bloot, het was warm en de deken was van jullie afgegleden, zo mooi. Zijn hand op je linker arm. Ik heb de deur voorzichtig weer dichtgedaan en gewacht tot jullie uit je zelf wakker werden. Weet je nog dat wij op een morgen in de keuken waren, met ons drieën? Jij, Albert en ik? En dat ik er toen over begon omdat ik er toch niet gerust op was. Want je wilt toch geen ongelukken? Weet je nog wat Albert toen zei Annelies? Ik kan het nog niet. Ik kan je niet met woorden zeggen Annelies, wat dat zinnetje voor mij betekende. En dat hij in die tijd mem tegen me zei. Ik weet nog precies wat ik toen dacht: Albert wat ben jij toch een ontzettend fijne jongen, wat heb jij een innerlijke beschaving. Dat je dat durft te zeggen, je bent nog geen veertien, maar je bent volwassener dan de meeste mensen die ik ken.'

Mijn moeder snuit haar neus en ik wacht tot ze uit zichzelf verdergaat. Ze heeft nog nooit zo gemakkelijk gepraat over Albert en mij, dat ze ons 's morgens bloot in één bed vond en dat ik zwanger had kunnen raken. En ik vraag me af of die TIA toch niet een echte CVA is geweest. Want één van de gevolgen kan zijn dat men minder remmingen heeft. Verlies van decorum zeggen wij in ons slang.

'Waar was ik ook al weer Annelies?'

'Dat je bij Dijkstra bent geweest, omdat je bang was dat ik zwanger kon worden.'

'Ja precies. Dát wilde ik je vertellen Annelies, hoe ontroerd Dijkstra was toen ik hem vertelde dat het méér was dan alleen maar kalverliefde. Ik weet nog dat hij me aanstaarde, ik werd er verlegen van en hij zei, Antje, een moederhart weet meer dan duizend geleerden. Toen schoot zijn gemoed vol Annelies. Hij heeft zitten huilen en ik van de weeromstuit ook.'

Mijn moeder wacht weer, het wordt haar weer teveel. Dat is toch wel bijzonder, schiet het door mijn hoofd, dat Dijkstra heeft zitten huilen van ontroering. Om Albert en mij. Dat heb ik nooit geweten.

'Ik wil maar zeggen,' gaat mijn moeder verder, 'Dijkstra heeft altijd een zwak voor jullie gehad. En dat begrijp ik ook wel, want hij had al contact met de psychiater gehad en zij had hem ook al ingelicht. Dat het heel speciaal was, jij en Albert. En dat ze niets meer voor jou hoefde te doen. Dat het een op de zoveel duizend was die zoiets overkwam.'

'Dat is nog altijd zo mam.'

Ze doet alsof ze me niet hoort.

'Dokter Dijkstra denkt dáároan Annelies, als hij jullie kinderen ziet.'

Het is stil. 'Ben je er nog mam?'

'Nou ja, ik kan je het nu ook wel vertellen Annelies. In de twee jaar dat hij toen nog onze dokter is geweest, hier op het dorp, heeft hij me geregeld gebeld om te vragen hoe het met jullie ging. En dat ik hem maar moest bellen als hij ergens mee kon helpen. Hij belde expres voor jullie, hoor Annelies. Praat er maar met niemand over dat ik bel, Antje, zei hij elke keer. Praat er ook maar niet over met de jonge-lui.' 'En nu vertel je het toch,' zeg ik. 'Omdat het al zo lang geleden is Annelies. En als ik je vraag er niet met Dijkstra over te beginnen als jullie elkaar spreken, dan doe je dat ook niet. Dat weet ik wel.'

'Goh,' zeg ik, 'die dokter Dijkstra. Toch goed dat je het mij hebt gezegd mam. Want nu begrijp ik beter waarom hij zo op onze kinderen gesteld is.'

42

In de weken die volgen keren we langzaam maar zeker terug naar de sleur van het dagelijkse leven. De dagen worden snel korter en de nachten langer en kouder. De Engelse weerkundigen krijgen gelijk: Begin december vriest het al dat het kraakt en de Friezen beginnen te kraaien over de Elfstedentocht. Er is een Leeuwarder die verwarmd ijs heeft uitgevonden en dat wil hij aan de gemeente verkopen zodat het oude mens uit Den Haag geen koude voeten krijgt. De kranten koppen: *Koningin in alle staten om Friese uitvinding.* Als ik uit Leeuwarden kwam, ging ik onmiddellijk verhuizen, zeg ik tegen Albert.

Onze kinderen halen de schaatsen van zolder en ik hark de bladeren uit de vijver en als het gaat ijzelen hebben we de handen vol aan gebroken armen en ontwrichtte enkels. De kwestie Dijkstra lijkt vergeten. Voor Albert en mij. Maar niet voor Anna en Christien. Een paar dagen na het grote bezoek laat Anna mij het fotoalbum met een aantal nieuwe foto's zien.

'Kijk,' zegt Anna, als we het album doorbladeren, 'deze foto staat bij Sybren en Titia op het nachtkastje in een zilveren lijstje.' Ik herken de foto het is een variant van andere foto's die we al kennen: Albert als tweejarige met Marije, zijn moeder.

'Maar Anna, hebben ze jullie dan ook de slaapkamer laten zien? vraag ik

'Nee, ik kwam toevallig in die kamer toen ik naar de wc moest mama.'

Ik kijk haar streng aan want ik wil niet dat onze kinderen zonder toestemming overal rondstruinen.

'Nee, echt waar mama,' zegt ze terwijl haar onderlip al trilt, 'het kwam per ongeluk. Ze hebben een gang waarop allerlei deuren uitkomen, die allemaal op elkaar lijken.'

'Dan is het goed,' zeg ik en ik blader snel verder terwijl ik Christien een complimentje voor haar tekeningen geef. Op de laatste bladzij staan vier foto's die kennelijk achter elkaar zijn genomen. Durk, Aebeltsje, Albert en zijn twee broers. Albert staat helemaal links, naast zijn jongste broer.

'Wat aardige foto's,' zeg ik, om de aandacht af te leiden van de foto in het zilveren lijstje, want ik vind de foto's helemaal niet aardig. In tegendeel. Albert staat er ongelukkig bij. Aebeltsje, Alberts stiefmoeder heeft een lelijke grijns op haar magere smoelwerk, terwijl de anderen verveeld in de lens kijken. Arme Albert, is het eerste wat ik denk, je staat te kijken alsof je er niet bij hoort. En dan moet je zijn vader zien staan, een brede man met een dikke pens en een ontevreden trek op zijn gezicht. Dat zo'n man met die slanke, elegante vrouw, met Alberts moeder getrouwd is geweest, onvoorstelbaar. Durk van Zanden heeft een overall aan met vieze bruine vlekken. Van het legen van de grup, denk ik. Ik bekijk zijn gezicht, halverwege het voorhoofd is de huid ongezond wit, daar heeft zijn pet gezeten, bij die rode rand. De rest van zijn ongeschoren gezicht is bruin verbrand. Met zo'n gezicht moet je weet hebben van de verdorvenheid van het mensdom, denk ik. Dan ben je geneigd tot alle kwaad en geen goed, zoals de Heidelbergse catechismus ons leerde.

Als de kinderen naar school zijn en Albert patiënten bezoekt, ga ik met het fotoalbum aan de grote keukentafel zitten. Ik zoek de foto waarvan een afdruk in een zilveren lijstje op het nachtkastje van de Dijkstra's staat. Ja, daar zie ik Albert in, denk ik, als ik Marije 's gezicht bekijk. Dezelfde lippen, dat dikke donkere haar en die jukbenen. Maar het zijn vooral haar ogen, de spiegels der ziel, die me aan Albert herinneren.

Ik blader terug, ergens op eenn van de eerste bladzijden staan identieke foto's. Waarom heeft Sybren Dijkstra enkele keren achter elkaar afgedrukt? Om er zeker van te zijn dat in elk geval één foto gelukt zou zijn? Want er zijn vrijwel geen verschillen tussen de vier foto's. Op alle vier houdt Albert zijn moeders hand vast. Hoewel hij hoogstens tweeëneenhalf jaar geweest moet zijn, glimlacht hij tegen de fotograaf. Albert was te jong om zich dit te kunnen herinneren, denk ik. Hij kan niet weten dat hij en zijn moeder vroeger verschillende malen door zijn huisarts zijn gekiekt. Hebben de andere gezinsleden van deze foto geweten? Zijn er afdrukken geweest toen Alberts moeder nog leefde? Heeft Aebeltsje de foto's verscheurd? Of Alberts vader? Want Albert kan zich absoluut niet herinneren deze foto's ooit gezien te hebben, vertelde hij nog geen halfuur geleden.

Ik zet het album terug in de boekenkast en ik ga in de luie stoel bij het raam zitten waar ik uitzicht heb op de parkeerplaats voor onze patiënten. Ik sluit mijn ogen en denk na. Ik blijf Durk van Zanden zien. Hij vertikt het om uit mijn bewustzijn te vertrekken. Naast hem blijf ik Marije van Zanden, zijn vrouw, zien. Drie zonen hebben ze gehad, Feitse, Sies en Albert. Ik zie ze helder voor me en langzaam kruipt een misselijk makend gevoel vanuit mijn maag omhoog, als Durk van Zanden zich in mijn verbeelding losmaakt van de anderen. Hij komt op me toe, dreigend. En stinkend. Wij hebben ze nog geregeld op ons spreekuur, ouderwetse boeren die zich nooit wassen omdat ze in hun bedoening geen badkamer hebben. We krijgen ze op ons spreekuur die voor het laatst door hun moeke zijn gewassen toen ze uit de luiers kwamen. Ik doe dan een mondkapje voor om niet buiten westen te raken vanwege de penetrante geur die opstijgt uit bedenkelijke korsten en opgedroogd zweet van jaren. De griep gaat, zeg ik, en ik wil u niet aansteken. Natuurlijk geloven ze mij, want ze ruiken zichzelf niet, omdat ze aan hun eigen kwalijke uitwasemingen gewend zijn.

Arme vrouw, arme Marije. Waarom ben je met die hufter getrouwd? Was het een moetje? Hoe heb je het volgehouden meid, hoe heb je kinderen kunnen verwekken met zo'n man. Of ik het wil of niet, ik word gedwongen hem voor me te zien. Tot in de kleinste details, getverdemme! Ik sta schielijk op en drink een glas koud water. Dan gaat het beter. En ik ben boos op mezelf. Waarom denk ik zo slecht over Van Zanden, Alberts vader? Waarom overdrijf ik onbewust?

Als ik terugloop naar de stoel bij het raam, rijdt een auto de parkeerplaats voor patiënten op. Een gezette dame op leeftijd stapt uit. Toe nou toch, mevrouwtje, moet dat nou echt? We hebben vanmorgen van acht tot tien spreekuur gehad. Waarom ben je toen niet gekomen? Je hebt niks urgents, dat zie je zo, ondanks je dikke kont huppel je opgewekt naar de deur van de praktijk. Terwijl ik binnendoor loop, denk ik, wat een zaligheid dat een mens alles kan denken, maar niet alles hoeft te zeggen. Ik glimlach haar vriendelijk toe: 'Sorry mevrouw, het spreekuur was vanmorgen, van acht tot tien.' Er trekt een ondeugende glimlach over haar gezicht. Ze moet me kennen, flitst het door me heen, want vreemden kijken me altijd op z'n minst tien seconden verbouwereerd aan vanwege mijn mismaakte gezicht. Ze steekt haar hand naar me uit. 'Ken je me niet meer Annelies?'

Ik kijk in haar ogen, die neus, die mond, Mevrouw Dijkstra.' Ik doe een stap opzij om haar binnen te laten en geef haar een hand. 'Wat een verrassing. Komt u verder.'

Als ze in het halletje van onze praktijk staat, zegt ze: 'Ik overval je toch niet Annelies? Jullie hebben toch geen spreekuur vanmiddag? Want dan kom ik een andere keer terug.'

'Nee mevrouw,' zeg ik en ik hang haar beige overjas aan de kapstok en ga haar voor naar onze woonkeuken. 'Thee, mevrouw Dijkstra?' Ze zegt niets maar kijkt me een ogenblik aan, met een warme blik en een welwillende glimlach die om haar mooi gestifte lippen speelt. 'Wat heb je schattige kinderen Annelies. Want je zult wel begrepen hebben dat Sybren en ik weg zijn van Anna en Christien.' Ik knik en zeg: 'Wij hebben mazzel gehad met onze kinderen Titia.' Ik besluit haar te tutoyeren, want ik verwacht persoonlijke, emotionele ontboezemingen. Ik ben nu eenmaal sterk in voorgevoelens. Ze is niet voor een wissewasje gekomen, dat is zonder meer duidelijk. Ze kijkt me een ogenblik aan en zegt met een niet geheel geslaagde knipoog: 'Je begrijpt het al Annelies.'

Terwijl ik water opzet, loopt ze naar het raam dat uitzicht geeft op de tuin. Ze ziet er nog altijd uit zoals vroeger: om door een ringetje te halen. Ze was ouderling, indertijd een unicum voor een vrouw. 's Zondags droeg ze donkere mantelpakjes met witte kanten blouses en halfhoge hakken. Ook toen maakte ze zich op. Heel decent, precies op het randje, want in die tijd waren de marges klein. Vrouwen die make-up gebruikten, waren volgens de gangbare gereformeerde code publieke vrouwen, tout court. Maar van mevrouw Dijkstra werd zelfs een decente lippenstift getolereerd. Ik weet precies waarom. Ze was de vrouw van de dokter en ze was directeur van een advocatenkantoor in Leeuwarden. En niet geheel onbelangrijk, ze was van volkomen onbesproken gedrag. En dan, misschien wel het belangrijkste, uit hoofde van haar beroep wond ze elke man – want het waren verder uitsluitend mannenbroeders in de kerkenraad – moeiteloos om haar vinger, inclusief de dominee, een man van middelbare leeftijd die al een kleur kreeg als hij haar in de verte aan zag komen. En toch was ze een vriendelijke, attente vrouw, maar wel met een krachtige, natuurlijke autoriteit waar niemand van terug had.

We gaan tegenover elkaar op de bank bij het raam zitten. Zij weer in een mantelpakje, maar nu van een teer hemelsblauw dat prachtig bij het blonde haar en haar lichte grijsblauwe ogen past. Ze moet tegen de zeventig lopen, reken ik snel uit. Haar gezicht heeft ontelbare minuscule rimpeltjes gekregen lijkend op de craquelure van een schilderij uit de Gouden Eeuw. Tekenend voor haar: ze heeft geen enkele moeite gedaan om op Amerikaanse wijze alles weg te plamuren. Daardoor heeft ze iets authentieks, iets van krachtige wilde bloemen die langs het fietspad groeien. Ik herinner me haar glimlach waarmee ze iedereen geruststelde: ik ben wel de baas, maar ik ben niet kwaadaardig. Je hoeft niet bang voor me te zijn.

'Goh, dat je me niet herkende Annelies.'

'Ik was vijftien, toen jullie verhuisden. Dat is meer dan twintig jaar geleden. En ik heb nooit persoonlijk contact met je gehad Titia. Bovendien verwachtte ik je helemaal niet toen je zo-even plotseling voor mijn neus stond. Maar je ziet er nog precies zo uit als vroeger.'

'Het bibsje is wat dikker en breder. En dan mijn bovenbenen.' Ze laat haar hand over haar mollige dijen glijden.' Maar wat geeft het In het voorjaar word ik zeventig.'

'Je mag niet klagen,' zeg ik. We kijken elkaar een ogenblik zwijgend aan, terwijl het luide tikken van de Friese staartklok de plotselinge, korte stilte accentueert. Dan glimlachen we beiden. Wat een aardige vrouw ben je eigenlijk, denk ik spontaan.

'Je komt niet voor een wissewasje Titia.'

'Nee Annelies.'

We drinken een paar slokjes, de thee is nog te heet.

'Na de dood van jullie Marijke is alles in een stroomversnelling gekomen.' Ze zwijgt, ze zoekt naar woorden. Zelfs voor haar, de door de wol geverfde strafpleiter, is het kennelijk moeilijk te zeggen wat gezegd moet worden. 'Nee, laat ik het anders formuleren. Ik moet jou en Albert intieme details over mij en Sybren vertellen, zodat jullie een duidelijk inzicht krijgen in ons leven.' Ze kijkt me ernstig aan. 'Mag ik op jullie discretie rekenen Annelies?'

'Natuurlijk Titia.'

'Jullie kinderen voelen zich bij ons thuis Annelies.'

Ik knik. 'Ze zien jullie nu nog als substituut grootouders . Maar na korte tijd zal het aanvoelen alsof jullie hun echte grootouders zijn. En waarom niet? Als jij en Sybren van onze kinderen genieten is dat alleen maar een voordeel. Voor jullie en voor hen. Kinderen hebben van nature behoefte aan grootouders. En omgekeerd. Ze zien mijn ouders maar enkele keren per jaar vanwege de afstand.'

'Wat lief van je Annelies, om het zo te zeggen.'

'Wij kennen jullie langer dan vandaag en gisteren Titia. Anna en Christien zijn bij jullie in vertrouwde handen.'

Ze kijkt me zwijgend aan. Zie ik haar ogen vochtig worden?

'Jullie hebben nooit kinderen gekregen Titia en als onze kinderen, ook al zijn het niet jullie lijfelijke kleinkinderen jullie gemis, ook al is het maar gedeeltelijk, goed kunnen maken, wat zou er tegen zijn? Wij doen Anna en Christien er in elk geval een groot plezier mee, want ze zijn dol op jullie, op jou, Titia en ook op Sybren.'

We drinken thee en ik wil er iets bij zoeken, een koekje of zo.

'Nee doe geen moeite Annelies.'

Ze gaat rechtop zitten. Nu komt het, de echte reden, denk ik. En die zal ze nu, zonder haperen, recht voor zijn raap beschrijven, je bent een bekende strafpleiter geweest of niet.

'Annelies er is iets met mij. Eigenlijk niets bijzonders, maar je zou er, als je het ontdekt, van kunnen schrikken. Ik denk het eerlijk gezegd niet, jou kennende, maar het lijkt me een goede zaak, als ik het jou en Albert toch even meedeel. Laat ik zeggen: voor de goede orde.'

'Je maakt me nieuwsgierig Titia.'

'Wij hebben beiden in Groningen gestudeerd, precies zoals jullie Annelies, ik rechten en Sybren medicijnen. Ik kan je de dansgelegenheid nog aanwijzen, waar het begonnen is. We waren jong en verliefd, Sybren, een jonge elegante student en ik een knappe meid. Iedereen was hartstikke jaloers op ons.'

'Dat kan ik me wel voorstellen.'

'De wereld lag voor ons open. We gingen uit, we dansten, we dronken een glas te veel, ik hoef je niets te vertellen, jullie hebben het Groningse studentenleven ook gekend. We deden schaamteloos alles wat gereformeerde jongelui uit die tijd niet geacht werden te doen.'

Ze lacht gul en ongegeneerd achter uit haar keel en drinkt vervolgens met kleine slokjes de thee, terwijl ze mij guitig aankijkt. 'Zoenen vond ik wel lekker, maar we waren twintig en jongens willen méér.' Ze kijkt me onderzoekend aan. 'Heb je het al door Annelies?'

'Ik mis nog teveel details, Titia.'

Als ik opnieuw inschenk, zegt ze, naar me opkijkend, 'En wat waren die ruige nachten nou helemaal Annelies? Na middernacht naar bed gaan, wat licht in je hoofd worden en je maagdelijkheid verliezen na je propedeuse onder het neuriën 'van *Looft den Heer met luide galmen*'

Haar glimlach trekt weg, ze krijgt een harde trek om haar mond, nee, het is niet om te lachen.

'Nu details die je nodig hebt om de legpuzzel compleet te krijgen Annelies, nu de harde werkelijkheid: Ik had een verschrikkelijk afkeer van alles wat zich beneden de gordel afspeelde. Ik zag als de dood tegen seks op, hoe aardig en voorkomend Sybren op dat punt ook was. Achteraf denk ik weleens, lieve Sybren waarom ben je toch bij me gebleven, frigide hark die ik was.'

Ze kijkt me onderzoekend aan, dan schiet het eruit en ze zegt veel luider dan nodig is: 'Annelies, ik was zo lesbisch als ik weet niet wat. Ergens in mijn achterhoofd wist ik het wel, maar ik wilde het voor geen geld waar hebben. Stel je voor, ik homofiel, ik een geile vieze pot! Groter schande bestond er niet. Je was erger dan een hoer. Kon ik mijn ouders dat aandoen?'

'Een halve eeuw geleden,' help ik haar, 'wat wil je Titia?'

Ze veert op als ze ziet dat ik er niet ondersteboven van ben.

'Precies Annelies. Kun jij je voorstellen, hoe ik mezelf hersenspoelde? Titia, zei ik tegen mezelf, je bent een ge-wone, gezonde meid, je moet alleen aan seks met een man wennen, dat is het. Straks smul je ervan. Dan word je ook hitsig zoals al je vriendinnen. En ik verbeet mijn weerzin als Sybren voorzichtig met zijn hand in mijn broekje ging. We trouwden en we wilden kinderen. Dat was een geldige reden om mijn best te doen. Maar ik lag stijf als een plank in bed, hopend dat het gauw voorbij zou zijn. Ik las tegen heug en meug van die boeken waarin stond wat je allemaal kon doen om het je man naar de zin te maken. Je kent ze nog wel, denk ik. Om een lang verhaal kort te maken, na een paar jaar bleek dat ik nooit kinderen kon krijgen. En het lag alweer aan mij.'

Ik zie haar onderlip trillen. Nu nog, nu ze al bijna zeventig is.

'Je moet je verschrikkelijk schuldig hebben gevoeld.'

Ze haalt haar schouders op. 'Wat wil je Annelies, hadden we kinderen gehad dan was het allemaal anders geweest. Dan had ik wat goed gemaakt, want ik heb altijd geweten dat Sybren gek op kinderen was. Je ziet het wel aan jullie kinderen, alsof het zijn eigen kinderen zijn.'

Ze zwijgt terwijl ze haar ogen bet.

'Zal ik je wat inschenken Titia, een borrel?'

'Nee, doe maar niet, ik moet nog rijden.'

'Weet Sybren het?' vraag ik.

Ze glimlacht weer. 'Al zowat een half mensenleven Annelies.'

'Goh,' zeg ik.

'Ja, we zijn elkaar ondanks alles toch trouw gebleven, ons huwelijk heeft alle stormen doorstaan, homofilie, vreemdgaan, geen kinderen en noem maar op. Omdat we eigenlijk zo goed bij elkaar passen. We zijn altijd maatjes gebleven. Je zult het gek vinden, maar we houden nog altijd van elkaar.'

'Simone de Beauvoir en Jean Paul Sartre.'

Ze haalt haar schouders op. 'Wat anderen uitvreten moeten ze zelf maar weten. Ik kan je wel zeggen dat wij alles eerlijk en oprecht met elkaar hebben besproken. Dat is het alfa en omega van een relatie zoals de onze.'

'En toen heb je het op een dag tegen Sybren gezegd.'

'Nee, niet zomaar. Dat durfde ik niet.'

Er krult een ondeugende glimlach om haar lippen. Ze schudt haar hoofd. 'Ik had al zo lang verstoppertje gepeeld. Ik had Sybren feitelijk jarenlang bedrogen. Toch? Dan zeg je het niet zomaar, hoor Annelies. O nee.'

Ik trek een zuinig mondje. 'Je hebt hem toch niet met opzet bedrogen Titia?'

'Maar de facto wel Annelies.'

Ze krijgt blosjes op haar wangen. Van schaamte, van opwinding?

'Ik zal je het in het kort vertellen. Ik runde in die tijd, toen Sybren z'n praktijk had bij jullie in het dorp, een advocatenkantoor in Leeuwarden met Femke, een studiegenootje uit Groningen. Elk jaar organiseerden we een uitje met een stage van een paar dagen voor onze medewerkers. Een dag voordat we weggingen, zei Femke: Ik heb gebeld met die mensen op de Veluwe, en sorry Titia, ik heb een fout gemaakt, ik heb een kamer te weinig gereserveerd. Vind je het erg als wij een kamer delen?' Titia lacht, ongeremd en vrolijk.

'Toen heb je de lichamelijke liefde leren kennen.'

'Wat dacht je Annelies.'

'Femke was dus ook homofiel?'

'Ze had op mij gewacht,' zei ze.

'Zij wist het dus van jou?'

'Als je ervaring hebt, dan ruik je het op kilometers afstand.'

Ze staat op en zoekt iets in haar handtasje. Een pakje sigaretten. 'Nee, nee, Annelies, ik rook normaal niet. Ik heb dit pakje al twee jaar in mijn tasje. Alleen op een dag als vandaag rook ik. Van opluchting. Echt waar Annelies, van pure opluchting, als ik het iemand kan vertellen die begrip heeft.'

We gaan in de carport, in de luwte staan. Ze inhaleert diep, ik aanschouw het met afgrijzen. Maar zij zucht van genoegen. Dan heeft ze ineens haast. 'Sybren weet niet dat ik hier ben.'

'Vertel jij mijn verhaal aan Albert?' roept ze door het open raampje. 'En doe je ze allemaal de groeten van mij?'

Dan stuift ze weg over onze oprijlaan.

43

'Titia is geweest,' zeg ik met opzet na het eten, wetend dat de kinderen waarschijnlijk slecht zullen eten als Sybren en Titia ter sprake komen. Want Albert en ik ontdekken dat Anna en Christien nog veel meer op hen gesteld zijn dan wij in eerste instantie al vermoedden.

'Ze was in de buurt en ze wilde een babbeltje met mij maken. Ze kent mij wel, maar ik was pas vijftien of zestien toen ze uit het dorp vertrokken naar Holland. En nu jullie bij hen zijn geweest, ligt het voor de hand dat Titia wilde zien waar jullie wonen Anna en Christien.'

'Heel aardig van Titia,' zegt Anna op een toon alsof ze het wel verwacht had.

'Ze mag jullie wel.'

'Wij willen nog weleens naar hen toe mama. Als je met haar belt, mag je dat gerust zeggen.' Anna knikt instemmend. 'Van mij ook mam, want het zijn lieve mensen.'

Als de kinderen naar bed zijn, vertel ik Albert het hele verhaal. Hij is verwonderd. 'Dat had ik nooit gedacht. Dat ze lesbisch was. En dat ze toch bij elkaar zijn gebleven.'

'Ze zijn maatjes gebleven, zegt ze zelf.'

'Dat geloof ik wel.' Albert ligt met zijn handen achter zijn hoofd gevouwen op de bank. 'Ze waren altijd heel close. Maar waarom heeft ze dat nu verteld, wat denk jij Annelies? Waarom is ze speciaal hier naartoe gekomen om het te vertellen?'

'Heel eenvoudig Albert. Titia en Sybren zien in onze kinderen een soort adoptief-kleinkinderen. Dat ligt er duimendik bovenop. En dat betekent dat wij vanzelf meer contact met hen zullen krijgen. Titia wil voorkomen dat wij er op een ongelegen moment achter komen dat ze lesbisch is en een vriendin heeft. Want het had toch gekund dat wij er dan bezwaar tegen gehad zouden hebben dat onze kinderen bij hen over de vloer komen? Ik sluit de deur van de vaatwasser. 'En ze wilde gewoon met mij kennis maken. Bovendien zijn we ook huisarts, logisch dat ze nieuwsgierig is.'

'Is ook zo,' Albert gaapt en schurkt zich behaaglijk op de grote bank.

Ik neem het fotoalbum uit de kast en leg het open bij de foto van Albert en zijn moeder.

'Praatte je vader veel met jou Albert?'

'Nauwelijks. Alleen het hoognodige. Met Feitse en Sies praatte mijn vader veel meer, maar dat is ook logisch Annelies, want in de laatste jaren dat ik in de Onzalige Polder woonde, werkten ze de hele dag met mijn vader. Ik had trouwens ook heel andere interesses. Ik heb me nooit voor het boerenbedrijf geïnteresseerd.' Ik neem het vergrootglas en bekijk de foto waar ze met hun vieren op staan. 'Wat een verschil, jouw vader en jij Albert.'

'Ook al weer verklaarbaar Annelies. Ik was nog lang niet volgroeid toen de foto werd gemaakt. Ik heb trouwens de lichaamsbouw van mijn moeder geërfd. Dat zie je zó.'

'Vertel eens wat meer van je vader, wat was het voor man? Waar interesseerde hij zich voor?'

'Daar kan ik heel kort over zijn. Mijn vader was boer. En verder niets.'

'Was Durk van Zanden een intelligente man?'

'Als het om het boerenbedrijf ging, was hij wel intelligent, denk ik.'

'Waarom?'

'Omdat hij het beste vee van de hele streek had. Eerste klas stamboekvee. Wist je dat niet?'

'Jullie woonden in de Onzalige Polder. Je moest vijfentwintig kilometer omfietsen om bij jullie te komen. Alsof jullie in een ander werelddeel woonden.' Albert lacht. 'Sommige jongetjes bouwen dan vlotten.'

'En ze gaan met meisjes in afgelegen slootjes zwemmen.'

Albert komt achter me staan en kijkt naar de foto's terwijl z'n handen overal zijn. 'Straks Albert, de avond is nog lang. Eerst wil ik nog wat van je vader weten. Hij was erg kerks, heb je weleens verteld.'

'Mijn vader was rechtlijnig, het is waar of niet. Daar paste het gereformeerde geloof precies bij.'

'Was hij op dat punt onverzoenlijk?'

'Volkomen, alleen de gereformeerden zouden het koninkrijk der hemelen beërven.'

'En je moeder?'

'Toen mijn moeder overleed was ik vijf Annelies. Dan weet je niet of je moeder wel of niet rechtlijnig over het geloof denkt.'

'Heb je van je vader gehouden Albert?'

'Nee.' Het komt er zo kort en krachtig uit, dat Albert zelf in de lach schiet. 'Nou, daarover kan dus geen misverstand bestaan. En je broers? Had je een band met je broers Albert?'

'Zo nu en dan een vlaagje sympathie voor Sies. Ik had aan Feitse, mijn oudste broer ronduit een hekel.'

'Dan blijft Aebeltsje over.' Albert lacht schamper. 'Waarom ze een hekel aan mij had, weet ik niet. Ik heb er vaak over nagedacht, ook later, maar ik kan werkelijk geen reden verzinnen waarom ze mij verafschuwde. Want dat deed ze. '

'Zo erg?'

'Ja zo erg.' Albert kroelt in mijn haren. 'Ik heb me nooit

afgevraagd waarom ik zomaar bij hen weg kon gaan. Waarom ik geen seconde heimwee naar de familie in de Onzalige Polder heb gehad.' Ik blader terug naar de foto waarvan er een afdruk in een zilveren lijstje op het nachtkastje van Sybren en Titia staat. 'Je moeder, Albert.'

'Ja,' zegt hij zacht, 'alles wat ik ben, heb ik aan haar te danken.'

'Een afdruk van deze foto staat in een zilveren lijstje op het nachtkastje van Sybren en Titia.'

'Ik heb mij er al over verwonderd Annelies.'

'Je zet zulke foto's niet zomaar op je nachtkastje.'

'Mijn moeder was eigenlijk een knappe vrouw. Ook met een schort voor en klompen aan haar voeten.'

'Titia de lesbienne, moet dat ook hebben gezien Albert.'

'Ze zal het daarom niet erg hebben gevonden dat Sybren de foto van een mooie vrouw op het nachtkastje zette. Sybren is ook bij mijn geboorte geweest, hij heeft mijn navelstreng zelfs doorgeknipt. Hij kan dus gemakkelijk een zekere band met mijn moeder hebben gehad.'

'Sybren moet in die jaren bij het kraambed van tientallen mooie jonge moeders hebben gestaan, hij zou dus wel tientallen foto's van madonna's met kind op zijn nachtkastje hebben kunnen zetten.'

Albert gaat tegenover mij aan de keukentafel zitten.

'Alleen de foto van jou en je moeder staat op zijn nachtkastje Albert.'

'Suggereer je dat Sybren wat met mijn moeder heeft gehad?' Albert lacht en steekt ondeugend zijn tong tegen me uit. 'Annelies, ik heb een tijd geleden al overwogen wat jij nu suggereert, en ik geloof er niets van en ik zal je zeggen waarom Sybren zeer waarschijnlijk niet mijn vader geweest kan zijn. Ik heb er een paar belangrijke redenen voor.' We kijken elkaar enkele ogenblikken ernstig aan, dan barsten we in lachen uit. We zijn gespannen. We spreken uit wat we kennelijk beiden al in onze gedachten hebben gehad.

'Jij eerst Albert. Waarom kan Sybren je vader niet zijn geweest?'

'Allereerst heb ik natuurlijk geen absolute zekerheid, dan zou je een DNA-test moeten doen. Maar ik kan me niet voorstellen dat de gereformeerde Sybren het met de even gereformeerde Marije gedaan zou hebben. Hadden ze een goede band? Okay, misschien wel. Maar samen het bed in? Het lijkt me heel onwaarschijnlijk Annelies.'

Ik probeer niet al te hard te lachen.

'Maar Albert toch, lieverd, dat kun je toch niet serieus ménen? Als de natuur zegt dat er geneukt moet worden, dan wordt er toch geneukt schatje? Gereformeerd, katholiek, celibaat of eeuwige geloften, ze vergeten het toch allemaal als de natuur roept?'

'Dat weet ik wel, maar het is toch een rem Annelies.'

'Misschien was er wel iets tussen Sybren en je moeder. Iets wat veel sterker was dan die rem. Stel je voor, Sybren getrouwd met een lesbienne. Die arme man had nooit seks met een vrouw, heb je je dat wel gerealiseerd? Misschien heeft hij het er wel met Titia over gehad, over zijn gevoelens voor Marije, je moeder, want ze zijn ondanks alles heel close gebleven. Dat heeft ze mij verzekerd. En dan je moeder Albert. Heb je weleens goed naar die foto van je vader gekeken? Sorry dat ik het zeg, maar ik zou nooit met zo'n type, met zo'n Durk van Zanden de koffer induiken.' Albert kijkt me begrijpend aan.

'Ik heb hetzelfde gedacht. Maar,' hij kijkt me aan en schudt langzaam zijn hoofd. 'Stel nu eens dat Sybren inderdaad mijn vader is, waarom heeft hij dat dan nooit tegen me gezegd? Ik kan me voorstellen dat hij er geen ruchtbaarheid aan wilde geven toen hij zijn praktijk nog bij ons op het dorp had. Toen ik een jaar of acht was, had hij het mij niet kunnen zeggen omdat ik als kind gemakkelijk mijn mond voorbij had kunnen praten, ik noem maar wat. Toen ik bij jullie woonde, had hij het kunnen zeggen. Maar had dat toen veel zin? Hij had mij en jou ermee in de war kunnen brengen en wie weet wat er allemaal nog meer had kunnen gebeuren. Je ouders zouden ervan geweten hebben met alle mogelijk consequenties van dien. Bovendien had ik toen zijn zorgen beslist niet nodig, want ik had jou en je ouders.' Ik begin nu ook te twijfelen.

'Ik ben er nog niet Annelies, er is méér. Waarom heeft Sybren het niet gezegd in al die jaren dat we hier wonen? Hij had toch zo ons adres kunnen opsporen? Hij wist ons toch ook te vinden om ons te condoleren met Marijke? Zouden wij het erg gevonden hebben als hij mijn genetische vader was? Ik denk het niet, integendeel zou ik haast zeggen, want ik heb Durk van Zanden nooit graag als vader gehad. Voor Sybren zou het beslist een aardige gedachte zijn geweest om een zoon te hebben die ook huisarts was. En ik kan me ook niet voorstellen dat Titia hem gedwongen zou hebben te zwijgen.'

Ik schil een paar appeltjes af.

'Blijft nog en andere mogelijkheid Annelies.' Hij neemt een partje van de golden delicious. 'Wat zijn dat toch een lekkere appels Annelies, logisch dat Eva Adam met een appel van een grootgrutter verleidde.'

'Nou,' vraag ik nieuwsgierig, 'wat is de volgende mogelijkheid Sherlock Holmes?'

'Dat Sybren het ook niet zeker weet.'

'Hoe bedoel je?'

'Nou Sybren kan wat met mijn moeder hebben gehad en in dezelfde vruchtbare cyclus ook Durk van Zanden. Per slot van rekening was mijn moeder de wettige echtgenote van Durk.'

'Dan moet er een DNA-test komen.'

Albert doet of hij het niet hoort. 'Weet je nog dat wij plannen maakten voor jouw ouders Annelies? Dat ze wel bij ons konden wonen hier in het westen van het land, ver van Friesland? Wij borduurden dagenlang voort op hetzelfde thema, de ene mogelijkheid nog mooier dan de andere. En wat was het resultaat?' Albert maakt met duim en wijsvinger een rondje. 'Nul komma nul Annelies, want het was tunnel denken wat we deden. Niets meer en niets minder. Ik vrees dat we dat nu ook aan het doen zijn. Het zou zo mooi zijn voor ons en voor onze kinderen. En natuurlijk voor Sybren zelf: je bloedeigen kleinkinderen hebben. Wie zou dat niet willen?' Albert neemt het fotoalbum met de foto en waarop hij twee jaar is en naast zijn moeder staat. 'Bekijk deze foto goed Annelies.'

Ik doe mijn best, maar ik zie niets bijzonders.

Albert pakt een plastic liniaaltje uit de keukenla en legt het schuin over de foto, eerst links dan rechts. 'Stel dat ik langs de liniaal met potlood twee lijnen had getrokken. Welke meetkundige figuur had ik dan getekend als je de on-derzijde van de foto als basis neemt?'

'Een driehoek.'

'Juist Annelies, een driehoek, niet een gewone driehoek, maar de 'gouden driehoek'. Kijk naar de madonna's met kind uit de Renaissance en je zult overal diezelfde driehoek terugvinden. Michelangelo was de ultieme meester van gou-den driehoeken.'

Albert kijkt me veelbetekenend aan. 'Toen Sybren de eerste foto van mij en mijn moeder nam, toen hij ons zag verschijnen in de zoeker, moet er een schok door hem heen zijn gegaan. Hij zag de gouden driehoek van Michelangelo voor zich en hij drukte onmiddellijk af. Om er zeker van te zijn dat de driehoek midden op de foto zou komen, heeft hij enkele keren afgedrukt. Soms iets naar links, soms iets naar rechts. Maar deze foto is het meesterwerk Annelies en daarom heeft Sybren een afdruk van deze foto ingelijst. En onze Anna heeft hem op het nachtkasje gezien.'

We lachen en Albert schenkt een jonge klare in.

'Leuk verzonnen Albert.'

'Dat bedoel ik nou Annelies. Een mens kan van alles ver-zinnen.'

44

Het zijn de donkere dagen voor Kerstmis. Met veel mist die de hele dag blijft hangen. Elke dag ben ik blij als Albert weer heelhuids thuiskomt. Omdat hij niet wil dat ik met zulk weer de weg op ga, bezoekt hij ook mijn patiënten. Gelukkig blijven de oudjes binnen, zodat het aantal gebroken heupen minimaal is. Elk nadeel 'heb' zijn voordeel. Mijn vader belt dat hij niet op tijd alle materiaal voor de schaapskooi klaar kan hebben en we stellen de bouw uit tot het voorjaar; de schapen kunnen deze winter in de wagenschuur. 'Ook riant voor de beesten hoor Annelies.' We praten nog wat over het weer, over mijn moeder, die toch wel wat vergeetachtig wordt, maar er niet mee zit, zoals ze zelf zegt en en passant zegt mijn vader dat de dokter het bijltje erbij neerlegt. 'Hij is al zesenzestig Annelies. Je zou het hem niet geven, maar zijn vrouw sukkelt en jullie weten beter dan ik dat je een huisartsenpraktijk op het platteland met een apotheek erbij het beste samen doet.'

Onder het eten vertel ik van het telefoontje. 'Waarom gaan jullie die praktijk niet overnemen?' vraagt Anna. Albert en ik kijken Anna verbaasd aan. 'Wij Anna? Maar kind, wij komen zelf toch uit het dorp?'

'Maakt dat wat uit?' Albert en ik kijken elkaar vragend aan. Maakt het echt wat uit? We zijn al zo lang weg uit het dorp. Vroeger moest je de autoriteit zijn. Tegenwoordig komt het aan op je vaardigheid als arts. Daar rekenen ze je nu op af.

'Van Buren wil in het huis blijven wonen.'

'We zouden wel vlak bij pake en beppe wonen.'

'Misschien breng je ons op een idee Anna.' Albert lacht tegen zijn oudste dochter. 'Je hebt wel vaker van die gekke invallen.' Ik weet waar Albert aan denkt.

's Middags als we een halfuurtje over hebben, gaan Albert en ik brainstormen. We vinden dat we het moeten overwegen, dat op z'n minst. We proberen de voor- en nadelen op een rij te krijgen. Er moet bijvoorbeeld gebouwd worden of we moeten een huis kunnen kopen waarin een huisartsenpraktijk gevestigd kan worden. Vind dat maar zo een-twee-drie. We proberen te bedenken hoe het zal zijn om op ons oude dorp huisarts te zijn. Zullen de oudere mensen die ons als kind hebben gekend, ons accepteren? Want een profeet wordt in zijn eigen gemeenschap niet geëerd. We zijn weliswaar geen profeet, maar toch. Eén ding is zeker, mijn ouders zouden niets liever willen en Anna en Christien zullen in geen geval bezwaar maken. Ze spreken bovendien Fries, een niet gering voordeel. Financieel zullen we het wel kunnen bolwerken, dat is het punt niet. Want onze huidige praktijk is zonder meer een paar centen waard. En als het erop aan komt, zouden mijn ouders ons wel wat willen lenen. We hebben ook geen idee of er al gegadigden zijn voor de praktijk. Moeten we er vaart achter zetten of juist niet, als we wat willen? We kijken elkaar aan en glimlachen. We weten van elkaar wat we denken. 'Ik zal ze wel bellen Albert.'

Als Albert de oprijlaan afrijdt voor de visites, laat ik de telefoon overgaan. Ik krijg Sybren aan de lijn. Hij is blij verrast, ik hoor het aan zijn stem. Ik leg hem in het kort uit waaraan we denken. 'Als er iemand is die ons kan raden, dan zijn jullie het wel Sybren. Jij en Titia.'

Sybren is duidelijk overdonderd zoals wij anderhalf uur eerder.

'Wat zijn het eigenlijk voor mensen, de Van Burens Sybren?'

'Tja, wat moet ik ervan zeggen Annelies. Het zijn westerlingen hè? Nu hoeft dat natuurlijk geen bezwaar te zijn. Maar je komt wel in een Friestalige gemeenschap terecht.'

Hij wacht even, ik kan wel raden wat er komt, want ik heb vroeger mijn ouders, toen ze een enkele keer bij Van Buren op het spreekuur kwamen, voordat wij arts waren, weleens over hem en zijn vrouw horen klagen. Dat ze geen woord Fries verstonden.

'Niemand kan van hen eisen dat ze Fries leren spreken Annelies, maar je moet de Friezen natuurlijk niet uitlachen om hun taal. Dat word je beslist niet in dank afgenomen. Je kunt toch proberen Fries te verstaan? Zo moeilijk is het Fries nu ook weer niet. Bovendien kennen de jongeren een heleboel Friese woorden niet meer. Wie weet nog wat een *ljip*, een *tsjil* of een *earrebarre* is?'

'Ik begrijp het al Sybren.'

'Ik ben geen scherpslijper Annelies. Want op den duur verengelst het Fries toch, precies zoals het Nederlands, dat houdt niemand tegen. Talen komen en talen gaan, ze veranderen zoals alles verandert. Wie alles wil houden zoals het is, wordt een levende dode. Maar als Van Buren en zijn vrouw een beetje moeit hadden gedaan de Friezen te verstaan, dan waren ze door iedereen in het begin al geaccepteerd.'

'Ik heb er weleens over horen praten, dat ze wat dwarslagen. Maar dat is toch al weer decennia geleden Sybren?'

'Natuurlijk Annelies, het is meer dan twintig jaar geleden. Ze zijn op den duur ook wel bijgedraaid. Daarom willen ze ook in het oude doktershuis blijven wonen. Ze hebben daar nu ook hun vrienden. Wat wil je, na zoveel jaren raak je automatisch ingeburgerd. Ach, en verder was hij wel een vakman hoor Annelies. Maar als je mij vraagt wat voor mensen het zijn, dan denk ik altijd in eerste instantie aan hun aversie tegen onze taal, want het bloed kruipt nu eenmaal waar het niet gaan kan.'

Het is stil, Sybren denkt na. 'Kan ik je over een kwartiertje terugbellen? Ik overleg even met Titia.'

'Ik blijf in de buurt van de telefoon Sybren.'

Nog geen kwartier later belt hij terug. 'Ben je daar Annelies? Luister meid. Ik zal zoveel mogelijk te weten proberen te komen over de verkoop van de praktijk, ik heb nog wel wat lijntjes met Friesland, okay?'

'Als dat zou kunnen Sybren.'

'Dan kunnen jullie beter je afweging maken.'

'Zeker Sybren.'

'En dan zou het kunnen zijn, let wel Annelies, ik hou een flinke slag om mijn arm, dan zou het kunnen dat jullie redelijk snel een beslissing moeten nemen, want is het is een mooie praktijk voor mensen die van Friesland houden.'

'Dat is zeker Sybren.'

'Dan nu een vraag, kunnen jullie het komende weekend?'

'Het is ons vrije weekend.'

'Dat komt prachtig uit. Willen jullie twee dagen komen, de zaterdag en de zondag?'

'Twee dagen?'

'Ja twee dagen Annelies. Gewoon één nacht bij ons overblijven. We hebben een groot huis en een dienstmeisje, dat het niet erg vindt om een paar uur extra te werken.'

'Waarom?' vraag ik voor ik er zelf erg in heb.

'Omdat we veel te praten hebben. Titia heeft al een voorzetje gegeven.'

'Het overvalt me.'

'Dat begrijp ik Annelies. Maar als je eenmaal een zeker punt hebt bereikt, moet onherroepelijk de volgende dominosteen vallen. Dan ben je de Rubicon overgetrokken. We willen niet alléén over de koop van de praktijk met jullie praten.'

Ik kan een ogenblik geen woord uitbrengen. God nog aan toe, denk ik, is het dan toch waar? Sta ik hier tegen mijn schoonvader te praten? 'Ben je er nog Annelies?' Zit er een ondeugende klank in zijn stem? Zoals soms bij Albert? 'Ja,' antwoord ik veel zachter dan ik zou willen, 'ik luister Sybren.'

'Ik heb iemand iets beloofd Annelies, nou ja, we praten er zaterdag wel over. We zorgen ervoor dat de kinderen in het atelier van Titia kunnen verven en dan gaan we gezellig zitten babbelen, zodat jullie van alles op de hoogte zullen zijn. Hoe laat komen jullie? Tegen tienen?'

'Ja, dat is goed Sybren.'

Ik wil al opleggen, als hij nog wat wil zeggen. 'Een ogenblik. Titia fluistert me iets in het oor. Het zit zo. Jullie Anna is een voorlijk kind dat veel meer begrijpt dan je zou verwachten gezien haar leeftijd.' Ik hoor Titia op de achtergrond kuchen. 'Ja dat is zo Sybren.'

'Titia en ik vragen ons het volgende af. Zou het goed zijn als Anna weet hoe onze relatie in elkaar zit? Ik bedoel die van ons?' De telefoon ruist, ik denk na. 'Vind je het goed als ik dat met Albert overleg Sybren?'

'Ja, natuurlijk Annelies.'

'Misschien is het beter als wij eerst jouw verhaal kennen Sybren. Dan kunnen we Anna altijd nog inlichten en misschien ook wel Christien. Ik kan dat nu nog niet beoordelen. Maar ik beloof je dat ik het met Albert zal overleggen.'

Ik leg de telefoon neer en laat me op de bank vallen. Daar heb je het gedonder in de glazen, denk ik, hij is Alberts vader. Het kan niet missen. Mijn hart bonst en ik voel een enorme opluchting. Nu krijgen mijn kinderen de grootvader op wie ze recht hebben. Godzijdank niet die gore Van

Zanden. Sorry Van Zanden, God hebbe je ziel, die wens wil ik je niet onthouden. Maar het vaderschap wel. Ik sta op en loop zenuwachtig heen en weer. Ineens twijfel ik. Heeft Sybren iets gezegd wat erop wijst? Waarom heeft hij niet gewoon gezegd dat hij de vader van Albert is? Waarom dat stiekeme gedoe? Twee dagen met elkaar praten, waar is dat voor nodig? Dan blijf ik staan en ik sla met de vlakke hand op tafel. En nu je kop erbij Annelies, zeg ik tegen mezelf. Pas op, want het kan een onthullend verhaal zijn, als Sybren uit de kast komt. Maar het kan verdomme ook een ander verhaal zijn. Misschien gaat het helemaal niet over Marije en hem. Misschien wil hij ons gewoon vertellen dat er ook iets met hem aan de hand is. Biseksueel voor mijn part. Mag van mij. Maar dan heb ik me weer vergist. Zoals Albert al zei, een mens kan van alles verzinnen. Waarschijnlijk heb ik er op gehoopt omdat het zo mooi geweest zou zijn voor Albert en mijn kinderen. Ik voel het bloed uit mijn gezicht wegtrekken. Waarom heeft hij het nu niet gelijk gezegd: Annelies maak je maar geen zorgen, ik ben de vader van Albert. En de grootvader van je kinderen? Waarom is Titia bij me gekomen om te vertellen dat ze lesbisch was? Waar sloeg dat op? Ik ga me steeds ongeruster maken, de twijfel wordt sterker en sterker, ik houd het niet meer uit, het zweet parelt op mijn voorhoofd.

Met trillende hand tik ik het nummer in. Ik vergis me, ik tik opnieuw.

'Dijkstra.'

'Neem me niet kwalijk Sybren, ik ben, sorry, Sybren, ik ben wat over mijn toeren, ik…'Ik praat veel luider dan nodig, ik schreeuw, 'ik wil het nu weten, Sybren en draai er niet om heen. Ben jij de vader van Albert? Ja of nee. Zeg het nu.' Ik stamp met mijn voet op de grond. Hij moet het horen, maar het zal me worst zijn. 'Nu, zeg het nu!' Ik schreeuw het uit terwijl de tranen in mijn ogen springen, hij moet me horen huilen.

'Annelies,' zegt hij hakkelend, 'sorry meid dat ik je zo overstuur heb gemaakt. Dat was de bedoeling niet.' Ik haal diep adem en krijg me weer enigszins onder controle. 'Nee, die verontschuldiging hoef ik niet, je moet het zeggen Sybren, nu. Ben jij Alberts vader?' Ik houd mijn adem in. Ben jij nou verdomme zijn vader, ja of nee?'

'Ja Annelies, honderd procent zeker.' Ik kan zijn stem nauwelijks horen, hij is zich dood geschrokken. Ik weet het, ik kan het verschrikkelijk op mijn heupen krijgen.

'God, dank je wel,' mompel ik en ik laat de telefoon per ongeluk op de vloer kletteren. De stukken vliegen in het rond. Maar ik lach. Ik loop op een holletje naar de spreekkamer. Daar draai ik opnieuw het nummer.

'Ik heb de telefoon laten vallen, ik bel je uit de spreekkamer. Luister Sybren, ik leg je het uit. Anna heeft jouw foto's ingeplakt. Daar waren een paar foto's bij van Albert met zijn moeder, je weet wel, Albert als dreumes van een jaar of twee. En toen vertelde Anna dat ze per ongeluk in jullie slaapkamer was geweest en dat ze daar dezelfde foto in een zilveren lijstje had zien staan. Op jullie nachtkastje. Begrijp je wat we toen hebben gedacht? Sybren heeft iets gehad met Marije, Albert is van hem en niet van Durk van Zanden. En daarom heeft hij wel vier keer afgedrukt toen hij die foto maakte.' Ik hijg nog steeds van opwinding. 'We hebben er, ik weet niet hoelang, over zitten gissen of jij wel of niet de vader van Albert was en tenslotte hebben we gezegd, nee, we vergissen ons. Want in dat geval had Sybren het wel gezegd. Misschien niet toen we nog bij mijn ouders woonden, maar dan toch wel later, toen we hier woonden. Je wist waar we woonden, want je had ons adres immers gevonden om ons met het verlies van Marijke te condoleren. Begrijp je het Sybren?'

Ik hoor niets en herhaal: 'Heb je mij begrepen Sybren?'

'Het spijt me Annelies. Echt meisje, wat jammer dat het zo gelopen is.'

'Net, toen je ons uitnodigde om een heel weekend bij jullie te komen logeren, schoot het ineens door me heen: het is tóch waar. Het moet waar zijn, waarom zou hij anders zoveel moeite voor ons doen?'

'En vervolgens ging je weer twijfelen.'

Het blijft lange tijd stil. Ik drink een glas koud water bij het fonteintje en neem de telefoon weer op. Mijn hand beeft.

'Ben je er nog Sybren?'

'Ja, ik ben er nog altijd Annelies.' Ik hoor hem diep ademhalen. Met onvaste stem gaat hij verder: 'Maar vertel me nou eens, wat de reden was dat je zo in paniek raakte Annelies.'

'Ik schud nu mijn hoofd Sybren. Weet je waarom?' Ik wacht zijn antwoord niet af. 'Sybren hoe kun je nou zoiets vragen, luister beste schoonvader, onze kinderen zijn dol op jou, wij hebben jou nota bene als voorbeeld gezien toen wij hier twaalf jaar geleden onze praktijk begonnen. Ik weet niet hoe vaak wij gezegd hebben: hoe zou Dijkstra dit nou gedaan hebben? Zulke dingen Sybren en toen je huisarts was bij ons op het dorp, keken we tegen je op zoals iedereen. Je was een kei Sybren. En dan blijk je Alberts vader te zijn, stel je voor wat dat voor Albert betekent. Albert heeft altijd gedacht dat die onbehouwen kerel, die Durk van Zanden, zijn vader was. En dan ben uitgerekend jij het.'

Ik ben weer helemaal mezelf en ik lach in de hoorn: 'Nu heb ik een echte schoonvader Sybren.'

'Ik had het niet kunnen denken Annelies.'

'Wat had je niet kunnen denken?'

Ik hoor iets knisperen, een papieren zakdoek. 'Dat ik zo belangrijk voor jullie was,' zegt hij nauwelijks hoorbaar. 'Dit is een van de mooiste dagen in mijn leven.'

Ik hoor dat hij de telefoon neerlegt. Dan komt Titia aan de lijn: 'Voor ons zijn de laatste weken en dagen ook erg spannend geweest Annelies.' Titia's stem is vaster, als advocate in heikele zaken is ze gewend met hevige emoties om te gaan. 'Wij hebben altijd getwijfeld of Sybren de vader was van Albert. Albert lijkt niet op Van Zanden, dat hebben we altijd geweten, maar hij kon evengoed op Marije lijken. Wij hebben de familie van Marije gekend, haar broers en haar vader en daar vond je de bouw van Albert terug. Het is allemaal in een stroomversnelling gekomen toen Sybren bij jullie is geweest om jullie te condoleren met Marijke. Sybren heeft me al een paar keer verteld wat er gebeurd is. Hij heeft samen met Albert de motorkap van zijn Ford opgetild, je weet wel, dat loeizware ding en daarbij kreeg Albert een klein schrammetje aan zijn hand. Jij was erbij Annelies.'

'Nu je het zegt Titia. Het was het noemen niet waard, er hoefde niet eens een pleistertje op.'

'Het zijn van die onnozele voorvalletjes die je een paar seconden later weer vergeten bent.'

'Nu gaat mij een licht op Titia.' Ik hoor Titia zacht lachen. 'In mijn beroep kom je met zulke dingen in aanraking Annelies. Ik hoef je verder niets meer te vertellen, je ziet tegenwoordig om de haverklap van die uitzendingen op de televisie waar DNA aan te pas komt. Over mensen die willen weten wie hun vader was, je weet wel wat ik bedoel.'

'Ik kijk er regelmatig naar Titia, een minuscuul druppeltje bloed is voldoende.'

'Dus toen Sybren vertelde dat hij Albert de v-acht had laten zien en dat die motorkap haast niet te tillen is, en dat Albert er zich zelfs aan had bezeerd, kreeg ik ineens een inval. Sybren, zeg ik, dit is je kans. Om een lang verhaal kort te maken, we hebben toch maar weer die motorkap opgetild en jawel hoor, op de kap die boven de radiateur zit lag nog een druppeltje opgedroogd bloed, ruim voldoende voor een test. Ik ben nog diezelfde middag naar Evertjan gereden, dat is iemand die op zo'n laboratorium werkt, hij woont hier in de buurt. Met een fles wijn en twee ampulletjes. Ik zeg: 'Evertjan wil je even kijken of B de zoon is van A? Het is privé Evertjan.' Dan gaat het er zo bij door, begrijp je wel Annelies?'

Dan is het stil, ik hoor Titia zacht snikken. Ik snotter ook weer. 'Wij vonden jullie kinderen al van die schatten Annelies.' Haar stem is hees en zacht, ik kan haar nauwelijks verstaan. 'Een paar dagen later belde Evertjan. Er was geen twijfel mogelijk. Het was zo. Sybren heeft onmiddellijk een extra afdruk van die foto gemaakt en toen we 's avonds naar bed gingen, stond Albert daar met zijn moeder. In een antiek zilveren lijstje. Op ons nachtkastje.'

Als ze zich weer onder controle heeft, gaat ze verder. 'We hadden het jullie gedoseerd willen vertellen Annelies, komend weekend…'

45

Ik moet me inhouden om Albert niet gelijk te bellen. Maar hij rijdt visites, hij moet een stuk terug over een drukke weg. Nee, geduld oefenen en wachten tot hij thuis is, zeg ik tegen mezelf. Ik houd mijn lippen ook stijf op elkaar als Anna thuiskomt en vertelt dat Christien bij de buurkinderen blijft spelen. Ik kijk naar de rijksweg. Nee Christien is los vertrouwd, ze weet wat er een paar jaar geleden met haar zusje is gebeurd....

'Mam, wat ben je toch onrustig.' Anna kijkt me onderzoekend aan. 'Nee, lieve schat,' antwoord ik lachend, 'nee mevrouw de dokter in de knop, je moeder heeft geen klachten.' We stoeien, ik kietel haar in haar zij en het eindigt ermee dat ik haar tegen me aandruk en haar op het voorhoofd kus. Anna en ik gaan heel zacht en voorzichtig met elkaar om. Teder. En toch laat ik niet over me heen lopen, mijn wil is wet. Je kunt alleen maar streng zijn, als je tegelijk zacht en lief voor je kinderen bent. Je moet ze veel aandacht geven, dat is het geheim. Ze moeten van mij kunnen houden, zoals ik van hen houd. Dan gehoorzamen ze automatisch omdat ze mij niet willen teleurstellen. 'Waarom dacht je dat ik onrustig was Anna?'

'Omdat we misschien naar Friesland gaan verhuizen.'

'Ik heb met Sybren gebeld Anna. Hij zal voor ons informeren. Hij kent nog veel mensen uit het dorp en de omgeving. Hoe meer we weten des te beter. Maar het is nog helemaal niet zeker hoor Anna. Verhuizen heeft met ons beroep veel haken en ogen. Wij moeten bijvoorbeeld een koper vinden voor deze praktijk.'

Ik ga verder met koken. Anna gaat op de bank zitten om

de krant te lezen. Zoals ze daar zit, half verscholen achter de krant, lijkt ze al zo volwassen. Zal ik haar vertellen dat we komend weekend twee dagen naar Sybren en Titia gaan? Waarom niet, denk ik, dat is onschuldige informatie.

Ze legt de krant verbaasd naast zich op de grond. 'Twee dagen mams?'

'We hebben veel te bepraten, want als het doorgaat, zullen we in Friesland een huis moeten laten bouwen.'

'Dat is helemaal niet nodig mam.'

'Maar we zullen toch érgens moeten wonen meid.'

'Ik kan jullie wel een tip geven.'

Ik blijf halverwege de tafel met het tafellaken in mijn handen staan. Want het zou niet de eerste keer zijn dat Anna iets wist, lang voordat wij eraan dachten. En met een schok herinner ik me, dat ze weken geleden al tegen Sybren zei dat hij nu wel vaak bij ons zou komen. Ze had hem toen voor het eerst ontmoet. Hoe wist ze het?

'Tussen halfacht en acht uur kijk ik op mijn kamer weleens naar een doktersprogramma mama.'

'Wat is dat nou weer, een doktersprogramma?'

'Dat zijn reportages over huisartsen en hun patiënten.'

'Ik begrijp het, je kijkt de kunst af.' Anna lacht, zoals Albert lacht. En Sybren, haar grootvader van vaders kant.

'Er is één huisarts die heeft zijn praktijk in een verbouwde boerderij. Heel mooi, ruimte zat, en op het erf een ruime parkeerplaats. Jullie kunnen in het voorhuis een appartement voor pake en beppe laten bouwen en één voor ons. In het midden komt een ruime hal met twee voordeuren en klaar is kees. Dat is nog goedkoper dan een heel nieuw huis met praktijkruimte laten bouwen en pake en beppe zullen het fantastisch vinden. We wonen dan vlak bij hen, als ze iets mochten krijgen, zijn we in een minuut bij hen.'

Ze kijkt me ondeugend aan en ze lacht opnieuw.

'Twee vliegen in één klap. En jullie kunnen een wachtkamer, spreekkamer en onderzoekkamer bouwen naar jullie eigen wensen. Ruimte zat, je hebt die enorme schuur. Niks geen gedoe met oude rommel die je van een ander moet overnemen.'

Anna praat als een jonge vrouw. Ik ga naast haar op de bank zitten en sla een arm om haar heen. Wat voelt ze al volwassen aan, of is het verbeelding? 'Wat ben je toch een duvelse meid Anna.' En ik knuffel haar en zoen haar op haar dikke stevige haren. Ze heeft dezelfde haren als Marije, op de foto in het zilveren lijstje 'Wat denk je van een zwembad en een tennisbaan in de boomgaard mama? Ruimte zat.' Ik sta op en ga verder met het avondmaal terwijl ik blijf denken aan de verbouwde boerderij. Mijn ouders zullen naast hun schoenen lopen van trots. Ik begin er steeds meer voor te voelen, want dit plan heeft eigenlijk alleen maar voordelen.

'Ik zie wel wat in jouw idee Anna. Ik zal er met papa over praten.'

Het licht moet al aan. Buiten wordt het wit. De eerste sneeuw van het jaar valt in dikke vlokken. Ik loop naar de voorkamer, ik kijk de oprijlaan af. Het wordt snel donker en Christien is nog niet thuis. En Albert.

'Anna, wil jij Christien ophalen?'

Even later zie ik haar naar de weg lopen. Waar heb ik zulke kinderen aan verdiend, denk ik. Zo lief en gehoorzaam? Dat kunnen ze niet van mij hebben, want ik kan een felle kat zijn.

Tien minuten later zijn ze allemaal veilig thuis, Anna, Christien en Albert.

'Er is iets met de kraan in de spreekkamer, wil je even komen kijken Albert?' En tegen de kinderen: 'Ga maar vast aan tafel zitten, we komen zo.'

Albert trekt wit weg en krijgt het vervolgens warm, als

ik het hem vertel. 'Maakt u zich maar geen zorgen meneer Dijkstra,' zeg ik plagend. 'Ja,' zegt hij, 'verdraaid als het niet waar is Annelies, ik zou inderdaad Albert Sybren Dijkstra moeten heten.' Ik laat hem een glas koud water drinken en zoen hem op zijn mond. Ik voel een wilde lust in me, het wordt stijf in mijn lichaam. 'Ik wil vanavond in bed nog even naar u kijken meneer Dijkstra. Een klein onderzoekje maar, meneer Dijkstra.' We lachen en we kroelen. Onze handen zijn overal. Dan gaat de deur open. We schrikken. Anna. 'Ik dacht dat jullie even naar de kraan gingen kijken.' Dan schudt ze lachend haar hoofd en ze steekt haar tong uit. Anna wordt een grote meid zoals ze daar in de deuropening staat. 'Het eten wordt koud Albert en Annelies,' zegt ze met een ondeugende knipoog. 'Ze heeft jouw humor Albert, de humor van de Dijkstra's.'

Ik schep met trillende hand op. Anna ziet het en ze schudt quasi verstoord haar hoofd. 'Nee, Anna, het is niet wat jij denkt. O nee, Anna. Het is om iets wat zelfs jij nog niet kunt niet raden. Het gaat om een geheim, een geheim dat het leven van ons allemaal voor altijd zal veranderen.' Heeft Anna een notie? Ik twijfel. Maar ze hebben beiden donders goed de ernst in mijn stem gehoord. Ik laat ze nog tien minuten in het ongewisse. Eerst de aardappeltjes, de boontjes en het draadjesvlees. Het toetje eten ze toch wel.

Ze hebben nog nooit zo snel gegeten, ze zijn nieuwsgierig tot in hun tenen. Dan begin ik. 'Het gaat over Sybren en Alberts moeder, over Sybren en Marije.' Ik kijk ze een voor een aan. Het gaat dus ook over papa. Eén blik is voldoende. Anna legt razendsnel verbanden, ik zie het aan haar gezicht. Ze zegt niets, heeft ze het al geraden?

'Luister Christien en Anna, vroeger is er iets bijzonders gebeurd tussen Marije, de moeder van papa en Sybren.'

Nu begrijpt Anna het onmiddellijk. Een kleine hint was

voldoende. Ze krijgt een kleur, haar ogen worden groot. Maar Christien?

'Wat is er dan gebeurd?' vraagt onze jongste prompt. Ik aarzel een ogenblik, maar ze zullen het toch moeten weten. Voor Christien had ik het nog een tijdlang kunnen verzwijgen, maar niet voor Anna. En als Anna het weet dan weet Christien het ook binnen de kortste keren.

'Let op Christien, nu vertel ik het geheim: Sybren heeft vroeger een zaadje in de buik van Marije geplant. Je weet wel zoals bij de schapen en de koeien.'

Je kunt een speld horen vallen. Ze houden hun adem in. 'Weet je wat dat betekent Christien?'

'Er is een baby uitgegroeid en dat was papa.' Ik zie een glimlach om de mond van onze jongste. 'Dat is heel bijzonder,' zegt ze in de quasi deftige taal die ze van Anna heeft overgenomen. 'En toen Christien, wat is er toen verder gebeurd? Wat is Sybren nu van ons?'

'Sybren is de vader van papa en daarom is Sybren onze grootvader.'

'Zo is het Christien, je hebt het heel goed uitgelegd. 'Ik zet ze het toetje voor, maar ze zijn te opgewonden. Ze zeggen niets, maar de dieprode kleur op hun wangen spreekt boekdelen. Christien speelt met haar lepel en Anna kijkt me terloops met een verlegen blik aan. 'Had je al een voorgevoel Anna?' Ze knikt. 'Ik had het gehoopt mam.'

'Waarom had je het gehoopt?'

'Omdat ik het graag wilde. Het was ook gek dat ze ons zoveel cadeautjes met sinterklaas gaven. Dat doe je alleen als je familie van elkaar bent.'

Albert en ik knikken. 'Dat is ook zo Anna. Wij vonden dat ook gek.'

'Ben je blij met een nieuwe opa Christien?'

'O ja mama.' Ze kijkt me onderzoekend en tegelijk verlegen

aan. 'Maar Sybren is toch getrouwd met Titia mama?' Ik kijk Albert een ogenblik aan, Christien gaat Anna achterna. Nog zo'n voorlijk kind. 'Wat wil je daarmee zeggen Christien?'

'Vaders leggen toch altijd hun zaadjes in de buik van hun vrouw. Dat hoort toch zo? Sybren en Marije waren toch niet met elkaar getrouwd?'

'Dat is ook zo Christien, dat is heel knap van je dat je dat allemaal weet. Maar het is nu eenmaal anders gegaan. Wij weten ook niet waarom Sybren en Marije met elkaar hebben gevreeën. Soms houden mensen ineens heel veel van elkaar en dan doen ze het. Gelukkig maar. Want als het niet was gebeurd dan was je vader er niet en als je vader er niet was geweest, dan was jij er nu ook niet.'

We lachen allemaal, er is geen geheim meer. Ik begin af te ruimen. Ze helpen allemaal ijverig mee, dan dansen ze in het rond. Albert en ik dansen met hen mee, in een grote kring om de keukentafel, langs het raam en weer terug. Anna en Christien moeten de spanning afreageren, wij ook trouwens. Ik schuif een cd in de radio, ik ga vooroplopen en ik dans zo lang tot we allemaal moe zijn. Ik laat me hijgend op de bank vallen, ze volgen mijn voorbeeld. Anna tegen mij aan, Christien tegen haar vader. Ze hangen om onze hals.

De volgende ochtend kruipen ze bij ons in bed. Zoals vroeger toen ze nog klein waren, Christien nog maar twee en Anna zes. Toen waren we met ons vijven. Wat zou Marijke gezegd hebben? Zou ze ook blij zijn geweest met een nieuwe opa en oma? Anna legt haar hoofd op mijn schouder. Ze streelt mijn haar, ze kijkt me aan. 'Niet meer bedroefd zijn mama,' fluistert ze in mijn oor. 'Hoe weet je dat ik aan je zusje dacht?' fluister ik zacht terug. 'Ik zie het aan je mond en aan je ogen mama. En hieraan.' Ze veegt voorzichtig een traan van mijn wang.

'Weet je waarom wij het jullie gisteravond hebben verteld?' vraagt Albert.

'Omdat wij het immers toch ontdekt zouden hebben dat Sybren met onze grootmoeder heeft gevreeën.'

'Heb je dit zelf bedacht Christien?'

'Dat vertel ik haar, mama,' zegt Anna

'Want jullie vertellen mij niets,' zegt Christien, 'en daarom vraag ik het aan Anna, als ik wil weten waar de kinderen vandaan komen.' Ze zwijgt abrupt alsof ze beseft iets te zeggen wat eigenlijk niet hoort voor een kind van haar leeftijd. 'Het is niet omdat wij het jullie niet zouden willen vertellen Christien, maar ouders schamen zich er soms voor om zulke dingen met hun kinderen te bespreken. En kinderen willen zulke dingen ook liever niet van hun vader en moeder horen. En daarom is het heel lief van Anna, dat ze het jou vertelt Christien.'

We blijven stil liggen, want het is zo, we zijn nu allemaal een beetje verlegen. Of we het willen of niet. 'We hebben genoeg boeken met plaatjes en zo,' zegt Anna tenslotte.

'Ik vind het eigenlijk heel mooi,' zegt Christien.

'Dat is het ook,' zegt Albert. 'Als je dokter wordt, krijg je zwangere vrouwen op je spreekuur. En je bent er ook vaak bij als baby's geboren worden.'

'Daarom wil ik dokter worden,' zegt Anna. We blijven weer een hele zwijgend naast elkaar liggen in ons grote bed, ieder met zijn eigen gedachten.

'Toch is het raar,' zegt Christien. 'Sybren was getrouwd met Titia en hij ging toch vrijen met Marije, onze grootmoeder.'

Ik geef met opzet niet direct antwoord en ik knijp even in Alberts hand. Hij begrijpt me. Als ik voor mijn gevoel lang genoeg mijn mond heb gehouden, begin ik: 'Er is nog iets Anna en Christien. Titia heeft me gevraagd het aan jullie te vertellen. Iets over Titia zelf. En dan zullen jullie ook beter begrijpen waarom er vroeger iets is gebeurd tussen Marije en Sybren. Weten jullie wel wat homoseksualiteit is?'

'Vertel jij het maar mama,' zegt Anna. Albert geeft me een knijpje, Anna geeft ons grootmoedig de kans om het te vertellen, de smiecht. Ze wil ook niet altijd de slimste zijn, ik begrijp haar wel.

'Als je heterofiel bent, he-te-ro-fiel,' herhaal ik, 'dan wil een meisje met een jongen vrijen, en jongens met meisjes. Ben je ho-mo-fiel dan wil een meisje met een meisje vrijen, en een jongen met een jongen. Als je tien mensen hebt dan is er gemiddeld één mens homofiel. Het komt overal in de natuur voor en daarom is het heel gewoon. Van vrouwen zeggen we ook dat ze lesbisch zijn en jongens worden homo genoemd. In Nederland mag je gewoon trouwen als je homofiel bent.'

'Kun je homofiel worden?' vraagt Christien.

'Nee, je bent het bij je geboorte. Precies zoals je bij je geboorte donker haar hebt, of een mooie rechte neus.'

'Je kunt er dus zelf niets aan doen?'

'Helemaal niets.'

'Het is dus ook niet je eigen schuld."

'Natuurlijk niet Christien.'

'Wat ben ik mama, homofiel of heterofiel?'

'Hetero, fluistert Anna in mijn oor, 'want ze speelt doktertje met Klaas.'

'Vind je het leuk om doktertje met Klaas te spelen Christien?' vraag ik.

'Ja,' zegt ze met een verdraaid en verlegen stemmetje. 'Nou dan ben je heterofiel. Want Klaas is een jongetje en jij bent een meisje.'

Ik zwijg wel een minuut. Ze weten veel meer dan ik vermoedde, denk ik. Voor Christien is Anna de grote zus. Die licht haar in.

'Titia is lesbisch, Anna en Christien en dat zou ermee te maken kunnen hebben, dat Sybren met Marije gevreeën heeft. Titia heeft mij gevraagd om het jullie te vertellen, maar denk erom Christien, je praat er alleen over als Titia of Sybren er zelf over beginnen. Afgesproken Christien?

46

's Middags, na het spreekuur, bel ik met Friesland.

'Papa, ik heb een zak vol nieuws voor jullie.'

'Als het maar goed nieuws is Annelies. Dan mogen het wel tien grote aardappelzakken vol zijn.'

'Ja hoor, wees maar niet bang. Eerst dit. Wij hebben nu definitief besloten om een praktijk in Friesland te zoeken, om dichter bij jullie in de buurt te wonen.'

'Dat zou erg mooi zijn, dat weet je Annelies.'

'Je vertelde dat Van Buren ermee wil stoppen.'

'Denken jullie er dan over om de praktijk van Van Buren over te nemen?'

'Het is alleen nog maar een gedachte hoor pa. Maar we zouden dan wel dichtbij wonen.'

'Van Buren wil in hetzelfde huis blijven wonen Annelies.'

'Ja dat weten we al papa.'

'Dan zouden jullie zelf moeten bouwen of een bestaand pand moeten gaan verbouwen.'

'Dat is een mogelijkheid pa, iets gaan verbouwen.'

Ik hóór mijn vader nadenken.

'Heb jij een idee papa, of er iets te koop is dat daarvoor in aanmerking zou komen? Liefst vlakbij, zodat we bij wijze van spreken zo naar jullie toe kunnen lopen?'

'Tja, daar vraag je zowat, Annelies.'

'Luister pa, er is iemand aan de deur, ik bel je over een halfuurtje terug. Goed?'

Ik leg de telefoon neer. Er is niemand aan de deur, ik leg

de telefoon met opzet neer. Toegegeven, het is ondeugend, maar als ze zelf op het idee van Anna komen is dat beter.

Na twintig minuten bel ik terug, ik ben nieuwsgierig. 'Hier ben ik weer papa.'

'Je moeder en ik zijn alles langsgegaan, maar we zouden niet een geschikte locatie weten. Er staan wel een paar huizen te koop, maar die zijn niet geschikt voor jullie. Dan moet je er alles afgooien en iets nieuws bouwen. Dat kan natuurlijk altijd. Maar daar zijn deze kavels niet geschikt voor, ze zijn veel te klein voor jullie.'

'Jullie hebben dus niets voor ons in de aanbieding?' grap ik.

'Wij zouden het niet weten meid.'

'Dan een andere mogelijkheid pa. Onze Anna kijkt 's avonds tussen halfacht en acht uur naar een programma over huisartsen, kijken jullie daar weleens naar?'

'Bijna altijd Annelies en dan zien we jullie voor ons. Hoe jullie de bloeddruk opnemen en de arme stakkers op de rug kloppen en met de stethoscoop naar de longen luisteren. Wat dacht je Annelies, jullie zijn veel in onze gedachten hoor meid. Jij en Albert.' Ik lach wat, want ik weet het wel, dat ze apetrots op ons zijn. 'Volgens Anna is er ook regelmatig een huisarts uit Drenthe te zien.'

'Klopt Annelies. Die heeft zijn praktijk in een verbouwde boerderij. Je zou eens naar die serie moeten kijken.'

'Misschien een goed idee pa.'

'Willen jullie ook zoiets Annelies?'

Ze hebben het niet geraden. Dan moet ik het initiatief maar nemen. 'Kunnen we van jou en mama de helft van de boerderij huren?'

Nu happen ze beiden naar adem, ze weten niet wat ze horen.

'Willen jullie dan bij ons in de koestal een praktijk beginnen?' zegt mijn vader met de verbazing nog in zijn stem. 'Het is maar een gedachte. Meer niet. Het hangt natuurlijk ook van de huurprijs af, die jullie ervoor vragen papa.'

'Je begrijpt wel Annelies, dat we niets van jullie willen hebben. Geen cent. Want als wij gaan hemelen is alles toch voor jullie en voor Anna en Christien. Maar ik zou het fantastisch vinden en je moeder ook. Ik heb de telefoon op de luidsprekerfunctie staan, Antje heeft alles gehoord en ze knikt heftig van ja.'

'Ik wist het ook wel, maar ik wilde het toch formeel vragen. Het is trouwens nog helemaal niet zeker hoor pa en ma.'

'Dat had ik wel begrepen Annelies. Maar nog een keer, we zouden een gat in de lucht springen.'

Ze kalmeren, want het is nog maar een idee. Meer niet. 'Toch moeten jullie er maar eens over nadenken. Want we moeten alleen aan iets beginnen waar we later geen spijt van krijgen. Jullie niet en wij ook niet.' Ik ken mijn ouders, ik weet dat ze nu knikken en verder niets zeggen, ook al zijn ze verbaasd en opgewonden tegelijk. Ze zijn van een generatie die koste wat kost emoties wil verbergen, je gedraagt je. Uit je dak gaan vinden ze beslist niet netjes. Ik aarzel. Ik was van plan om te vertellen hoe het met Alberts moeder en Sybren zat. Zal ik het door de telefoon vertellen? Ik aarzel opnieuw, dan begin ik toch maar als mijn moeder vraagt: 'Was er nog iets Annelies?' De stem van mijn moeder klinkt al ongerust. Heeft ze in mijn stem de aarzeling gehoord?

'We gaan komend weekeinde twee dagen naar Sybren en Titia.'

'Toe maar, twéé dagen?'

Zal ik een smoes verzinnen en het gesprek nu beëindigen, nu het nog kan? Ik hoef maar te zeggen dat er iemand met een bebloede doek om zijn hand bij de deur staat. Zal ik dan toch maar vertellen dat Sybren als getrouwd man wat heeft gehad met Marije, ook getrouwd? Durf ik het aan? Mijn ouders zijn redelijke mensen, vind ik, maar ze zijn nog altijd kerks, nog altijd gereformeerd. Als het om overspel gaat, zijn ze nog even strikt en onbuigzaam als vroeger. Veroordelend zelfs.

'Ben je er nog Annelies?' Mijn moeder houdt me bij de les. 'Ik meende iets achter het huis te horen. Even kijken.' Ik leg de telefoon neer en drink een glas koud water, mijn keel is droog. Dan bal ik mijn vuist, en nou is het uit, zeg ik tegen mezelf. Ze moeten het maar pikken, ik ben niet van plan om voor de fijngevoeligheid van mijn ouders wekenlang kat en muis te spelen. Ze zullen het sowieso eens te horen krijgen. En hoe lang is het niet geleden, dat het speelde? Moet je er dan nu nog over vallen?

'Er was niets,' zeg ik, 'misschien was het een vogel. We hebben tegenwoordig last van kraaien, vooral 's avonds, dan komen ze in grote zwermen naar de bomen achter het huis.' Nee, denk ik, nu is het genoeg met je uitvluchten, vooruit, recht voor z'n raap... Ik zie mijn moeder voor me, nu staat ze tegen het aanrecht geleund met haar linkerhand op het werkblad. Naar buiten kijkend, naar het hek op het pad naar de weg. Ik schraap mijn keel. 'We hebben met Sybren en Titia nogal wat te bespreken. Daarom hebben ze ons voor de zaterdag én de zondag uitgenodigd. We moeten het over de praktijk hebben. Of we er goed aan doen omdat we immers als kind uit het dorp komen. Dan ben je zo twee dagen verder, mam. En dan is er iets...' Ik begin weer te aarzelen. 'Ga er eerst maar eens bij zitten,' zeg ik gebiedend, ik hoor mezelf. Het zijn de zenuwen.

'Hoe weet je dat we staan?'

'Dat doen jullie altijd als ik bel, dat hebben jullie me al zo vaak verteld.'

'We zitten nu aan tafel, brand maar los.' Mijn vader spreekt nu. Zijn stem klinkt geïrriteerd. Zou ik ook zijn, denk ik als je zo lang aan het lijntje wordt gehouden.

Ik haal diep adem: 'Vroeger, ik moet ongeveer één jaar zijn geweest, was de moeder van Albert, Marije, ziek, ze had iets aan haar lever. Om kort te gaan dokter Dijkstra, Sybren dus, is toen vaak bij haar geweest om haar bloed te controleren. Dat deed je toen nog, omdat bijna niemand een auto had. En voor Marije, die immers niet in een puike conditie was' Ik wacht enkele tellen. 'Je weet hoe dat gaat, Sybren nog een jonge kerel. Zij ook jong, een mooie slanke vrouw..., Van Zanden aan het werk, ergens ver weg op het land, Feitse en Sies spelen buiten in de zandbak.' Mijn moeder kucht. Het zijn de zenuwen, weet ik. Mijn vader tikt op het tafelblad. 'Wat wil je ons vertellen Annelies?' vraagt hij kortaf.

'Dat ze wat gehad hebben.'

'Hoe bedoel je, dat ze wat gehad hebben?'

'Toe nou toch papa, wat mannen en vrouwen doen om kinderen te krijgen. Snap dat nou eens,' zeg ik ongeduldiger en bitser dan ik gewild had.

Het blijft voor mijn gevoel aan de andere kant van de lijn oneindig lang stil, in de grote keuken waar elke dag uit de Bijbel wordt gelezen. Waar gebeden wordt... Dan eindelijk mijn moeder, hees van de zenuwen: 'Wil je zeggen dat Albert de zoon van Sybren Dijkstra is?'

'Dat is precies wat ik jullie duidelijk wilde maken.' Ik laat me op de bank vallen. Gelukkig, het is gezegd. Nu de scherven nog even bij elkaar vegen. Ik heb mezelf weer onder controle.

'Albert heet dus eigenlijk Albert Dijkstra.'

'Dat zou je inderdaad kunnen zeggen, pa,' antwoord ik kort. Wat een stompzinnige conclusie, denk ik, alsof de naam er wat toe doet.

'Je bent er nogal laconiek onder.'

'Heb ik keuze? Heeft Albert keuze?'

'Nee, jullie treft geen blaam Annelies, dat wil ik ook niet zeggen. Maar het is wel overspel geweest.'

'Weet jij hoe het huwelijk van Sybren en Titia was?' vraag ik kortaf en snibbig 'En het huwelijk van Durk van Zanden en Marije? Wie oordeelt zal geoordeeld worden, pa. Dat zou jij beter moeten weten dan wie ook.'

'Ik heb dokter Dijkstra altijd erg gewaardeerd Annelies,' doet mijn moeder schijnheilig een duit in het zakje. Maar ik heb de harde veroordeling in haar zachte bevende stem donders goed gehoord.

'Nu is dokter Dijkstra ook de grootvader van jullie kleinkinderen,' zeg ik luid en duidelijk. Het moet hen als een veroordeling in de oren klinken. Ze moeten gehoord hebben dat ik geprikkeld ben.

Het is stil, misschien wel een minuut. Ik zwijg, verbijsterd.

'Jammer dat het gebeurd is.'

'Kom nou toch pa. Denk eens na, wil je? Jij ziet Albert toch ook als je eigen zoon? Denk er eens over na wat er van mij terecht was gekomen als Albert er niet was geweest. Nu kunnen we samen voor jullie zorgen op je oude dag. Zeg je dan nog altijd dat het jammer is geweest?' Ze moeten horen dat ik erg teleurgesteld ben en veel meer. De woede groeit in mij. Dat ze zoiets durven zeggen. De hand waarmee ik de telefoon vasthoud, beeft. 'Ja,' zegt mijn vader ijskoud, 'het is jammer dat het gebeurd is. Dat moeten wij vanuit ons geloof zeggen. Dat hadden wij nooit van die aardige dokter Dijkstra gedacht. Hij met die Marije van Zanden.' Ik heb het goed gehoord, 'die' Marije. Ik gooi de telefoon op de vloer. Woedend stamp ik het ding aan gruzelementen. 'Godverdomme en nog eens godverdomme, schijnheilige gereformeerde stakkers,' schreeuw ik. Al gooi ik jullie het complete Nieuwe Testament naar je hoofd, dan zullen jullie het verdomme nog altijd beter weten. Tientallen jaren na dato en dan wil je nog je naaste met de grond gelijk maken. Hebben jullie met je vrome Bijbelteksten dan nog niet in de gaten dat niemand zonder zonde is? Jullie ook niet? Ik ben razend, ik schop de resten van de telefoon door de keuken. Dan maar krassen in het parket... Ik trek bevend van boosheid mijn jas aan, sla een sjaal om en loop de oprijlaan af. Ik neem het verharde zandpad langs de rijksweg. Na een kwartier ben ik in het winkelcentrum. Bij een elektronicawinkel waar we wel meer komen, koop ik een nieuwe telefoon. Op de terugweg, nog geen honderd meter buiten de bebouwing, bellen ze op mijn reservetelefoon. 'Met je vader.'

'Ik wil nooit meer met je praten.' Ik klik hem meedogenloos weg. Nog geen minuut later rammelt het ding opnieuw. Ik neem niet op en zet de telefoon uit. Dan bedenk ik dat ik dienst heb en dat er mensen kunnen bellen. Zo snel ik kan loop ik terug. Ik kijk in de spreekkamer bij de ingekomen berichten, alleen twee meldingen uit Friesland. Ik wis ze onmiddellijk. Ik zet theewater op en ik ga voor het raam zitten waar ik de rijksweg kan zien. Dan begin ik te huilen. Schijnbaar zonder aanleiding. Ongecontroleerd met lange uithalen, het houdt niet op. Dan zie ik door mijn tranen de groene vlekken op de knieën van mijn beige broek. Hoeveel haast ik ook had om terug naar huis te lopen omdat ik dienst heb, toch heb ik enkele ogenblikken op mijn knieën gelegen op de plek waar ze Marijke neergelegd hebben. Ik heb de resten van de vergeet-mij-nietjes gestreeld die de buurkinderen geplant hebben op de plaats van haar hoofd in het lange droge gras. Het gaat nooit over, denk ik, het ongeluk van Marijke zal altijd een open wond blijven. Marijke, mijn arme kind dat genoemd is naar Marije, de vrouw met wie Sybren wat gehad heeft, de jong gestorven moeder van Albert. Dan bedaar ik langzaam. Mijn verdriet zal nooit over gaan. Je kunt het niet uit je geest wegpoetsen, zei Hendrik, de psychiater uit het ziekenhuis waar Marijke is gestorven. Je kunt het niet, want dan zou je vermogen om lief te hebben moeten verdwijnen. En dat kan niet, want je bént je moederliefde. Ik sta duizelig op, ik droog mijn ogen en schenk een kopje thee in. Ik draai het nummer van Hendrik. Of hij een dezer dagen tijd voor me heeft. 'Bel me over tien minuten Annelies, iemand heeft afgezegd.' Ik drink nog een kop thee met een leeg pijnlijk hoofd. Precies tien minuten later draai ik het nummer van Hendrik.

'Je noemt Marijke en Marije de moeder van Albert in één adem Annelies. Kennelijk heeft je onderbewuste het niet gepikt dat jouw vader via Marije jouw Marijke bekritiseerde.'

'Ik was zo woedend dat ik de telefoon in duizend stukken heb gestampt.'

'Je vader beroerde onbedoeld je grote verdriet, de pijnlijke wond die nooit zal helen.'

'Het is duidelijk Hendrik.'

'Kennelijk is het zo gegaan, want de wetten van de logica zijn meestal niet van toepassing op de werking van onze geest Annelies.'

'Ik zal mijn vader bellen.'

'Natuurlijk, gelijk heb je. Er is niets ernstigs gebeurd. Hoogstens zal je vader het Nieuwe Testament kritischer gaan lezen.' Ik hoor Hendrik zacht lachen. Ik heb hem de vorige keer verteld van de sterke banden tussen mij en mijn ouders. Als Albert thuiskomt ben ik weer de oude. Hij ziet niets aan me. Ook niet dat ik een andere kleur broek aan heb. Pas als hij aan de keukentafel gaat zitten, ziet hij de nieuwe telefoon. Ik vertel hem alles. Ook van het korte gesprek met Hendrik. 'Als jij het eten afmaakt, bel ik ondertussen met onze ouders Annelies.'

Later op de avond als de kinderen naar bed zijn, vraag ik wat mijn ouders zeiden. 'Ze hebben het nu wel door Annelies, ze zijn zich doodgeschrokken van je reactie. Hun excuses. Ze waren er al achter gekomen dat het met Marijke te maken had. Ze zijn blij met dokter Dijkstra als grootvader van hun kleinkinderen. Nee, dat is een understatement Annelies, ze waren verbijsterd en tegelijk blij. Toch wel. Het zal zeker een paar dagen duren voor ze over de schok heen zijn. Stel je voor Annelies: wij vragen of we bij hen in de boerderij kunnen wonen en vervolgens komt hun hooggeachte dokter, die buiten de pot heeft gepist op de proppen als co-opa, ga er maar aan staan als je tegen de zeventig loopt.'

Tegen tienen bel ik ze, het kan nog net voor ze naar bed gaan. 'Onze excuses Annelies. We hebben het begrepen, het was vooral je sterke moederinstinct. Je kent het verhaal toch van je moeder die de baker een paar tanden uit de mond sloeg? Jij heb alleen maar de telefoon naar de duvel en z'n ouwe moer geholpen.' We lachen, ook mijn moeder op de achtergrond. 'We begrepen elkaar even niet, papa en mama.' In bed zegt Albert: 'Ik heb ze nog maar niet verteld van Titia. Dat ze lesbisch is.'

47

Anna bezweert ons de TomTom thuis te laten. 'En als we verdwalen Anna, wat dan? Weet je nog van die keer toen we in Frankrijk verdwaald zijn? Toen we in de auto moesten slapen?' Maar Anna is zeker van haar zaak en Christien helpt haar grote zus: 'Maak je maar geen zorgen hoor mama. Ik ben er immers ook bij.' We doen wat lacherig. Ik wil niet zeggen dat ik zenuwachtig ben. Maar ik heb toch een extra kop koffie genomen. Albert heeft het adres opgeschreven. Met de postcode er voor de zekerheid bij. Onze voorbereidingen strekken zich zelfs uit tot in de verleden tijd. Op woensdagmiddag zijn we gaan inkopen. 'Zaterdag is een feestelijke dag,' hield Anna ons voor, 'en dat moeten Sybren en Titia aan ons zien. En daarom moeten we iets nieuws aan.' Niet eerder heeft Anna zo de nadruk op kleren gelegd. Het blijkt dat ze precies weet wat ze wil. En Christien vaart blind op haar zus. Dat meende ik, maar ik heb me vergist. Christien adviseert haar grote zus met grote mensen woordgebruik: 'Dát kun jij best hebben Anna.' Ik hoor het met stijgende verbazing aan. Nu speelt Christien het nog. Maar over vijf jaar is Anna al lang en breed een puber. Ze hebben voor mij ook al iets op het oog. Misschien maar goed, want ik maal niet om kleren. Zelfs Albert moet eraan geloven. Ook al is hij er niet bij. Is niet nodig, want hij heeft een gemakkelijke maat die vanaf zijn achttiende nooit veranderd is. Ze kiezen een nieuwe broek , een donkerblauw colbertje en een wit overhemd waar je geen das bij hoeft te dragen. En dan de bloemen, ja, de bloe-men! 'Er moeten in elk geval rode rozen bij,' zegt Anna, 'want rode rozen zijn de bloemen van de liefde.' Ik bestel ze zodat we ze zaterdagmorgen om negen uur zo op kunnen halen. Twee grote boeketten met witte linten. 'Want wit is de kleur van de onschuld,' zegt Anna. Hoe kom je daar nou weer bij Anna? vraag ik me af. 'En op de prijs moeten we niet letten want er zullen nooit méér grootouders bij komen.' Dat is tenminste logisch.

'Eerst de grote weg maar op papa.' Ze hebben met Sybren het stuk al eens gereden. Ik heb een vermoeden waar we in de buitenwijk moeten zijn. 'Nu rechtsaf, daar is de goudkust, papa. Daar wonen ze.' Ja allicht, denk ik, aan de Goudkust. Sybren had een goed beklante praktijk en Titia een advocatenkantoor dat ze aan Boeier en Boeier hebben verkocht.

Ze hebben ons aan zien komen, het monumentale hek gaat automatisch open, het grint knarst zoals het hoort bij dit type huis met rieten kap. 'Parkeer hem maar voor de garage, dat doet Sybren ook.' Dan lopen we met Anna en Christien voorop naar de voordeur waar ze ons op de riante stoep staan op te wachten. Ik had me in willen houden, maar er lopen toch traantjes over mijn wang. We hoeven niet toneel te spelen, we hoeven niets te zeggen. Ik zal het mijn leven lang niet meer vergeten.

Vanaf het allereerste begin dat we bij hen zijn, verbaas ik me over hun relatie. In al die kleine dingen, die het leven waardevol maken, herken ik de liefde tussen Sybren en Titia. Hij heterofiel en zij lesbisch. Hoe kan dat?

Ze hebben er een feest van gemaakt. Overal staan bloemen. Ze verwennen ons met taartjes. En een borrel na de koffie. We voelen ons op ons gemak. Het komt ook door Anna en Christien, die vandaag voor het eerst opa en oma zeggen. Ze hebben het kennelijk met elkaar afgesproken. Wie zou het initiatief hebben genomen? Anna? Of toch de praktische Christien? Onvermijdelijk gaat het gesprek in eerste instantie over de kleine zakelijke dingen, het huis, de inrichting, de tuin en hoe lang ze hier al weer wonen.

Als Anna en Christien op hun stoel gaan zitten draaien, stelt Titia voor het huis door te lopen. Titia en Sybren zien onze bewonderende blikken. 'Als je altijd bij elkaar blijft, zoals wij, als je niet steeds opnieuw een nest in moet richten, dan spaar je automatisch,' zegt Titia terwijl ze ons de meer dan luxueuze badkamer laat zien die bij onze kamer hoort.

We laten Anna en Christien achter in het atelier van Titia. Ze heeft alles voorbereid, oude kleren, kwasten, acrylverf en noem maar op. 'Straks, als we gaan eten over anderhalf uur, dan roepen we jullie, afgesproken?' Na een omweg door de tuin, inclusief tuinhuis, keren we terug in de zitkamer met uitzicht op het gazon en de fraaie bosschages van winterhard groen.

Sybren: 'Als jullie het goedvinden dan wil ik jullie nog wat informatie geven, zodat jullie een compleet beeld hebben. Ik had een heel goede relatie met je moeder Albert. Tussen Durk van Zanden en je moeder was geen sprake van een liefdesrelatie. Alleen omdat je moeder een zachte en meegaande vrouw was, verdroegen die twee elkaar. Ze hadden natuurlijk nooit moeten trouwen, maar het was een moetje zoals men dat vroeger noemde. Kortom, zij en ik, die toch weleens van de lichamelijke liefde wilden proeven, kwamen elkaar steeds nader. Op een warme zomermorgen toen ik voorbijkwam voor een bloedmonster, vond ik je moeder alleen in de keuken. Ze had een ochtendjas aan, meer niet. Jullie kunnen wel raden wat er toen gebeurde. 'Nee Sybren,' zei ze onmiddellijk, 'maak je geen zorgen, er is niets in gekomen.' Bij die constatering hebben we het gelaten, want we waren verlegen. En we voelden ons schuldig. Want vergis je niet, we waren streng gereformeerd opgevoed. Toen was wat we gedaan hadden een doodzonde. Als je in die tijd 'moest' trouwen, dan mocht dat niet in het wit en je moest op je knieën voor het aangezicht van de gemeente des Heeren je zonde belijden.' Sybren lijkt er nog beduusd van te kijken. 'Twee maanden later, toen je moeder mij vertelde dat ze zwanger was, verzekerde ze mij dat het van Durk was. 'Echt Sybren, het is niet van jou.' Ze schudde haar hoofd. 'Ik weet het zeker Sybren. 'Maar als jij je nou vergist Marije?' Ik weet nog exact de woorden die ik toen gebruikte, kun je nagaan hoe diep zulke gebeurtenissen in je wezen verankerd liggen. 'Maar wat er ook gebeurt, Sybren,' zei ze, 'je mag er nooit met iemand over spreken. Dat moet je mij beloven.' Sybren zwijgt, hij is ontroerd en veegt de tranen uit zijn ogen. 'Dat heb ik gedaan, ik heb het Marije beloofd. Maar ik heb altijd mijn twijfels gehouden. Als jongen van een jaar of twaalf, dertien, toen je pas met Annelies ging, leek je op mijn familie Albert. Maar ik kende ook de familie van je moeder en daar waren de mannen ook klein vans stuk, zoals ik. En dan dacht ik, nee, Albert hoeft toch niet van mij te zijn.'

Titia: 'Ondanks mijn geaardheid zijn Albert en ik altijd hechte vrienden gebleven, die van elkaar hielden. Dat is nooit veranderd, ook niet toen dat met Marije van Zanden speelde. Ik heb alles vanaf het begin meegekregen. Ik weet nog dat we op een zaterdagmorgen bij Van Andel vaste planten voor de tuin haalden. We troffen hem aan in zijn werkplaats, bezig een zeil te maken. 'Het is voor mijn achterneefje, voor Albert, de zoon van Marije van Zanden, mijn nicht die helaas jong overleden is.'

'Ik ken haar Van Andel, ze was een patiënte van mij,' antwoordde Sybren. 'Ach ja, natuurlijk dokter. Nu meende ik nog een katrolletje te hebben en nog wat van dat kleine spul wat ik nodig heb voor het zeil en nu heeft mijn vrouw bij het opruimen per ongeluk alles weggegooid.'

Titia glimlacht: 'We hebben de planten ingeladen en vervolgens zijn we linea recta naar de stad gereden om de schroefjes en de katrolletjes te kopen die Van Andel nodig had. We verzonnen een smoes. Sybren zei tegen Van Andel dat hij toevallig een doos met oude rommel in de garage had gevonden.'

Sybren: 'Op zulke momenten had ik het moeilijk. Ik was ongerust, omdat je met dat vlot op die grote trekvaart zeilde. Een paar weken heb ik regelmatig een omweg door de Onzalige Polder gemaakt. Die jongen zal toch niet van zijn vlot afvallen en verdrinken? En dan observeerde ik je door de telelens. Op een dag heb ik tientallen foto's van je gemaakt toen je op de trekvaart zeilde. Je broers stonden aan de kant te kijken. De foto's liggen allemaal gesorteerd in kartonnen dozen op zolder. En toen jullie een paartje werden, Albert en Annelies, ben ik er overstuur van geweest, je mag het best weten. Ik was tot in de punten van mijn tenen geëmotioneerd. Zo blij was ik voor jullie.'

Titia: 'Ik begreep het niet direct. Jullie waren zo jong, vooral jij, Albert.'

Sybren: 'Toen je bij Annelies ging wonen, heb ik me gerealiseerd dat je het erg slecht gehad moet hebben in het gezin Van Zanden. Aebeltsje was geen lieve stiefmoeder voor je Albert. Jouw moeder belde me Annelies, en ze zei dat het een wonder was, je was een andere Annelies geworden. Je lachte weer en je was vrolijk. Antje hield van jou Albert, alsof je haar eigen zoon was.'

Titia: 'We zagen jullie fietsen en je hield Alberts hand vast. Zo innig. Het geluk straalde van jullie af.'

Sybren: 'Ik heb van ontroering zitten huilen. Of hij nu van mij is of niet, ik hoef me nu in elk geval geen zorgen meer te maken.'

Titia: 'Wat jullie waarschijnlijk niet weten: er werd over

jullie gepraat in de kerkenraad.' Titia maakt een hulpeloos gebaar. 'Je gelooft het niet, maar toen waren er mensen die jouw ouders op het matje wilden roepen Annelies. Omdat jouw ouders, jullie tot ontucht aan zouden zetten. Hoererij noemden ze het.'

Sybren: 'In die tijd hadden de gereformeerden vaste gedragspatronen, waarvan ze dachten dat Onze-Lieve-Heer die alleen aan hen, de gereformeerden, had geopenbaard: je werd verliefd, je verloofde je en pas als je getrouwd was, mocht 'het grote werk' beginnen: je voortplanten. 'Gaat heen en vermenigvuldigt u. Jullie vielen compleet buiten dat patroon. Maar er was nog iets anders, jullie ouders waren de eersten in het dorp die een nieuwe auto kochten. De boerderij was van je ouders en niet van de bank, begrijp je wel Annelies. Dat stak.'

Titia: 'Onbewust - laten we het daar maar op houden - hebben de mannenbroeders gedacht: dit is een mooie gelegenheid om Jan en Antje van der Wal een kopje kleiner te maken. Ach, het was pure jaloezie, afgunst, het had niets met het geloof te maken. Helemaal niets. Het was gewoon ordinaire kinnesinne.'

Sybren glimlachend: 'Zo was dat in die goede oude tijd, Annelies en Albert.'

Titia: 'Ik was ouderling. Een van de eerste vrouwen in Nederland die toen dat ambt in de gereformeerde kerk bekleedde. Als vrouw van de dokter en als advocate had ik een zekere autoriteit. Ik heb de mannenbroeders ervan kunnen overtuigen dat het weinig zinvol was verdere stappen te ondernemen. Want er waren enkele heethoofden die Jan en Antje van der Wal aan wilden geven bij de zedenpolitie.'

Sybren: 'Toen jullie medicijnen gingen studeren, kwam mijn twijfel terug. Albert ook arts, zoals ik? Zou het dan toch overerven? Toen ontdekte ik dat er in de familie van

Marije ook artsen waren. Je vergist je toch, heb ik bij mezelf gezegd. Marije heeft gelijk gehad. En dat is eigenlijk zo gebleven tot jullie Marijke is verongelukt en ik jullie kwam condoleren. En wij samen de motorkap optilden en er een druppeltje bloed op de kap van de radiateur viel.'

Titia: 'Ik heb tegen Sybren gezegd dat hij van zijn belofte ontslagen was. Omdat de omstandigheden niet vergelijkbaar zijn met vroeger. Het is al bijna veertig jaar geleden gebeurd. Als Marije nu leefde had ze hetzelfde gezegd.'

Sybren: 'Zo is het gegaan.'

Sybren staat op en we lopen wat door de kamer om de benen te strekken.

'Dank je wel voor jullie zorgen op de momenten dat wij jullie nodig hadden.' Albert heeft tranen in zijn ogen. Hij spreekt zacht.

De bel gaat. Sybren gaat opendoen.

Titia kijkt op haar horloge. 'We kunnen nog wel even gaan zitten. We hebben een cateringbedrijf ingehuurd, we willen het er vanmiddag van nemen, we willen nu niet in de keuken staan. Want dit is een belangrijke dag voor ons Albert en Annelies. Voor jullie natuurlijk ook.'

Ze staat op en geeft ons een pakkerd, we komen elkaar nader, het is niet het ogenblik voor grote woorden.

48

Ik had het wel verwacht. Ze hebben een echte eetkamer. Nog net geen zaal. Met echte Appels, drie. Geflankeerd door de schilderijen van Christien. Ik geloof dat ze die van Christien zouden nemen als ze gedwongen werden te kiezen, gezien de warme liefde die ze voor mijn kinderen in het hart dragen. Ja, en dan heb je automatisch ons, de ouders erbij, zo gaat dat.

Zelf zou ik nooit met damast gedekt hebben en al helemaal niet met zilver en kristal. Titia helpt mij uit de droom. Het is de eerste keer dat ze dit gebruiken.

'We hebben dit spul geërfd.'

Ik neem een kristallen wijnglas in mijn hand. Er staat een wapen in gegraveerd.

'Is je familie van adel Titia?'

'Nee ik heb het spul van een oude dame geërfd. Ik heb haar zoon verdedigd die zich er lelijk ingedraaid had, en dat is goed uitgepakt. Het is alweer een jaar of vijfentwintig geleden. De zoon is allang dood en twee jaar geleden is de moeder op tweeënnegentigjarige leeftijd overleden. Ze was de laatste van haar familie. We zochten haar geregeld op, we konden goed met elkaar opschieten'

Dan lacht ze. 'De duvel schijt altijd op de grote hoop Annelies. Wij hebben al veel en dan krijg je dit en een zak vol geld erbij. Het geld hebben we aan goede doelen geschonken, maar het tafelzilver en het kristal hebben we gehouden omdat de oude dame eraan gehecht was. En nu gebruiken we het één keer omdat Anna en Christien erom gevraagd hebben en dan nooit weer.'

In gedachten zie ik Christien onhandig doen. 'Wat kost nou zo'n glas Titia?'

Ze tuit schattend haar lippen. 'Zo'n gegraveerd glas. Honderd vijftig, tweehonderd euro. In die orde van grootte moet je denken Annelies.'

'Ik hou mijn hart vast Titia, ik zeg je het maar eerlijk.'

'Als ze een glas laten vallen, dan doen ze het niet met opzet. Ik zal lachen en zeggen dat een ordinair glas niks betekent, maar mijn kleinkinderen wél.' Ze lacht opnieuw als ze mijn verbouwereerde gezicht ziet. Ze kijkt me enkele ogenblikken aan met die ondeugende twinkeling in haar grijsblauwe ogen. Ik hoor Sybren in de keuken praten met de mensen van de catering en op de verdieping de voetstappen van Albert, Anna en Christien. Dan zegt ze ernstig: 'Vergis je niet, Annelies, jullie, jij, Albert, Christien en Anna betekenen erg veel voor me.' Ze kijkt me aan. 'Je hoeft toch niet dezelfde DNA- patronen te hebben?'

'Lief van je om het zo te zeggen Titia.'

'Dit, het huis, de grote tuin en alles wat we hebben. Mooi hoor, maar toen jullie vanmorgen aan kwamen lopen, voorop Anna en Christien met die prachtige bossen bloemen, met rode rozen erin.' Er biggelen tranen over haar wangen, ze trekt mij tegen haar aan. 'Je begrijpt me wel Annelies,' fluistert ze zacht. 'Dan betekenen het huis en alles wat we hebben niets.'

'Mag wel, hè Annelies?' Sybren schenkt een dun laagje wijn in de glazen van Anna en Christien en vult ze bij met spuitwater. Er is van alles, ook voor onze kinderen. Ze smullen en ze zijn heel voorzichtig met het kristal. IJs na. Met overvloedige klodders slagroom. Dan koffie of thee, we hoeven maar te kikken. Snoepjes, chocola voor Anna en Christien.

'Morgenmiddag eten we nog een keer zo deftig als vandaag. Omdat jullie er zijn.'

Titia heeft overal aan gedacht, terwijl we nog aan tafel zitten wordt er aangebeld. Het zijn de buurmeisjes, ze zijn acht en tien, Katrien en Marlies. Ze mogen aan de deftige tafel zitten, ze krijgen ijs met slagroom. 'Mogen Anna en Christien bij ons komen spelen tante Titia? vraagt de oudste. Ze weet al hoe onze kinderen heten. Ze zijn nog onwennig als ze achter de buurkinderen aanlopen.

'Het zijn lieve kinderen, zoals onze kinderen,' Titia kijkt me aan, 'Onze kinderen Annelies.'

Sybren staat op. 'Zullen wij een eind gaan wandelen Albert?'

'Ik heb je overjas in de achterbak gelegd, kijk maar even Albert,' zeg ik

'Ik heb het zo met Sybren afgesproken Annelies. Sorry meid, ik kan een echte regeltante zijn hoor. Maar ik denk dat het goed is als die twee, al wandelend aan elkaar gaan wennen.'

We gaan terug naar de zitkamer. 'En dan kan ik jou vertellen hoe onze naaste familie in elkaar steekt. Sybren en ik hopen dat jullie dat kunnen accepteren.'

Haar gezicht krijgt een ernstige trek .'Je hebt me toch al veel verteld Titia.'

'Dat is wel zo.'

'Je had me al over Femke verteld en hoe je achter je ware geaardheid was gekomen. Je woonde toen nog in Friesland.' Ze knikt en zoekt iets in de la van het salontafeltje. 'Vind je het erg als ik buiten een sigaretje rook?'

'Ik loop wel met je mee,' zeg ik grootmoedig. 'Je bent toch niet echt zenuwachtig Titia?' vraag ik als we buiten staan, met een jasje om onze schouders geslagen. 'Toch wel, geloof me,' antwoordt ze terwijl ze de eerste blauwe walm in de onbedorven frisse lucht blaast, 'zenuwachtiger dan ik ooit voor de rechtbank geweest ben.'

'Maar ik ken je toch al toen ik nog een schoolkind was Titia. Ik heb je voor in de kerk gezien, in je donkere mantelpakjes, als ouderling. De kerkenraad ging bijna in de houding staan als jij als laatste binnenschreed vanuit de consistorie. Later heb ik verslagen in de krant gelezen. Ik vertrouw je, daar hoef je niet aan te twijfelen Titia, jij met je natuurlijke autoriteit.'

Ze begint te lachen en neemt een trekje. 'Is wel zo Annelies, ik heb natuurlijk overwicht, ik weet het wel, maar je wilt niet weten hoe de schijn kan bedriegen. Ik heb eens een vent moeten verdedigen, echt een heel gore kinderverkrachter, maar wel heel netjes in het pak, gesoigneerd taalgebruik, gemanicuurde nageltjes, dure maatschoentjes aan de voetjes, weet je wel.'

'Kom Titia,' onderbreek ik haar, 'je denkt toch niet echt dat ik jou ook maar ergens van zou verdenken.'

'Nou, in het kort dan Annelies. Toen wij nog in Friesland woonden, heb ik Sybren overgehaald een vriendin te zoeken, omdat ik vond dat hij als heterofiel recht had op een vrouw in bed.'

'En dat is gelukt?'

'Sybren heeft nog altijd diezelfde vriendin. Heel close hoor.'

Ik bespeur geen greintje jaloezie in haar stem. En terwijl ze de sigaret uitdrukt in een bloempot: 'Ze heet Amélie en ze woont samen met Femke. Amélie is biseksueel en dat past weer uitstekend bij Femke.'

'Goh,' zeg ik. Titia kijkt me vluchtig maar onderzoekend aan. 'Nee Titia, het is niet wat jij denkt. Ik reken op het handje uit dat jullie menage à quatre al enkele decennia standhoudt.' Ze knikt. 'Niemand heeft het ooit geweten. Weet je hoe dat komt Annelies? Als men ons ziet, komt niemand op het idee. Wij zien eruit als een degelijk echtpaar dat met twee vriendinnen op stap is.'

'Maar dat is toch ook zo?'

'Zeker . Als we met ons vieren op vakantie gaan, nemen Sybren en ik een kamer en Amélie en Femke een kamer naast ons. Niemand heeft een vermoeden van de werkelijke kamerindeling. Het project met de kerk doen we ook met ons vieren.'

'Goh,' zeg ik opnieuw met dezelfde verbazing. 'Dat jullie met je vieren al zo lang een stabiele relatie hebben.'

'Het is zo gegroeid. Je noemde het zonet een menage à quatre Annelies. Maar dat is niet het juiste woord, we hebben nooit een gezamenlijke huishouding met ons vieren gehad. Wij hadden onze huishouding en toen Femke ontdekte dat de vriendin van Sybren ook wel wat voor haar voelde, zijn die twee gaan samenwonen. Dat was al zo toen wij nog in Friesland woonden. Omdat Amélie kinderarts was, hier in Holland, zijn wij ook naar hier vertrokken. We wilden bij hen in de buurt wonen. En laat ik maar eerlijk zijn, het kneuterige gereformeerde gedoe met de lieve Jezus kwam ons langzamerhand de strot uit.'

'Jullie hebben dus nooit een gezamenlijke huishouding gehad,' herhaal ik.

'Ik moet er niet aan denken Annelies.'

'Te ingewikkeld?'

'Dat is het juiste woord. Daarom heb ik nooit iets gehad met dat gedoe, met communes en zo. Een huishouding met twee personen kan al lastig zijn, laat staan dat je met je vieren moet beslissen of je een nieuwe keuken neemt. De een wil dit en de drie anderen hebben ook allemaal een idee. En dan gaat het nog maar om een keuken.'

'Mensen hebben al honderdduizenden jaren een gezin gevormd van één man en één vrouw.'

'Daar heb je het al Annelies. Dat is niet voor niets zo geweest. Je krijgt immers ook kinderen. Die willen geen gezeur met vier ouders. Dan weten ze niet wie ze moeten gehoorzamen. Kijk maar eens naar families waar opa en oma zich ook intensief met de opvoeding bemoeien. Ik wil niet zeggen dat het altijd hommeles wordt, maar het wordt wel moeilijker. Kinderen willen weten wie de kapitein op het schip is. Kinderen willen duidelijke afspraken.'

'Ben je nooit jaloers geweest Titia?'

'Op Amélie? Omdat ze met Sybren naar bed ging?'

'Ja.'

'Maar dat wilde ik toch beslist niet Annelies, met een man naar bed? Ik ben een echte pot, weet je nog?' Ze lacht. We hangen de jasjes terug aan de kapstok. Titia zet theewater op. Sybren en zij zijn theeleuten. Zoals wij.

'Vroeger speelde seks wel degelijk een rol Annelies.'

'Allicht.'

'We waren vier gezonde jonge mensen.'

Titia gaat naar de keuken om de thee op te schenken. Ik hoor haar de gebakschaaltjes met de Biedermeierbloempjes klaarzetten. Nu gaat de deur van de koelkast met een zachte plof dicht. De voordeur gaat open, ik hoor Albert en Sybren. Het is vertrouwd, alsof het nooit anders geweest is. Ik ken ze al zo lang, onze hooggeachte huisarts met de evenzeer geachte mevrouw Dijkstra. Advocate bij de rechtbank in Leeuwarden. Er waren mensen die haar nauwelijks aan durfden te spreken. Ik zie hem nog voor haar staan, een oude boer, met de pet in de hand. En de dominee. Bovenaan God, dan Jezus en de apostelen, maar dan al gauw mevrouw Dijkstra. Titia zet alvast de schaaltjes op tafel. 'Je moet straks zelf maar van de taart nemen. Het is wel erg zoet hoor,' zegt ze verontschuldigend terwijl haar hand over haar volle dijen glijdt om de rok glad te strijken als ze schuin tegenover me gaat zitten.

'De mannen zijn nog even naar boven gelopen, naar de donkere kamer. Er zijn foto's van Marije die Albert nog niet kent.' Na een ogenblik stilte: 'Ik wilde je vertellen hoe het met ons zat, met Amélie en Femke. Want ik zou niet willen dat jullie later zouden zeggen, nou dat hadden ze ons ook wel eerder kunnen vertellen.'

'Ik zou het ook gedaan hebben Titia.'

'Het stoort je toch niet? Ik hoef het misschien niet te vragen, maar ik doe het toch maar voor de zekerheid.'

'Absoluut niet. Jullie houden van elkaar, ieder op zijn eigen wijze, er is seks geweest als het zo uit kwam en jullie hebben daar niemand kwaad mee gedaan. Wat is er dan mis Titia?'

'Zo denken wij er ook over Annelies.'

'Ik kan er rekening mee houden, als Anna en Christien erover beginnen. Maar ik denk dat ze jullie in de praktijk gewoon zullen zien als een echtpaar met twee vriendinnen. En dat is toch ook zo? En verder Titia, is Anna een slimme meid, met onze en jullie normen en waarden, ze heeft veelt tact en Christien volgt haar automatisch, dus maak je maar geen zorgen.'

Ik vertel van de ruzie met mijn ouders. 'Kun je nagaan Titia. Je zou het niet verwachten en toch moest ik achter uit mijn keel spreken. Ze zagen het als overspel.'

'De facto was het dat ook Annelies, laten we eerlijk zijn.'

'Ik werd kwaad omdat ze zo gemakkelijk oordelen Titia.' En ik vertel van het gesprek met Hendrik, de psychiater.

'Ja, daar zat hem natuurlijk de knoop, het was jouw verdriet om Marijke. Op zulke momenten komt alles weer boven. Ik heb in mijn werk wel geleerd dat mensen een vat vol emoties zijn, afgedekt met een dun laagje rationaliteit. Ik heb ze gehad, die meenden dat ze alles onder controle hadden met hun verstand. Kerels natuurlijk. Ze deden voorkomen dat emoties er waren voor het plebs, weet je wel. Maar als puntje bij paaltje kwam. 'Ach, vertel mij wat Annelies.

Mensen en natuur, de hele wereld, het hele heelal, het is gestolde emotie, levenswil, liefde en verdriet, ontstaan in een eeuwige kringloop. Je kunt het wetenschappelijk, zeg maar verstandelijk, duiden, maar dat is alleen maar een voorlopige, menselijke duiding. Het zal wel waar zijn. Maar het is zo weinig zeggend. Het wonder van het zijn onttrekt zich aan ons dagelijkse waarnemingsvermogen. De dienstregeling van de spoorwegen zegt zo weinig over hoe Nederland is, als je begrijpt wat ik bedoel.'

49

Tegen vijven vraagt Titia of ik met haar de tafel voor de avondboterham wil dekken. 'Dan kunnen we ondertussen verder praten. Het is wel wat vroeg Annelies, maar we hebben voor vanavond Femke en Amélie uitgenodigd. Ik ben maar zo vrij geweest. De twee vrouwen maken immers een essentieel deel uit van onze familie, laat ik het zo maar zeggen. Heb ik je verteld dat Amélie kinderarts is geweest? Anna zal het wel leuk vinden om met haar kennis te maken.'

Terwijl ik in hun keukenla het bestek zoek, belt Titia met de buren. Och God, denk ik, je bent inderdaad een regeltante Titia.

'Ja met de grote amerikaan,' hoor ik haar zeggen. 'Nee, het hoeft niet Anna. Jullie mogen ook blijven spelen bij Katrien en Marlies.'

Even later gaat de belen staan ze toch voor onze neus Ze komen wel met ons eten, want Sybren gaat Femke en Amélie met de oldtimer halen. En ze mogen mee. Dat willen ze onder geen beding missen. Ze hebben blosjes op hun wangen, ze stralen. Ze hebben een heerlijke middag gehad. 'Morgen gaan we weer bij Katrien en Marlies spelen, mag wel hè mam?'

'Van mij wel Anna.'

'Van mij ook,' zegt Titia. Ze kijken Titia aan. Ik weet wat ze denken. Ik zie het ontspannen glimlachje in hun mondhoeken. Alleen voor mij zichtbaar.

Tegen zevenen zijn ze er al. Femke zit voorin. Ze ziet er heel anders uit dan ik mij had voorgesteld. Ik had het kunnen weten, want ze zijn allemaal om de zeventig, ze oogt ouder met haar beginnende alzheimer en haar witte haren. Stram en bevend, dat zijn de woorden. Anna stapt als eerste uit en helpt Amélie galant bij het uitstappen, Christien reikt haar de stok aan. Ze zijn alleraardigst, ze omhelzen ons, alsof wij verloren kinderen zijn. Ze ruiken naar eau de cologne, naar verleden tijd en toch ook weer niet, het verwart me. Als we in de tuinkamer zitten, zegt Amélie met haar lichte accent: 'Ach Anna, nu zijn Femke en ik helemaal die dozen vergeten die achter in de auto van Sybren liggen. Mogen ze even de sleutel van de Ford Sybren? En wil jij met je zusje dan even die twee pakken uit de auto halen Anna?' Ik zie de intense blik, de interesse voor Anna. Ze weet al dat Anna kinderarts wil worden. Anna heeft haar hart gestolen, en omgekeerd.

Eigenlijk is Anna al te groot voor de bijna levensechte pop. Ze wendt groot enthousiasme voor. Maar Christien is in alle staten. Ze bedelven Femke en Amélie onder zoenen.

'Eindelijk de familie compleet,' zegt Amélie als we aan-schuiven voor de boterham 'Annelies, Albert, Anna… en, ja ik weet het weer, hoe zou ik jou kunnen vergeten, Christien?'

Ze streelt het haar van onze jongste. Haar hand, al bedekt met kleine en grote blauwe aderen en ouderdomsvlekken. Haar aarzelende stem. Ze is breekbaar, mager maar elegant en véél ouder dan ik mij haar had voorgesteld. En ik maar aan seks denken, schiet het door me heen toen het over die twee vriendinnen ging. Vroeger ja, vroeger, en trouwens, wat gaat het mij ook aan?

We praten over alles en nog wat, het gesprek springt als een losgelaten lam in de wei heen en weer, we moeten Amélie zo nu en dan helpen met namen, data, ook als ze nog maar een minuut eerder… Ach, het maakt niet uit, want

Amélie is het zich wel bewust, ze wéét het. 'Maar,' zegt ze, 'Douwe Draaisma, je wéét wel die Groningse professor, zegt dat je niet wéét wat je vergeten bent, omdat je het immers vergeten bent. Was het niet zo Femke, toe meid, help me eens,' en ze lacht. Ik adem opgelucht: Wat is een optimistisch karakter toch belangrijk, denk ik. Wat een kranige oude dame ben je, o ja ik zie het wel, je moet een mooie meid geweest zijn. Dat symmetrische gezicht, die lange wimpers, alles is er nog. Ze heeft een feestelijke jurk aan, met blote schouders. Daarom heeft Titia de verwarming en halfuur geleden een tikkeltje hoger gezet. Ze had natuurlijk allang geraden dat Amélie deze jurk aan zou trekken. O zeker, het staat haar nog altijd. Na Titia die verreweg het jongste oogt, komt Femke. Ze is een rijzige vrouw op haar halfhoge hakken. Ik kan me er wel iets bij voorstellen, in de rechtbank, nog altijd met dat zwarte halflange haar dat ze met een forse beweging van haar hoofd terzijde werpt en dan die felle ogen waarmee ze je nu vriendelijk en vol begrip aankijkt.

Ondertussen doen Anna en Christien hun poppen een luier om, want het zijn natuurgetrouwe plaspoppen. 'We hebben voor de vrouwelijke versie gekozen,' zegt Amélie en ze lacht zo aanstekelijk, zó vanzelfsprekend dat we allemaal meelachen. Waarom maken we ons toch altijd zo druk, denk ik, om die onnozele dingen. Anna en Christien spelen op de knieën voor de bank rustig verder, maar ik zie ze even tegen elkaar glimlachen. Ze vouwen het cadeaupapier netjes op en dan leest Anna: van Femke en Amélie. 'Waarom schrijf je je naam met een streepje Amélie?'

'Omdat mijn ouders uit Brussel kwamen, uit het Franstalige deel. Ze zijn als kind met mijn grootouders in de Eerste Wereldoorlog via Antwerpen naar Nederland gevlucht. Ik ben in Nederland geboren, maar ik schrijf mijn naam nog altijd met een streepje, met een accent aigu. Zo heet dat in het Frans.'

'Ik kan het nog horen als je praat,' zegt Christien. Foei, denk ik, dat jullie Femke en Amélie zo maar tutoyeren en dan bedenk ik dat het waarschijnlijk uitdrukkelijk moet van de dames, want uit zichzelf zouden ze het nooit gedaan hebben.

Als de kinderen naar bed zijn, zegt Amélie: 'Jullie vinden het toch niet erg als Femke en ik Anna en Christien ook een beetje zien als onze kleinkinderen? Het zijn schatten hoor Annelies. Zo lief en zo gehoorzaam. En zo goed opgevoed. We hebben ze bijna moeten dwingen om je tegen ons te zeggen.' Ik leun tevreden achterover. Dan, zonder inleiding, gaat het gesprek over henzelf en over Sybren en Titia. Ook al zo losjes, zo ontspannen, ik verwonder mij. Maar ik ben ook opgelucht. Dat moesten mijn ouders eens horen, denk ik. Wat is er in godsnaam mis mee als je een andere geaardheid hebt? Femke, heeft alles door. 'Ben je geschrokken toen je ineens drie potten in je familie kreeg Annelies vraagt ze lachend. 'Helemaal niet Femke. wij zijn van een jongere generatie. Maar wij hebben ons wel verwonderd over jullie fantastische vriendschap gedurende al die jaren.'

'Drie vrouwen en één man, hè Annelies.'

'Leg eens uit.'

'Vrouwen zijn eerder geneigd om iets bij te leggen.' Femke lacht ondeugend. Sybren schudt zijn hoofd. 'Geloof het maar niet hoor Annelies. Nee, serieus, we hebben er dikwijls over gesproken waarom onze viervoudige relatie een succesformule is geworden. Titia zal je wel verteld hebben van de twee huishoudingen. Titia en ik hoefden alleen maar met ons tweeën te beslissen welke vloerbedekking we zouden nemen, ik noem maar een voorbeeld. Als je dat met vier mensen moet uitmaken, word je gek. Dat is één. Twee, Titia en ik hebben nooit problemen in bed gehad, omdat ik alleen maar haar rug hoefde te krabben als ze jeuk had. Voor Amélie en Femke gold mutatis mutandis hetzelfde. Zij zijn ook heel trouwe vriendinnen. Zij hebben dus ook een vereenvoudigde relatie zou je kunnen zeggen, met minder mogelijke conflictpunten. Seks, toch belangrijk als je jong en gezond bent, reserveerden we alle vier voor een partner met wie we niet in de clinch hoefden over vloerbedekking. 'Begrijpen jullie het, Annelies en Albert? Seks bleef voor ons iets exclusiefs, niet elke nacht, maar soms, vanwege onze werkzaamheden maar eens in de week. Of nog minder. Of ook wel meer hoor.' Ze grinniken als ondeugende kinderen. Ze doen me denken aan kloosterzusters met een bevriende pater. Maar dan zonder celibaat dat het leven onnodig gecompliceerd maakt.

'Geniaal,' zegt Albert, 'zo'n rolverdeling. Je moet er maar op komen.'

'Ik wil niet ontkennen dat het bij ons goed werkt, Annelies en Albert,' neemt Amélie het stokje over, 'maar de verleden tijd die Sybren bezigt, is niet geheel correct. Want zo oud zijn we nou ook weer niet. Elkaar strelen is toch ook seks? Maar ik wil nog wat anders zeggen. Wij hebben geen kinderen gehad, jammer natuurlijk, maar dit nadeel heeft, zoals die voetballer zegt, ook een voordeel: Je hebt minder mogelijke conflictpunten en dan nog iets wat je niet zomaar onder het vloerkleed moet vegen: Wij hebben allemaal goed betaalde banen gehad. We hebben altijd ruim bij kas gezeten. Want je kunt je gemakkelijk voorstellen dat er ruzie dreigt als bij één stel schraalhans keukenmeester is.'

'Verder hebben we, Annelies en Albert, alle vier min of meer gelijkmatige karakters en we zijn beslist niet jaloers. Hoeft ook niet natuurlijk, maar je komt regelmatig mensen tegen die van nature, zou ik haast zeggen, anderen wantrouwen en menen dat ze zelf altijd misdeeld worden. Dan wordt elke relatie problematisch.' De anderen knikken eensgezind. 'En toch hebben we eens een fikse ruzie gehad. We hebben elkaar anderhalve week gemeden. Twee kampen, Titia en ik versus Femke en Amélie. Over iets onnozels, over een deuk die Femke in mijn Ford zou hebben gereden. Maar het was de buurman die de Ford een opdonder had gegeven. Dat moest hij een week later toegeven toen hij er niet onderuit kon, omdat de politie de blauwe verf van de Ford op zijn bumper kon traceren. Godzijdank is hij allang verhuisd, de rotzak.'

'Wij waren die lummel liever kwijt dan rijk.' Femke wordt nog altijd onpasselijk als ze aan hem denkt, zegt ze. 'Er was nog veel meer met hem aan de hand. Eigenlijk hebben we hem nog de hand boven het hoofd gehouden. Want juridisch hadden wij hem gemakkelijk een loer kunnen draaien, we hadden hem zo een civiel juridische procedure aan zijn gat kunnen hangen.'

'Sybren had hem ook een spuitje kunnen geven, bij wijze van spreken dan,' zegt Amélie, de kinderarts. 'Die oldtimer is mijn achilleshiel, Albert en Annelies, ik geef het grif toe.' Sybrens drie vriendinnen glimlachen goedmoedig.

'En dan bouwden jullie een feestje om het weer goed te maken,' zegt Albert. Ze lachen alleen maar, weemoedig. Alles gaat voorbij, mompelt iemand, ik weet niet meer wie.

Om halftwaalf is Sybren weer terug, en tegen Titia en mij die opgeruimd hebben, zegt Sybren: 'Amélie en Femke beginnen oud te worden. Nog maar een paar jaar geleden zouden ze er niet aan gedacht hebben mij om halfelf te vragen of ik ze weer terug wilde brengen.'

'Jullie zien er ook het jongste uit,' zegt Albert.

'Wij zijn inderdaad een paar jaar jonger.' We nemen een borrel. 'Wij zijn van plan dit huis te verkopen.'

'O?' vragen Albert en ik verbaasd. 'Maar het is toch een prachtig en comfortabel huis Titia?'

'De slaapkamers zijn boven.' Sybren kijkt ons even aan. 'Je kunt een lift inbouwen, of zo'n traplift.' Sybren schudt zijn hoofd. 'Er speelt iets anders Albert en Annelies. Het zal geen jaren meer duren en dan hebben Femke en Amélie hulp nodig.' Ze kijken ons beiden opnieuw een ogenblik aan. 'We denken eraan iets te laten bouwen, alles gelijkvloers. Eigenlijk één huis met twee appartementen, zodat wij elkaar kunnen helpen, begrijp je wel?' Ze lachen als ze onze verbaasde gezichten zien. 'Allang voordat jullie in beeld waren hebben we met ons vieren besloten terug naar Friesland te gaan. Femke en Amélie zijn er ook geboren. En jullie mogen best weten Albert en Annelies, dat jullie onze terugkeer naar Friesland bespoedigen. Ik heb in de auto met Amélie en Femke gesproken. Ze denken er precies zo over. Wij, gevieren, willen niet al te ver bij jullie en de kleinkinderen vandaan wonen. Wij willen niet bij jullie op de stoep wonen, maar wel ergens in de buurt.'

50

Ruim een jaar later zijn we verhuisd. Het was in februari, een week nadat de dooi was ingevallen. Ik herinner me alles alsof het gisteren gebeurd is. De laatste spullen die we naar de grote verhuiswagen dragen. Christien en Anna die nog een keer door het huis lopen. Het huis waar ze geboren zijn, het huis van Marijke. We zijn voor het laatst in haar huis. Ik zie haar voor me, ze is overal, in haar kamer, op de trap en op het krukje bij de kraan. Albert weet waar ik aan denk. Ik zie de tranen in zijn ogen en het verdriet van Anna. Christien heeft Marijke wel gekend, maar ze was te jong om zich details te herinneren. Laatst vroeg ze mij: 'Mam, was Marijke al zo groot als ik nu? En hoe klonk haar stem mama, zoals mijn stem? Of leek haar stem meer op die van Anna?'

De grote verhuisauto rijdt weg, er blijven diepe sporen in het grint achter. Albert en ik laden nog wat spullen in de bagagewagen waarmee we vroeger op vakantie gingen. Het zijn spullen die we niet tussen de grote meubelstukken in de verhuiswagen willen opbergen. Een paar dozen met etenswaren, pannen, borden en bestek, koffers met kleren die we de volgende dagen nodig hebben, toilettassen, fotoalbums en tenslotte het speelgoed van Marijke, twee doosjes maar. Ik verstouw ze met zorg tussen de grote koffers. Het is alsof ik haar achterlaat in dit kille, holle huis, waar we de verwarming al uren geleden uitgedaan hebben.

Ik stuur. Halverwege de oprijlaan stop ik. Met een spade en een zwarte plastic emmer loop ik alleen naar de weg. Ik heb het zo afgesproken met Albert, Anna en Christien. Ik wil alleen gaan. Bij de zesde boom, rechts van onze oprijlaan, staan de vergeet-mij-nietjes. Daar lag ze. Ik spit de pol uit de grond. Voorzichtig laat ik de kluit in de emmer glijden. Dan haal ik met de spade zwarte grond uit de onderberm en vul het gat. Niemand zegt iets als ik de emmer onder het dekzeil in de bagagewagen vastzet tussen twee koffers. Naast haar speelgoed. En het kleine koffertje waarin ik nog altijd haar kleren bewaar. De kleren die ze toen aanhad. Dan rijden we voor de laatste keer de drukke rijksweg op. Weg van het huis waar onze drie kinderen geboren zijn. Als ik langzaam optrek langs de plaats waar nu zwarte aarde ligt vliegen twee kraaien krijsend op. 'Het zijn de kraaien die 's winters achter ons huis in de bomen zitten,' zegt Christien. 'Kraaien zijn overal waar mensen zijn,' zegt Albert toonloos, 'we raken ze nooit meer kwijt.'

Voor Anna en Christien is het de eerste keer dat ze verhuizen. Ze zullen hun vriendjes en vriendinnetjes missen en natuurlijk de buurkinderen. In de voorjaarsvakantie zullen ze een paar dagen bij ons komen logeren. Als volwassene weet je dat je nieuwe vrienden en kennissen zult maken. Christien en Anna kennen die ervaring nog niet. Ik begrijp hun bedrukte stemming, ook al gaan ze naar pake en beppe in Friesland.

Tegen de middag rijden we het nieuwe pad op dat naar de rechterzijde van de boerderij leidt, naar ons nieuwe huis onder het grote dak. We parkeren de auto naast de verhuisauto die al bijna leeg is en we gaan koffie drinken bij pake en beppe die nog altijd aan de andere zijde van de grote stolpboerderij wonen. In in de vernieuwde woonkeuken, de ruime voorkamer met centrale verwarming, en in hun oude en vertrouwde slaapkamers, waar je zo ver kunt zien. 'Nu zijn jullie weer thuis,' zegt mijn moeder. We drinken zwijgend koffie. Niemand heeft zin om te praten. 'Wat zijn jullie stil.'

'We moeten zoveel achterlaten beppe.'

'Ja,' zegt ze en ze droogt haar ogen met de kanten zakdoek.

Met ons allen - ik kan nog steeds niet wennen aan de woorden van mijn moeder - gaan we de nieuwe praktijk bekijken. We zijn twee maanden niet in Friesland geweest omdat we het ontzettend druk hebben gehad met de overdracht aan de nieuwe huisarts. En al die andere beslommeringen als je gaat verhuizen. Gelukkig heeft mijn vader een oogje in het zeil gehouden bij de verbouwing. Nu is alles aan onze zijde van de boerderij klaar. Mijn moeder heeft de laatste rommel van de schilders opgeveegd. Het ziet eruit zoals we gewild hebben. Ik geef mijn vader een complimentje omdat hij alles driemaal gecontroleerd heeft bij de bouw en de afwerking. In de nieuwe wachtkamer is een stuk van de oude koezolder zichtbaar gebleven, schoongemaakt en gelakt, maar nog altijd met de namen van de koeien die daar vroeger stonden: Antje, Annelies, Anna, Marijke en Christien. En verder de namen van mijn grootmoeders, oudtantes en nichten die wij nooit hebben gekend. 'Mooi papa, lief van je,' en ik loop snel verder naar de spreekkamer en de onderzoekkamer. De namen ontroeren me. Maar het zal wennen, zoals bijna alles tenslotte went. 'En dan hebben jullie nog een zee van ruimte over. Voor het geval jullie hier in de toekomst een huisartsenpost gaan vestigen.' Mijn vader is blij en trots dat zijn stal nu een heel bijzondere bestemming heeft. 'Dat hadden mijn vader en moeder moeten weten, dat hun kleindochter en haar man hier op het dorp dokter waren,' zegt hij met tranen in zijn ogen. 'Ze hadden naast hun schoenen gelopen van trots.' De deel is vrijwel onveranderd. Er is alleen een nieuwe betonnen vloer gestort. Pa wenkt ons. 'En kijk hier eens.' Hij trekt een dekzeil weg. 'Wat zeggen jullie hiervan?' Er staat een grasmaaier, zo'n ding waar je op kunt zitten, maar dan een professionele zoals ze die bij de gemeente gebruiken. 'Ik heb overal navraag gedaan en iedereen heeft me dit model aangeraden. Je kunt wel een kleinere nemen voor minder geld, maar ik wil het erf netjes onderhouden en dan moet je regelmatig maaien. Dan is zo'n klein ding zo kapot.'

'Je vader vindt het prachtig Annelies,' zegt mijn moeder terwijl we naar de boomgaard lopen. Ik kijk haar een ogenblik vragend aan. 'Toen de koeien weg waren, en er nog geen sprake van was dat jullie hier naartoe zouden komen, had Jan niets meer om handen. Ik zag hem met de dag wegkwijnen.'

'En jij mama?'

'Ach kind, ik heb het weer even druk als vroeger.' Ze lacht. 'Een mens moet een doel in het leven hebben. Als je op onze leeftijd op de stoel gaat zitten, wordt het niks.'

'En je vergeetachtigheid?' waag ik te vragen. 'Ik zit er niet meer mee Annelies. Ik geloof dat het niet erger wordt.' Ze haalt met een zekere nonchalance haar schouders op. 'Ik kan toch nog heel lang de aardappeltjes schillen Annelies?'

'Ik zou niet weten waarom niet.' Ze knikt, ze weet het wel, ik heb haar al een paar keer gerustgesteld. 'Ik had het wel verwacht mam. Mensen die bezig zijn zoals jij nu, hebben er het minst last van.'

'Daarom doen we het zoals we hebben afgesproken Annelies. Wij hebben allebei ons gezin en onze huishoudingen, maar zodra jullie even geen tijd hebben, dan kook ik en dan komen jullie gewoon bij ons eten. Zoals vroeger.'

'Natuurlijk,' zeg ik, 'dat is voor mij een hele zorg minder mams.'

'Dat dacht ik ook Annelies.'

Achter de boomgaard, in de luwte van de westenwind

en lekker in het nu nog winterse zonnetje ligt het nieuwe lichtblauw betegelde zwembad. 'De kleur van Sybrens oude auto,' zegt mijn moeder, 'hemelsblauw. Ik vind het wel mooi en jullie?'

'Prachtig,' zeggen we in koor. 'Het staat hun wel aan,' zegt mijn vader goedmoedig.

'Hebben we het zwembad van opa en oma gekregen?' vraagt Christien. 'Ja en ook van Amélie en Femke. Ze wilden het ons beslist geven en als jullie op tennis gaan en jullie zelf ook een tennisbaan willen, dan krijgen jullie die ook.'
's Middags na de thee wandelen we naar het andere einde van het dorp. 'Ze zijn deze week flink opgeschoten,' zegt mijn vader met kennersblik. 'Kijk, hier aan deze kant komt het appartement van Sybren en Titia en daar links, gaan Amélie en Femke wonen. Elke dag ga ik even inspecteren. Ik ken de aannemer wel, hij zal er geen potje van maken.' Mijn vader grinnikt. 'Maar thuis bekijk ik toch altijd even de tekening. Het oog van de meester maakt het paard vet, zei men vroeger.'

Als we teruglopen, mijn vader naast me, vertraagt hij zijn pas. Als we buiten gehoorsafstand van de anderen zijn, zegt hij: 'Ik wil je het tóch vragen Annelies. Is er nou echt niks mis mee, ik bedoel met die vrouwen?'

'Wat bedoel je nou, paps?' vraag ik geïrriteerd. 'Nou laat ik het dan maar recht voor z'n raap zeggen. Dat ze van de verkeerde kant zijn.'

'Maar paps, jij met je verkeerde kant, foei, gat mag je toch niet zeggen. Het zijn toch oude, fatsoenlijke dames?'

'Nou ja, vroeger Annelies…Vroeger…'

'Vroeger vonden ze dat je regelmatig oorlog moest voeren. En dan schoten ze tientallen miljoenen mensen dood alsof het niks was…Jij met je vroeger…Jij met je goede oude tijd.'

'Er is dus niets mis met de dames?'

'Hoe kom je er toch bij, die mensen houden oprecht van elkaar, dan kan er toch niets mis zijn?'

Hij blijft staan en legt zijn hand voorzichtig, bijna teder op mijn onderarm. 'Jij hebt doorgeleerd, daarom vraag ik het aan jou Annelies.' Ik schud alleen maar mijn hoofd. Geprikkeld, hij mag het merken. Want ik wil dit domme gepraat over doorleren niet meer horen. Ik wil een vader die gewoon zijn verstand gebruikt. Hij kijkt me schichtig aan, hij begrijpt donders goed wat ik bedoel. Dan zegt hij: 'Sybren en ik hebben afgesproken dat we straks in het voorjaar, samen kievitseieren gaan zoeken.'

Ik sla mijn arm om zijn middel en ik trek hem stevig tegen me aan. 'Kijk, dát is nou wijs en verstandig pap. Want dan kunnen jullie elkaar uit de sloot trekken. Want jullie gaan toch met een polsstok slootje springen?'

'Je wilt toch geen kilometers omlopen?'

'Ik hoop dat Sybren zo wijs is en er niet een wedstrijd van maakt wie over de breedste sloot durft te springen. Want jullie zijn oude kerels papa. Voor je het weet, heb je wat gebroken.' Het gezicht van mijn vader klaart op, hij doet of hij me niet hoort. 'Ik heb me vergist in Dijkstra Annelies. Weet je nog dat je moeder en ik Sybren beschuldigden van overspel? Hoe kon ik zo dom zijn om mensen zo maar te veroordelen.' Ik trek mijn vader stijf tegen me aan. 'En zo moet je ook niet van mensen zeggen dat ze van de verkeerde kant zijn pap. Dat kan echt niet meer.'

'Is ook zo, je hebt gelijk Annelies, ik ben veel te snel met mijn oordeel.' Ik hou hem stijf vast, hij voelt het. 'Ik ben trots op je pap. Omdat je niet zo'n verschrikkelijke man bent die altijd en eeuwig gelijk wil hebben. Alleen eerlijke volwassen mensen geven toe dat ze hun mening moeten veranderen. Staat het ook niet in de Bijbel? Wie zichzelf overwint,

is sterker dan wie een stad inneemt? Zoiets, dat klopt toch
hè pap?'

'Ik zal het jullie vanavond na het eten voorlezen, mevrouw
de dokter.' Mijn vader is een stuk langer dan ik, hij kijkt op
me neer, hij streelt even mijn haren. Want ergens ben en blijf
ik toch zijn kleine meid. Terwijl wij de pas erin zetten om
de anderen weer in te halen, zegt hij zacht met zijn mond bij
mijn oor: 'Wie had dat kunnen denken Annelies dat dokter
Dijkstra en ik de twee grootvaders van Anna en Christien
zouden zijn? Als ze dat vroeger tegen me hadden gezegd, had
ik ze voor gek versleten.'

In de namiddag als het al donker begint te worden, wil ik
alleen zijn aan onze kant van de boerderij. Ik wil alleen zijn
om aan Marijke te denken. Naast de nieuwe parkeerplaats
voor patiënten plant ik de vergeet-mij-nietjes. Als ik de plant
water heb gegeven, kijk ik om me heen. Ja, ik heb de juiste
plaats gekozen. Niet alleen kan ik onze stoel in de spreekkamer zien, ik kan tegelijkertijd in de verte het roze vlekje
van de boerderij ontwaren, waar Albert is geboren en waar
Marije, de grootmoeder van Marijke hem vertelde over fee-
en die in onze boerderij woonden. Ik ga op mijn hurken zitten, ik streel de verdorde stengels en wat er is overgebleven
van de tere bloempjes. Als het voorjaar wordt zal de plant
uitbotten. Ze zal weer bloeien, ze zal bij ons blijven. Ik zoek
achter de boerderij keistenen die we verzameld hebben toen
een stuk land omgeploegd werd. Ik leg ze in een cirkel om
de vergeet-mij-nietjes, zodat mijn vader de bloemen in het
voorjaar niet per ongeluk af zal maaien.

Marijke, fluister ik, jij zult altijd bij ons blijven. Ik heb
nooit geloofd dat je voor altijd weg zou zijn. En dat zal nooit
veranderen. Wij zullen jou nooit vergeten. Ik blijf minutenlang op mijn knieën zitten huilen.

Haar graf is ver weg, in de omgeving waar ze geboren is. Maar ik wil toch iets tastbaars van Marijke begraven bij de vergeet-mij-nietjes. Iets uit haar korte leven. Ik wil me haar dagelijks herinneren als ik de cirkel keistenen zie vanuit de spreekkamer. Alsof ik haar wil laten weten dat ik haar niet alleen kan laten. Ik heb onder in de kuil een jampotje gedaan met het briefje van Guy en de foto waarop ze staan als bruidje en bruidegom. Marijke en Guy. Mijn Marijke met het enige echte vriendje dat ze ooit heeft gehad. Niemand weet wat ik heb begraven, behalve mijn naaste familie. Zij weten dat ik nu in de schemering alleen moet zijn met de herinnering aan mijn kind. Ik blijf lang staan mijmeren. Tot mijn tranen in de kille oostenwind zijn opgedroogd.